L'ESCAPADE SANS RETOUR DE SOPHIE PARENT

Mylène Gilbert-Dumas

L'ESCAPADE SANS RETOUR DE SOPHIE PARENT

roman

www.quebecloisirs.com

UNE ÉDITION DU CLUB QUÉBEC LOISIRS INC.

Avec l'autorisation du Groupe Ville-Marie Littérature inc.

Dépôt légal – Bibliothèque et Archives nationales du Québec, 2011
ISBN Q.L. : 978-2-89666-101-5
(Publié précédemment sous ISBN 978-2-89649-289-3)

Imprimé au Canada par Friesens

Prenons un instant pour prendre conscience
qu'il n'y a que trois façons de modifier la trajectoire
de notre vie, pour le meilleur ou pour le pire :
la crise, la chance et le choix.

SARAH BAN BREATHNACH

PREMIÈRE PARTIE

La crise

1.

Sophie Parent n'avait rien d'une aventurière. Installée depuis des années dans le confort de sa banlieue, elle s'était laissé porter par la vague tranquille de son quotidien. Elle respectait l'ordre social, avait confiance en ses proches, ne mentait pas et avait pour le chaos une aversion intraitable. De l'avis de plusieurs, elle surfait avec adresse sur la grande mer de la vie. À preuve, deux mois avant que commence sa descente aux enfers, Sophie habitait encore une maison de briques dans un quartier tranquille. Elle enseignait dans une école de Montréal, partageait le lit du même homme depuis vingt ans et s'occupait de deux adolescentes avec toute l'abnégation et la tolérance qu'on exige des mères modernes. Elle parlait bien sa langue maternelle, la lisait et l'écrivait avec aisance, mais jamais elle n'avait ressenti la moindre envie d'apprendre l'anglais. Encore moins l'espagnol.

Il est donc étrange qu'au moment où nous faisons la connaissance de cette femme ordinaire, elle gît en plein désert, sur l'accotement d'une route de campagne, quelque part au Texas, non loin de la frontière mexicaine. Assise par terre, le corps balayé par le vent, elle garde la tête baissée pour protéger ses yeux du soleil. Des larmes taries ont dessiné sur ses joues des sillons inégaux qui lui donnent un air d'enfant perdu. Ses cheveux courts, bruns et sales se dressent sur son crâne en couettes hirsutes. Des grains de sable se sont glissés dans sa bouche et s'amassent aux coins de ses lèvres.

Du sable a aussi maculé son jean, en plus de laisser sur son T-shirt une pellicule grisâtre, foncée par endroits.

Elle a retiré ses sandales dont les lanières de cuir lui ont blessé les chevilles. Elle a faim et soif et depuis que le soleil a quitté son zénith, elle sent sur sa nuque une brise plus fraîche qui serait agréable si elle ne laissait présager la nuit qui s'en vient.

Dans l'esprit de Sophie, la peur s'est muée en désespoir. Il n'y a plus de plan qui tienne ni de projet qui soit réalisable. Elle peut juste espérer avoir la force de lever le pouce lorsqu'une voiture se présentera enfin. Au chauffeur qui s'arrêtera, Sophie dira simplement *Montréal, Canada,* en priant pour que l'autre comprenne.

Les minutes passent, puis les heures. Le soleil descend sur les collines, laissant d'abord à l'est une traînée bleu marine avant de plonger le désert dans des ténèbres profondes. La noirceur amplifie les bruits et la sensation d'isolement en plus de pénétrer tous les êtres vivants d'un froid violent. Lasse, Sophie se replie sur elle-même. Elle n'a nulle part où aller. Rien d'autre à faire qu'attendre. Quelqu'un finira bien par emprunter cette route.

Dans l'obscurité, un premier signe de vie. Les buissons épineux frémissent. Un animal rampe sur le sol tout près. Sophie serre les dents. Elle se trouve au bout du monde, sans argent et sans passeport, sans bagage ni énergie. Et elle se demande comment elle a bien pu en arriver là.

Le jour fatidique n'avait en apparence rien d'extraordinaire, à part peut-être un prolongement étrange de l'automne, une douceur de l'air, un vent qui persistait à venir du sud. À part peut-être aussi le fait que c'était le quarantième anniversaire de naissance de Sophie. Lorsqu'elle ouvrit les yeux ce matin-là, elle remarqua tout de suite que les rideaux laissaient filtrer une lumière différente. Le réveille-matin n'avait pas sonné. Sophie pensa d'abord à une panne de courant, puis elle se rappela qu'elle avait éteint l'appareil avant de se coucher. En ce samedi 8 décembre, elle n'avait rien de prévu. Pas de rendez-vous, pas de course, pas de famille à visiter, pas même de ménage qui soit impératif. Un jour comme celui-là ne s'était pas présenté depuis si longtemps que Sophie ne sut comment réagir. Elle eut tout de même la sagesse de ne pas se presser.

Contrairement à son habitude, donc, Sophie ne bondit pas hors du lit. Elle s'étira et fut surprise de sentir sur sa peau la caresse des draps tièdes. Le coton lui parut d'une douceur qu'elle n'avait jamais remarquée. Son regard s'attarda dans la pièce, et elle se rendit compte que sa chambre lui était en quelque sorte étrangère. Tout était comme avant, mais en même temps, tout était différent. Sophie se rappelait avoir décidé des moindres détails de la décoration, de la couleur des murs à la texture des rideaux et même de la teinte du bois qui recouvrait le plancher. Les fleurs séchées dans le vase provenaient d'un fleuriste du centre-ville, les photos sur les meubles, d'une boutique d'encadrement. Elle connaissait cette chambre par cœur et pourtant, ce matin-là, il lui sembla que c'était la chambre de quelqu'un d'autre. Cette sensation lui ramena à l'esprit une image oubliée depuis longtemps. La photo d'une chambre semblable aperçue dans un exemplaire de la revue *Country Living*, une de celles qu'elle gardait empilées dans l'armoire du salon. Lorsqu'elle avait aménagé cette pièce, Sophie n'avait pas été inspirée. Elle avait copié. En d'autres circonstances, ce constat l'aurait fait sourire. Après tout, s'inspirer, imiter, plagier… quand il s'agissait de décoration, la différence était trop mince pour s'en soucier. Ce matin-là toutefois, Sophie sentit naître en elle une tristesse dont elle n'arriva pas à identifier la cause.

Était-elle déçue d'elle-même ou déçue de sa chambre ? Incapable d'en tirer une conclusion, elle chassa cette pensée et commença sa journée sans se douter que ce malaise constituait un signe. Un signe qui s'ajoutait à tous les autres et qui prouvait que quelque chose avait changé.

Il y avait eu d'autres manifestations. Une inquiétude ressentie devant un agenda rempli, la contemplation fugace d'un coucher de soleil et, de temps en temps, une vague impression de manque. Mais le premier incident vraiment important avait eu lieu l'été précédent. Et il était presque passé inaperçu.

Sophie revenait de faire des courses et conduisait sur l'autoroute, un peu trop vite, comme d'habitude. Elle avait allumé la radio et l'écoutait d'une oreille distraite jusqu'à ce que l'animateur décrive un accident survenu dans le centre-ville de Montréal quelques heures plus tôt. Une femme avait été écrasée par un bloc de béton alors qu'elle dînait tranquillement sur la terrasse d'un restaurant. Une dalle pesant plusieurs centaines de kilos s'était détachée de la façade de l'immeuble et, après une chute de quarante mètres, était venue s'abattre sur la victime devant le regard horrifié de son conjoint et des autres clients. On précisait que le couple avait expressément demandé cette table au soleil sur la terrasse. Quand on sait à quel point la belle saison est courte au Québec, on se demande bien qui, ce jour-là, aurait choisi une place à l'intérieur.

L'animateur de radio se perdait en conjectures, se questionnant sur le destin et l'ironie du sort. Il demandait aux auditeurs de se prononcer sur l'existence d'une fatalité qu'il associait à une sorte de volonté divine. Il s'agissait pourtant d'un accident. Cette femme se trouvait au mauvais endroit au mauvais moment. Rien ni personne n'aurait pu prévoir ce qui allait arriver. Et pourtant, Sophie s'était sentie interpellée. Si le hasard l'avait menée dans ce même restaurant ce midi-là, elle aussi aurait choisi la table funeste sur la terrasse.

Et ainsi, tandis qu'elle roulait sur l'autoroute et que le soleil plombait l'asphalte, Sophie se mit à transpirer plus que de raison.

2.

Sophie menait une vie qu'elle voulait exemplaire. Elle hébergeait parfois sa mère, une baby-boomer à la santé fragile, veillait à maintenir une bonne relation avec son frère, en plus de s'occuper d'Anouk et de Roxane dont l'adolescence ne se déroulait pas sans heurts. Elle était fière de pouvoir dire qu'elle vivait toujours avec Luc Dumont, le père de ses enfants, un homme de son âge pour qui elle cuisinait et entretenait une maison achetée conjointement. Comme presque toutes les femmes de sa génération, Sophie occupait un emploi à temps plein. Elle enseignait d'ailleurs depuis assez longtemps pour que son salaire ait dépassé celui de Luc quelques années plus tôt. Cet événement, qui aurait dû améliorer leur qualité de vie, avait dans les faits contribué à la détérioration de leur relation de couple. Mais à cela, Sophie ne pensait jamais, pas plus qu'elle ne songeait à remettre en question les rôles qui lui avaient été attribués.

Quelques jours après ce qui était désormais connu comme « l'accident de la terrasse », Sophie posa le premier geste de rébellion de sa vie. Elle acheta ce qui constituait pendant son adolescence le vêtement fétiche de ceux qui contestaient l'ordre social : une veste en jean. Plus qu'un désir refoulé, il s'agissait d'une limite qu'elle n'avait jamais osé franchir. La réalisation de ce fantasme traduisait un état d'esprit dont elle pressentait l'importance sans en comprendre encore la signification. Le jean n'était pas permis au travail, et Sophie savait que Luc n'admettrait pas qu'elle sorte avec lui dans une tenue trop sport à son goût. Sans compter que Roxane et Anouk saisiraient l'occasion de se payer sa tête, elles qui méprisaient les vieilles qui s'habillaient en jeunes. Mais ces considérations pesèrent bien peu dans la balance quand Sophie sortit sa carte de crédit. Si elle devait mourir le lendemain écrasée sous un bloc de béton, elle voulait avoir au moins une fois dans sa vie agi à sa guise.

De l'avis de ses proches, l'achat de la veste en jean constitua un geste puéril, voire ridicule. Chacun leva les yeux au ciel, mais personne ne prit vraiment l'événement au sérieux.

De nature organisée, Sophie avait réglé sa vie comme on réglait autrefois les pendules d'une horloge grand-père. Chaque minute comptait et aucune n'était jamais perdue. Jamais.

Elle se levait tôt, déjeunait en houspillant ses filles pour qu'elles ne ratent pas leur autobus et quittait elle-même la maison à 7 h 30 précises. Malgré ce départ hâtif, il n'était pas rare que Sophie arrive en retard au travail. Chaque fois que sa voiture était immobilisée sur le pont Champlain, entre 7 h 45 et 8 heures du matin, Sophie se rongeait les ongles en guettant une ouverture dans la voie de gauche. À cette angoisse s'ajoutait la vision cauchemardesque de ses élèves attendant dans le couloir avant de se disperser pour aller fumer et placoter dans la cour de l'école jusqu'à la période suivante. Sophie imaginait un blâme de la part du directeur et se préparait une excuse qui n'avait d'autre but que la déculpabiliser le temps que la circulation redevienne fluide. En vérité, elle ne vivait de répit que pendant le congé des fêtes ou pendant ces sept semaines bénies qu'elle appelait avec affection ses vacances d'été. Ces vacances portaient cependant mal leur nom puisque, malgré ses années d'expérience, Sophie les utilisait pour préparer la rentrée de septembre. Ne jamais être prise au dépourvu, telle était sa devise.

On peut donc comprendre qu'en ce samedi 8 décembre, Sophie ressentait un malaise de n'avoir rien à faire. Elle était descendue à la cuisine et avait jeté un œil soulagé dans la cour. L'herbe avait jauni, et les feuilles mortes jonchaient la pelouse. La neige se faisait attendre, ce qui permettrait encore quelques allers et retours au travail moins pénibles.

Elle déjeuna avec une lenteur peu coutumière en s'attardant longuement sur chaque article de *La Presse*, savourant le fait que personne, nulle part, ne l'attendait. Elle savait ses filles vaquant à leurs loisirs respectifs, Luc s'activant au bureau pour terminer un dossier prioritaire, et le reste de la parenté probablement encore endormie.

Le cœur léger, Sophie osa même s'aventurer dans les cahiers de ce quotidien où elle ne mettait jamais le nez, et la lecture de la chronique nécrologique constitua un autre symptôme qui confirmait que quelque chose n'allait pas comme d'habitude dans sa tête. Les morts s'alignaient en colonnes comme ils le faisaient au cimetière et pas un n'empiétait sur l'espace réservé et payé par un autre. Sophie regarda distraitement les photos, s'arrêtant sur celles qui présentaient des personnes jeunes, les traits à peine ridés. Elle fut attirée par la photo d'une femme dont le nom ne lui disait rien, mais dont l'avis de décès la laissa bouche bée. Il s'agissait d'une mère de famille de quarante ans décédée du cancer. Elle laissait dans le deuil deux filles, un conjoint, une mère, un frère, une belle-sœur et un beau-frère de même que plusieurs neveux et nièces. À part le nom, cette description correspondait tellement à son profil que Sophie eut l'impression que la mort lui soufflait dans le cou.

Le frisson qui suivit ne dura qu'un instant, mais il lui laissa dans l'âme un arrière-goût qu'elle tenta d'effacer avec une dernière gorgée de café. Se croyant remise de ses émotions, Sophie abandonna le journal, s'habilla et sortit dans le jardin. Elle n'avait peut-être pas d'obligations, mais cela ne signifiait pas qu'il n'y avait rien à faire à la maison. Puisque la température se montrait clémente, Sophie venait de décider qu'il était temps de ramasser les feuilles tombées depuis plusieurs semaines et que le vent avait en partie soufflées chez les voisins. Elle entra dans le garage, en sortit munie de tout ce qu'il fallait pour ratisser le terrain et se dirigea vers le fond de la cour. Fidèle à ses habitudes, elle allait procéder avec méthode.

La ligne qui séparait sa propriété de celle de leurs voisins d'en arrière avait été tracée à l'aide de cèdres qui atteignaient désormais deux mètres de hauteur. Ces arbres plantés serrés assuraient l'intimité des deux familles tout en les protégeant des visiteurs importuns. Immobilisée à quelques pas de cette clôture naturelle, Sophie en admira la beauté avec un plaisir qui l'étonna. Elle ne possédait pas de talent particulier en horticulture et avait, par conséquent, développé une indifférence teintée de culpabilité pour tout ce qui relevait de la végétation, se contentant de fleurs coupées à son anniversaire ou à la fête des Mères. Elle habitait cette maison depuis presque vingt ans et jamais elle n'avait examiné avec autant d'attention ce qui poussait sur son terrain. Or, en ce matin funeste, elle apprécia réellement ce qu'elle vit.

C'était une vraie belle haie. Verte, dense et vigoureuse, avec des branches tortueuses qui dépassaient sur le dessus et que le voisin taillait avec patience chaque printemps. Sophie resta sur place, subjuguée devant ce prodige de la nature. Elle caressa des yeux l'entrelacs inextricable des branches, leur velours, leur couleur vibrante. Tout avait l'air harmonieux, uni. Mais quand, au bout d'un moment, elle se pencha pour ramasser les feuilles qui s'entassaient autour des troncs elle fit une découverte qui la troubla.

À l'intérieur, derrière le rideau de verdure, se trouvaient des branches sèches et brunes. Des branches qui ne servaient à rien, qui s'emmêlaient, nues, dans un vide habilement dissimulé. Cette haie que Sophie avait crue belle et fournie ne l'était finalement qu'en apparence. Il s'agissait d'une façade, d'une beauté superficielle. Et alors qu'elle s'interrogeait sur la relation entre l'apparence somptueuse et le vide intérieur, une comparaison lui vint à l'esprit avec brutalité. Sa vie ressemblait à cette haie : une beauté de surface, une intimité creuse et sèche. Sans l'avoir cherché, Sophie venait de mettre le doigt sur ce qui la tourmentait depuis des mois. Elle s'effondra sur le sol.

Tandis qu'elle laissait l'émotion l'envahir, sa vie se déroula comme un tapis devant ses yeux. Elle y distingua tous les éléments qui composaient ce qu'elle croyait être son bonheur : un emploi bien rémunéré, un conjoint travaillant, deux belles grandes filles, une voiture payée et une maison en banlieue dans un quartier cossu. Sophie s'occupait aussi de sa parenté, fréquentait encore, bien que rarement, quelques amies de l'université et connaissait juste assez de voisins pour se sentir en sécurité. Tout le monde l'enviait, admirait ses succès, mais personne ne voyait à quel point elle se sentait insignifiante en dedans. Car sa vie ne ressemblait en rien à celle dont elle avait rêvé jadis, quand l'adolescence lui permettait encore d'espérer.

Jusque-là, son âge l'avait toujours laissée indifférente. Elle n'y pensait pas davantage qu'elle ne pensait à ces autres petites choses qu'elle entassait dans un coin de son esprit, hors de son champ de vision. Tout au plus s'agaçait-elle de ces fils blancs qui apparaissaient entre les colorations. De toute façon, avec les années, Sophie avait oublié la couleur naturelle de ses cheveux. Elle n'examinait plus non plus le grain de sa peau, ni sa douceur, ni sa blancheur. Quelques pattes d'oie se dessinaient au coin de ses yeux quand elle riait, ses seins ne lui semblaient plus aussi hauts ni aussi fermes. Rien quand même qui annonça une catastrophe. Et pourtant, les années passaient.

Elle s'allongea dans les feuilles et regarda le ciel. Il était gris, annonciateur de froid et de neige. L'hiver s'en venait. Inévitable. Sophie sentit les larmes couler et descendre jusque dans son cou. Elle ferma les yeux, et le chiffre se déploya en elle jusqu'à ce qu'elle puisse en saisir la pleine mesure. Quarante ans. Cela signifiait qu'elle avait vécu, si elle était chanceuse, la moitié de sa vie. Une moitié qu'elle jugeait tout à coup terne, inutile et insatisfaisante. Ce n'était pas cette vie-là qu'elle avait voulue.

Les souvenirs affluèrent, d'abord indistincts, comme en noir et blanc. Puis lui revint en mémoire un souper dans un restaurant portugais de Québec, rue de la Chevrotière, non loin de la Grande Allée. Elle avait dix-huit ans et accompagnait son oncle et sa tante en vacances. Pour la première fois de sa vie, Sophie avait mangé du lapin. Elle se souvenait encore du goût, du plaisir aussi, mais elle se souvenait surtout du propriétaire. L'homme n'avait cessé de lui faire des compliments et de l'interroger sur ses projets d'avenir. Il était sans l'ombre d'un doute fasciné par la fraîcheur de cette jeune fille qui souriait à tous et riait pour un rien. À la fin du repas, il lui avait remis une miniature de son emblème national, un coq de plomb haut de trois centimètres et peint à la main. Un objet magnifique, s'était dit Sophie en le glissant dans son sac.

– Il vous portera bonheur, mademoiselle, avait dit le Portugais. Mais si jamais il se brise, il faudra le jeter sur-le-champ.

Le coq se trouvait quelque part dans une boîte de souvenirs. Toujours intact. Sophie abandonna les feuilles sous la haie, rentra dans la maison et descendit au sous-sol pour fouiller dans des cartons couverts de poussière. Elle finit par retrouver le coq au milieu d'autres souvenirs de son adolescence, et essaya de se rappeler la conversation de jadis. Quels avaient été les projets de la jeune fille à qui on avait remis ce porte-bonheur? Sophie n'en avait aucune idée. Au fil des ans, la vie les avait effacés pour les remplacer par des considérations pratiques. Une petite famille à la mode, la banlieue, un travail bien rémunéré. De ses rêves, il ne restait pas de trace. Sophie attrapa le miroir de poche qui gisait au fond de la même boîte et, intriguée, commença à étudier son visage. Qu'avait vu ce Portugais qu'elle-même ne voyait plus aujourd'hui? Incapable de répondre, elle serra le coq dans sa main et abandonna le miroir sur le sol avec les boîtes ouvertes.

À partir de ce moment-là, ces choses qu'elle avait toujours considérées comme de simples irritants prirent de l'importance jusqu'à devenir les symptômes d'un mal qui continua de s'aggraver.

3.

Les matins de Sophie amorçaient une tension que les fins de journée entretenaient avec un soin méthodique. Il lui fallait au moins une heure pour revenir à la maison après le travail. Sophie s'installait alors derrière ses chaudrons et s'activait pour servir à sa famille des plats aussi équilibrés que son manque de temps le lui permettait. Les campagnes publicitaires répétant l'importance d'une saine alimentation avaient eu sur elle un effet aussi immédiat qu'indélébile. On trouvait toujours des légumes ou une salade au menu.

On pourrait croire que l'énergie dépensée dans la cuisine lui valait reconnaissance et affection, mais ce n'était pas le cas. Les plats préparés par Sophie ne plaisaient qu'à elle seule et ils constituaient une source perpétuelle de conflits. Une personne moins patiente aurait depuis longtemps lancé la serviette et se serait rabattue sur les plats surgelés qui abondaient à l'épicerie. Pas Sophie. Elle continuait de s'acharner avec une préoccupation sincère à bien nourrir sa famille. D'ailleurs, la culpabilité qu'elle ressentait en cuisant des légumes en conserve ou en glissant dans le four une pizza surgelée n'avait d'égale que celle ressentie lorsqu'elle pensait à refuser une faveur à un membre de sa famille; elle n'en dormait pas de la nuit.

Dès l'enfance, l'éducation de Sophie avait été orientée vers les autres. On lui avait montré à plaire, à être gentille et à ne jamais s'opposer à une décision. À force d'être serviable, elle avait fini par croire que son bonheur se trouvait dans les sourires qu'elle faisait naître autour d'elle. De ce fait, elle avait commencé très jeune à être heureuse. Ce bonheur paraissait tellement durable que Sophie n'avait jamais douté de la manière dont elle se le procurait. Sa sensibilité lui permettait de deviner ce qu'il fallait dire ou ce qu'il fallait faire. Ses proches l'aimaient, et cet amour la comblait. S'il lui arrivait parfois de sentir qu'elle vivait aux aguets, surveillant le moindre signe de mécontentement afin de poser le geste qui rétablirait l'harmonie, elle reléguait cette inquiétude avec les autres, dans un coin obscur de son esprit.

Lorsque la sonnerie du téléphone retentit, le dimanche après-midi qui suivit son anniversaire, Sophie décrocha le combiné même si elle avait commencé à préparer le dîner.

– Est-ce que je te dérange?

Sophie reconnut la voix de sa mère et ce ton qui exigeait une réponse négative. Elle en fut agacée – c'était bien la première fois –, mais céda quand même au caprice maternel.

– Non, non, dit-elle sans avoir l'impression de mentir. Je viens de finir de laver la vaisselle.

– Bon, il faut que je te parle.

Sa mère commença par un compte rendu détaillé de son état de santé, qui s'avérait naturellement mauvais. Puis elle s'indigna de l'insensibilité de ses voisins, de l'irresponsabilité de son beau-frère, de l'égoïsme de ses sœurs, avant de se plaindre de l'hôpital qui était trop loin de chez elle. Tant de kilomètres à parcourir chaque fois qu'il fallait rencontrer le médecin. Depuis l'opération, elle y allait tellement souvent! Et ce prochain rendez-vous, dans deux jours. S'il fallait qu'il neige, que ferait-elle seule sur la route en pleine tempête?

Sa mère parlait en faisant attention à ne rien demander. Elle comptait sur la générosité de sa fille pour lui éviter de s'abaisser. Elle savait, parce qu'elle l'avait élevée de cette manière, que Sophie se sentait responsable des membres de sa famille et qu'elle ne pouvait leur refuser quoi que ce soit. Pour protéger les apparences, cependant, il était toujours préférable de l'amener à s'offrir d'elle-même. En cas de conflit, Sophie n'aurait personne à blâmer. Mais il n'y avait jamais eu de conflit. Sophie était transparente, et lui faire perdre ses moyens, un jeu d'enfants. Il suffisait d'avoir l'air démuni ou d'insister. Et comme de fait, ce midi-là, Sophie s'entendit penser : « Je pourrais prendre congé et te conduire à l'hôpital, maman. »

Ces mots avaient surgi spontanément dans son esprit. Sophie en fut choquée parce qu'elle venait de voir clair dans le stratagème maternel. Elle s'interdit de parler, mais poursuivit le dialogue qu'elle imaginait. La voix de sa mère s'éleva dans sa tête : « Eh bien, je n'y avais pas pensé, mais puisque tu insistes, c'est certain que je ne dirais pas non. Tu sais que je déteste conduire en hiver. » Au bout du fil, sa mère attendait en silence.

Le plus curieux dans cette affaire, c'est que si cette conversation avait eu lieu une semaine plus tôt, Sophie aurait probablement lancé l'invitation par réflexe, exactement comme on le lui avait appris. Or, depuis qu'elle avait découvert la vérité au sujet de la haie de cèdres, elle avait décidé que sa vie ne serait plus jamais ce vide béant et sans signification. Elle voulait que les choses soient autrement. Et pour cela, elle devait commencer par réfléchir avant de dire oui à tout ce qu'on lui demandait. Elle résolut donc de ne pas céder à ce qui lui paraissait désormais comme de la manipulation. Car la situation n'était pas nouvelle, hélas !

Combien de fois Sophie avait-elle dû s'absenter du travail justement pour s'occuper de sa mère ? Certes, la commission scolaire se montrait compréhensive, mais Sophie décida qu'il fallait enfin que quelqu'un tienne compte du salaire qu'elle perdait. Et du temps aussi. Elle voulait qu'on lui demande proprement, qu'on cesse de la forcer à se porter volontaire. Cette décision orienta les mots qu'elle laissa enfin glisser de ses lèvres.

– Maman, comme tu dois souvent aller à l'hôpital, il me semble qu'il faudrait que tu penses à déménager en ville. Ce serait plus facile pour moi.

La réplique fusa comme un coup de tonnerre :

– Tu sauras, ma petite fille, que je n'ai plus l'âge qu'on me dise quoi faire.

Ce rappel de leur position respective, auquel s'ajoutait l'agressivité qu'on devinait en sourdine, ébranla Sophie. Percevant sa faiblesse, sa mère en rajouta :

– Partout ailleurs dans le monde, c'est la fille aînée qui s'occupe des parents malades.

La comparaison était incomplète, mais Sophie n'eut pas le courage de la remettre en contexte et de rappeler à sa mère les conditions de vie de ces femmes dont elle parlait avec tant de conviction. Elle sentit plutôt les remparts de sa détermination s'effondrer. Pour s'assurer la victoire, sa mère lança une dernière salve :

– Dis-le s'il n'y a pas de place pour ta mère dans ta vie.

La culpabilité submergea Sophie. Incapable de s'opposer, elle s'entendit prononcer l'offre qu'elle avait tenté de refouler. La peur de perdre l'affection de sa mère avait eu raison de son récent besoin de prendre le contrôle de sa vie.

Sophie garda les dents serrées quand elle conduisit sa mère à l'hôpital, le mardi suivant, et resta stoïque. Elle n'allait tout de même pas accabler de reproches une femme malade. Et même si l'attitude de sa mère l'avait blessée, Sophie finit par en oublier les circonstances au bout de quelques jours. Si bien qu'elle avait déjà retrouvé sa candeur quand la sœur de Luc lui téléphona quelques jours plus tard.

– Qu'est-ce que vous faites dans le temps des fêtes? demanda d'entrée de jeu sa belle-sœur.

Sophie hésita. Cette année, elle aurait voulu utiliser le congé du temps des fêtes pour se reposer et réfléchir. Et puis il fallait qu'elle réserve du temps pour les examens qu'elle aurait à corriger avant le 4 janvier. Elle n'eut pas le temps de répondre cependant, car sa belle-sœur poursuivait sur le même ton enjoué:

– Je vais descendre à Longueuil avec les enfants le 24. Matthieu travaille, alors il va venir nous rejoindre le 29. Ça sera tellement le fun de passer deux semaines en famille!

Sophie comprit tout de suite ce que représentaient six personnes de plus à héberger, à occuper et à nourrir pendant deux semaines. Le bruit et l'agitation allaient régner dans la maison. Dans ces conditions, comment arriverait-elle à poursuivre sa réflexion? À corriger? Elle essaya de lui expliquer la situation:

– Tu sais, j'aurai des examens à corriger, et…

– Ne t'en fais pas. On ne te dérangera pas. Réserve-nous juste le sous-sol. Bon, excuse-moi, il faut que je te laisse.

Sophie ouvrit la bouche pour souligner que Roxane et Anouk avaient leurs chambres au sous-sol, mais la tonalité retentissait déjà. Sa belle-sœur avait raccroché, refusant d'accepter une réponse négative. Sophie en resta longtemps stupéfaite et fixa le combiné, d'abord incrédule, puis en proie à un profond désarroi. L'avait-on toujours traitée ainsi? La peine l'envahit quand elle se vit dans l'obligation de répondre par l'affirmative. Autant sa mère que sa belle-sœur avaient usé de moyens discutables pour lui imposer leur volonté. Et par habitude, Sophie s'était sentie coupable d'avoir pensé refuser. La révolte la submergea. Du coup, elle se rendit compte que ce sentiment faisait partie du malaise qu'elle ressentait depuis des mois. Elle eut l'impression d'avoir dormi pendant la première partie de sa vie et de venir tout juste de s'éveiller à bord d'une embarcation à la dérive sur une rivière tumultueuse. Elle allait au gré du courant sans voile et sans moteur, incapable de décider elle-même de la direction.

4.

À la mi-décembre, les pelouses étaient toujours visibles. S'il était tombé quelques flocons, ils avaient fondu en touchant le sol. Souvent, Sophie regardait par la fenêtre et se laissait aller à la nostalgie qu'attisait ce temps gris. Il lui semblait que les jours passaient plus vite à mesure que Noël approchait. C'est dire combien elle angoissait !

Ce samedi-là, Sophie avait préparé le plat le plus élaboré de son livre de recettes personnel : de la lasagne. Elle avait fait cuire les pâtes qu'elle avait montées en couches successives entrecoupées de sauce en conserve avant de couvrir la dernière rangée de fromage mozzarella déjà râpé. Ce n'était peut-être pas de la grande gastronomie, mais cette recette produisait des arômes alléchants qui embaumaient la cuisine après seulement quinze minutes de cuisson. Quand Roxane et Anouk rentrèrent, un peu avant 18 heures, Sophie s'attendait à recevoir un compliment. Roxane vint ouvrir la porte du four, huma l'odeur qui se mêlait à la chaleur et grimaça de dégoût avant de s'éloigner pour s'engouffrer dans l'escalier du sous-sol. Anouk ne dit rien elle non plus, se contentant d'attraper au passage une boîte de biscuits pour descendre à son tour. Sophie demeura appuyée au comptoir, plus blessée que surprise.

En tant qu'enseignante, elle avait l'habitude du comportement des adolescents. Leur nonchalance, leur appétit sans fond, leur besoin d'autonomie. Jamais pourtant elle ne s'était accoutumée à leur indifférence. Il lui arrivait même de se sentir invisible dans sa propre maison, comme à ce moment précis. Cette sensation n'était en rien liée à un manque de satisfactions maternelles. Sophie pouvait sans difficulté imaginer ses filles dans cinq ans, vaquant à leurs activités respectives, donnant rarement des nouvelles, parce que trop occupées à vivre leur vie. C'était l'ordre naturel des choses. Cependant, elle ne pouvait concevoir que ses filles ignorent systématiquement sa sensibilité, et parfois même sa présence, alors qu'elles habitaient encore sous son toit. Comme pour le reste, elle n'avait jamais réalisé à quel point cette attitude la faisait souffrir. Elle se décida donc à protester :

– Vous pourriez au moins me dire salut !

Bon, c'était peu comme protestation, on en conviendra. Ces mots exprimaient à peine ce qu'elle ressentait. Mais c'était un début. La réponse qu'elle attendait avec impatience ne vint jamais. Sophie imagina ses filles grimaçant, l'air contrarié, les yeux rivés à l'écran de télé, comme si les propos de leur mère importaient peu. Elle renonça à descendre pour insister. Quelle serait la valeur d'une attention soutirée de force ? Dans un soupir exaspéré, elle brancha la bouilloire pour se faire un thé. Il fallait qu'elle se change les idées si elle ne voulait pas se mettre à pleurer comme un bébé. Elle n'eut toutefois pas le loisir de réfléchir bien longtemps, car quelqu'un frappait à la porte. Sans attendre qu'on lui ouvre, le visiteur fit irruption dans la maison.

– Salut, ma sœur ! s'exclama le nouveau venu en jetant son manteau sur un fauteuil. Comment ça va ?

La présence de son frère cadet eut sur Sophie un effet immédiat. Son regard s'éclaircit, et elle serra l'homme dans ses bras, convaincue qu'il lui rendait visite pour se faire pardonner son silence le jour de ses quarante ans. Après tout, il ne pouvait pas réellement avoir oublié son anniversaire puisqu'elle n'oubliait jamais le sien. L'attrapant par la main, elle le conduisit vers la cuisine où elle lui versa du thé. Mais au lieu de prendre la tasse, son frère ouvrit le frigo.

– As-tu de la bière?

Une bouteille à la main, il vint se jucher sur un tabouret près du comptoir.

– Merci, dit-il après sa première gorgée. Quoi de neuf?

Comme chaque fois que son petit frère lui rendait visite, Sophie était touchée de découvrir qu'il s'intéressait à elle. Elle désigna le four.

– J'ai préparé de la lasagne. Veux-tu souper avec nous?

– J'adore la lasagne. Es-tu bien occupée en ce moment?

Dès qu'elle secoua la tête, il bondit, retourna vers le fauteuil où se trouvait son manteau et en revint, un pantalon flambant neuf dans les mains. Sophie crut un moment qu'il s'agissait de son cadeau, mais déjà, il désignait les ourlets.

– As-tu deux minutes pour me faire le bas? Il est bien trop long.

Sophie ravala la peine qui commençait à lui nouer la gorge et essaya d'être touchée du fait que son petit frère avait encore besoin d'elle. Elle se dirigea vers l'armoire où elle gardait son nécessaire de couture avant d'entreprendre l'ajustement avec sa minutie habituelle.

– Est-ce que tu sais que maman aura plusieurs rendez-vous à l'hôpital en janvier? demanda-t-elle, les yeux fixés sur le fil.

– Ouais, elle m'a appelé mardi.

Il lui parlait sur le ton d'un homme distrait, presque impatient. Sophie l'entendit ouvrir la porte du frigo et se déboucher une seconde bière.

– Il va falloir que je manque des jours de travail, poursuivit-elle. Ça commence à paraître sérieusement dans mon budget.

Elle n'osa lever les yeux, craignant sa réaction quand il réaliserait qu'elle lui demandait à mots couverts de partager la tâche. Elle s'inquiétait pour rien.

– Une chance que tu as Luc pour t'aider ! s'exclama-t-il sans empathie. Moi, je n'ai pas les moyens de manquer des jours d'ouvrage.

Sophie s'apprêtait à lui rappeler que leur mère avait eu deux enfants quand la porte d'entrée s'ouvrit de nouveau. Luc s'exclama en entrant dans la cuisine :

– Hey, le beau-frère ! As-tu changé d'auto ?

Sophie leva la tête, étonnée, mais le regard fuyant de son frère la blessa davantage que ne l'aurait fait un mensonge.

– As-tu fini ?

Sans perdre de temps, il attrapa le pantalon qu'elle hésitait à poser sur le comptoir. Elle en resta muette, désarçonnée par la rapidité avec laquelle son frère faisait dévier la conversation. Quand elle se reprit, il avait disparu dans la salle de bain.

– Il y a une BMW de l'année stationnée devant la maison, lança Luc en arrivant dans la cuisine.

Sophie se demandait encore ce qu'elle devait en penser quand son frère revint, vêtu du pantalon neuf.

– J'ai eu un *deal*, dit-il, sans préciser s'il parlait du pantalon ou de la voiture. Bon, il faut que je parte. Mes amis m'attendent au centre-ville.

Il attrapa son manteau et sortit en coup de vent.

Cette visite avait accentué l'amertume qui couvait dans le cœur de Sophie. Pendant tout le souper, les paroles de son frère, ses gestes et ses mimiques se répétèrent en boucle dans son esprit, se juxtaposant aux conversations qu'elle avait eues avec sa mère puis avec sa belle-sœur dans les semaines qui avaient précédé. Si elle perçut les commentaires peu élogieux des filles au sujet de la lasagne ou la remarque critique de Luc concernant l'absence de viande au menu, Sophie n'en laissa rien paraître. Une seule chose la préoccupait : l'abus dont elle se savait victime. Car il était clair désormais que tous les membres de sa famille tenaient ses attentions pour acquises.

Une douleur étrange surgit soudain de ses entrailles et gagna tout l'abdomen. Sophie réalisa que cette douleur la rongeait depuis longtemps. Sa gorge se serra comme dans un étau et l'air se raréfia. Elle étouffait sous la pression des autres.

Après la visite éclair de son frère, Sophie passa une soirée tourmentée. Et lorsqu'elle s'allongea dans son lit vers 23 heures, elle ressentait encore ce chagrin lancinant. Sa tête était remplie de doutes et d'angoisses. Cédant à un urgent besoin de réconfort, elle retira le T-shirt qui lui servait de pyjama et se blottit contre le corps de Luc.

– Pas ce soir, souffla-t-il en éteignant sa lampe de chevet. Je suis crevé.

Cette réponse, Sophie l'avait souvent entendue. Avec le temps, elle avait appris à se résigner et à s'occuper elle-même de son plaisir. Or, ce soir-là, ces mots anodins et dénués d'agressivité lui parurent cruels. Pressant ses seins contre le dos que Luc lui présentait en guise de rempart, elle osa un argument :

– Ça fait un mois.

– Ben non, ça ne fait pas un mois.

Ce que Luc oubliait en contredisant Sophie comme si elle n'avait aucune notion du temps, c'est que la biologie est une alliée de taille pour les femmes. Rien de plus efficace, en effet, qu'un cycle menstruel pour garder le compte des semaines qui passent. Des mois surtout. Comme s'il craignait qu'elle trouve un meilleur argument, Luc se hâta d'ajouter :

– Les couples qui vivent ensemble depuis longtemps ont moins envie, tout le monde sait ça.

Qu'est-ce que cette phrase signifiait ? Que Sophie devait attendre ? Qu'elle devait se résigner à ne plus faire l'amour ? Luc avait mal évalué la portée de ses paroles. Il n'aurait pu faire pire en lui déclarant la guerre. Cela, Sophie le comprit instantanément. Au lieu d'insister, comme à son habitude, elle se leva, renfila le T-shirt, se glissa dans un jean, traversa la maison et sortit. Ce n'est qu'une fois dehors qu'elle s'aperçut qu'il pleuvait. Mais même un tremblement de terre n'aurait pas suffi à la garder captive. Elle se mit à courir. La pluie eut vite raison tant de ses chaussures que de ses vêtements. À la fois trempée et transie, Sophie laissa la nature la calmer, la refroidir et la ramener à un élément primaire. Pendant un bref instant, elle s'imagina qu'elle était seule dans la nuit noire. Seule comme un être unicellulaire, sans attache, sans dépendance. Et elle en jouit presque.

Elle courait toujours. Des larmes ruisselaient sur ses joues, effacées aussitôt par l'averse dont le grondement sourd couvrait ses sanglots. Ses pas s'accordaient aux battements de la pluie sur le béton des trottoirs, sur le métal des voitures, sur l'asphalte de la rue. Au bout de plusieurs minutes, elle commença à ralentir et s'immobilisa enfin, hors d'haleine, lavée de son désir, mais pas de sa colère. Elle voulait qu'on l'aime, mais cet amour valait-il le prix qu'elle payait ? Ce soir, pour la première fois de sa vie, elle en douta.

Un éclair fendit le ciel, le tonnerre éclata, étouffant l'orage autant que les émotions qui torturaient Sophie. Dans ce blanc qui envahit son esprit, une dernière conclusion s'imposa, plus brutale encore que les précédentes. À quarante ans, Sophie était une servante dont la vie n'était que chasteté et frustration. Elle serait entrée contre son gré au couvent à vingt ans que les choses ne seraient pas pires aujourd'hui. S'il fallait que son bonheur dépende à jamais de la volonté des autres… S'il fallait que son plaisir dépende à jamais de l'appétit d'un autre… Y survivrait-elle ? Elle n'était pas morte, mais déjà, elle sentait qu'elle commençait à se dessécher.

Comment diable en était-elle arrivée là ? Où s'était-elle trompée ? Les années s'étaient écoulées à un rythme effréné et, pourtant, Sophie avait l'impression de ne pas avoir vécu. Son âge lui apparut comme un spectre aussi terrifiant qu'insaisissable, et elle frémit.

Lorsqu'elle rentra enfin chez elle, le corps, la tête et le cœur plus froids, elle avait pris une décision. Les choses devaient changer. Elle y verrait. C'était une question de vie ou de mort. De vie surtout.

5.

Les jours s'écoulèrent, et la colère se transforma en rage sourde. Plus elle y pensait, plus Sophie se détestait d'avoir été faible si longtemps. Il lui semblait d'ailleurs incroyable qu'elle eût accepté ce rôle pendant tant d'années. Mais, étrangement, cet état de conscience nouvelle revenait par à-coups, alternant avec des moments de doute profond. Elle avait vraiment besoin de l'amour et de l'approbation de sa famille. D'ailleurs, si elle n'avait jamais exprimé aucune opposition, c'était qu'elle savait d'instinct qu'un tel geste mettrait en péril l'harmonie familiale. Survivrait-elle si on l'abandonnait ?

L'étau dans sa gorge se resserrait chaque jour un peu plus. Les détails prirent des proportions gigantesques, surtout quand Sophie réalisa qu'on la sollicitait de tous les côtés. En moins de deux semaines, il y eut un typhon en Asie, un tremblement de terre en Amérique du Sud, une épidémie en Afrique, un ouragan en Haïti. Avaient suivi les repas chauds pour les itinérants, les quêteux dans le métro, l'Unicef ou Centraide à sa porte, la recherche contre les maladies du cœur, l'Alzheimer, le Parkinson, le cancer du sein, le Sida. On demandait pour les enfants malades, pour le Tibet libre, pour le sport étudiant, pour un voyage de fin d'année, pour les anciens de l'université, pour la cour de l'école du quartier.

Où que Sophie posât les yeux, on quémandait. Par courrier, par téléphone, dans sa voiture au coin de la rue. À la radio, à la télé, à l'épicerie. Sophie aurait donné son salaire en entier, ça n'aurait pas suffi. On la sollicitait encore et toujours, en jouant sur la même corde sensible. Ailleurs, quelqu'un souffrait et elle pouvait aider. Ailleurs. Aider. Dans sa famille ou en Afrique, ça revenait au même. On voulait qu'elle donne. De l'affection, de l'attention. De l'énergie, du temps, de l'argent. Du pareil au même. Donner. Donner. Partout, toujours. Sophie, elle, n'aspirait même pas à recevoir. Elle voulait juste la paix. La grande Paix avec un P majuscule. Celle qui permet de vivre simplement, à son rythme, selon ses moyens et l'énergie dont on dispose. Celle qui laisse le temps de lire, de réfléchir. Qu'on lui donne la paix, qu'on lui laisse la paix, comme disait le prêtre à l'église quand elle était enfant. Mais dans ce temps-là aussi, pendant la messe, on faisait la quête. Impossible de s'en sortir.

Sophie commença à trouver difficile de se lever le matin pour aller au travail. Elle avait mal à la tête toute la journée. Avec le temps, la nausée fit son apparition et ne cessa de la tourmenter, même la nuit. À l'aube du 19 décembre, la neige se mit enfin à tomber. Le paysage aurait semblé féerique à n'importe qui, sauf à ceux qui devaient emprunter le pont Champlain. Sophie s'y dirigea à 7 h 30. À 8 heures, elle n'avait parcouru que trois cents mètres sur l'autoroute. À 8 h 30, elle n'avait pas encore atteint le tablier du pont, mais suivait la voiture qui la précédait avec une obstination démesurée. Personne n'aurait pu se faufiler entre les deux véhicules, Sophie ne laissant même pas cinquante centimètres entre les parechocs. Pour calmer son impatience, elle glissa dans le lecteur de CD un disque de Loreena McKennitt. La chaleur des rythmes exotiques envahit aussitôt la voiture, et pendant au moins quinze minutes, Sophie réussit à oublier ses élèves, Noël, sa belle-sœur, son frère et sa mère, l'indifférence de ses filles et l'insensibilité de son conjoint. Oui, pendant quinze minutes, elle fut ailleurs et eut l'impression d'être elle-même, mais différente. Presque quelqu'un d'autre.

Devant ses yeux, la neige tombait toujours, virevoltant au-dessus des voitures. Sophie ne la voyait pas. Elle imaginait une caravane dans un désert qui se mua en une plage de sable blanc. Apparut au loin un voilier voguant sur une mer d'huile. Elle reconnut l'odeur des épices, le goût des piments, des fruits frais, imagina le poisson que l'on vient tout juste de pêcher.

Quelqu'un klaxonna, et Sophie se retrouva assise derrière le volant. L'horloge indiquait 9 heures. La panique la submergea. Elle se mit à avoir chaud dans son manteau. Son cœur battait à tout rompre, le sang affluait à ses tempes, la transpiration s'intensifiait. Elle avait les paumes moites et les dents si serrées qu'elle en avait mal aux mâchoires. À 9 h 30, elle franchit enfin le pont. Elle n'était toutefois pas au bout de ses peines, car, sur l'île, l'autoroute était toujours congestionnée. Sophie sentit l'anxiété atteindre des sommets. Il fallait qu'elle quitte cette file, qu'elle sorte de la circulation. La présence de toutes ces voitures l'agressait, augmentant la pression qui pesait sur elle depuis des semaines. Elle repéra la sortie suivante et, lorsque son souffle devint court, presque douloureux, elle jugea qu'elle serait incapable d'attendre plus longtemps. Profitant de l'accotement, elle se faufila à droite des voitures. Elle avait parcouru la moitié de la distance qui la séparait de son objectif lorsque les pneus dérapèrent.

L'accident dura quelques secondes à peine, mais Sophie eut l'impression que le temps avait ralenti. Elle sentit tout d'abord sa voiture se déplacer vers la droite. Pour contrer ce mouvement, elle enfonça la pédale de frein, ce qui eut pour conséquence de projeter les roues arrière dans l'autre direction. Une camionnette qui roulait à côté ne put éviter d'emboutir l'aile gauche. Sous l'effet de cette poussée, Sophie quitta la chaussée pour rouler sur le gravier couvert de neige. Les bras agrippés au volant, le dos tendu, elle ferma les yeux et eut la certitude qu'elle allait mourir. Surtout lorsqu'elle se sentit plonger dans le fossé. Elle vit son propre avis de décès, imagina le présentateur de nouvelles inventant une histoire pour expliquer l'accident. Un épisode de rage au volant, sans doute.

La voiture glissa sur quelques mètres avant de s'immobiliser. Sophie s'en extirpa, mais lorsqu'elle fut à l'air libre, une nausée incontrôlable l'envahit. Elle vomissait encore dans la neige quand la remorqueuse arriva. Elle se retrouva dans un garage, épuisée, découragée et perdue. L'horloge sur le mur indiquait midi.

Elle constata les dégâts comme on observe un animal mort sur le bord de la route. Elle pensait à la réclamation d'assurances, à la colère de Luc lorsqu'il apprendrait l'accident, à la déception de ses filles qu'elle ne pourrait conduire à Bromont ce soir-là pour leur leçon de ski. Elle songeait aussi à son patron qu'elle avait oublié d'appeler, aux élèves qui avaient dû se réjouir d'une période de congé supplémentaire. Elle pensait à tout cela et, tout à coup, elle n'y pensa plus.

Comment expliquer ce qui suivit? Quand le mécanicien lui offrit de lui acheter la voiture, Sophie se rappela, avec une soudaine netteté, sa résolution de la fin de semaine. Il ne s'écoula qu'une fraction de seconde, mais ce fut suffisant pour passer en revue la dernière année, puis la précédente, puis l'autre d'avant. Sophie prononça son « oui » d'une manière si déterminée que le garagiste sortit aussitôt une procuration. Pas un instant il ne douta de l'équilibre mental de sa cliente.

Sophie quitta le garage avec un chèque de trois mille dollars qu'elle déposa dans le guichet le plus proche. Puis elle s'engouffra dans la première bouche de métro qu'elle aperçut et en ressortit à quelques pas de la rue Sainte-Catherine qu'elle longea, incapable de fixer son attention sur quoi que ce soit. Elle marchait comme elle respirait, par à-coups, sans même chercher à reprendre ses esprits. Dans sa tête il n'y avait que du vide, de la neige, du silence.

Il faut savoir ici que Sophie habitait une banlieue résidentielle où il n'y avait même pas un dépanneur de quartier. On quittait la maison dans sa voiture et on y revenait de la même manière. Aucun de ses voisins n'aurait pensé à sortir prendre l'air dans la rue pour admirer la nature en perpétuel changement. La vie de banlieue, c'était un art de vivre, l'éloge suprême de la modernité. Et dans ces quartiers tranquilles, la voiture avait le même statut que les chaussures ou les vêtements : elle constituait une seconde peau. Dans ce milieu, vendre sa voiture ne signifiait pas uniquement se départir d'un objet. On considérait la chose comme suspecte, comme s'il s'agissait d'un rejet de l'ordre établi. Pour Sophie, le geste revêtit une signification mystique. Elle rejetait non seulement son mode de transport, mais aussi sa vie sous toutes ses formes.

Elle erra pendant deux heures, piquant à droite ou à gauche au gré de son inspiration, empruntant alors des rues qu'elle ne connaissait que de nom. Elle réalisa que jamais elle n'avait pris le temps de regarder la ville et constata qu'à pied, Montréal se laissait aisément apprivoiser. La neige avait retrouvé l'aspect féerique qui lui était dû. Sophie ne percevait pas l'impatience des conducteurs qui devaient s'arrêter à chaque feu et dérapaient à chaque accélération. Elle ne voyait pas non plus la tension dans leurs yeux. Elle marchait en suivant les autres badauds, sans se poser de question. Elle se retrouva ainsi devant une image de la mer.

Sophie n'avait jamais vu la mer. Ni pris l'avion d'ailleurs. En fait, elle n'avait jamais fait de grand voyage. Certes, deux années plus tôt, elle avait posé sa candidature pour participer à un congrès d'enseignants dans le sud de la France. Pendant des semaines, elle s'était imaginée dans un café, buvant du vin rosé, mangeant des olives, contemplant la Méditerranée.

Son dossier n'avait pas été retenu, mais Sophie avait entre-temps commencé les démarches pour obtenir un passeport. Le précieux document n'avait jamais été utilisé et n'avait pas vu la lumière du jour depuis qu'elle l'avait rangé dans le tiroir inférieur de son coffre à bijoux. Cette sédentarité résultait d'un choix : Luc détestait les voyages qu'il considérait comme du gaspillage de temps et d'argent. Comme Sophie ne s'opposait jamais à quiconque, elle n'avait en aucun moment questionné le jugement de l'homme de sa vie. Jusqu'à aujourd'hui.

Debout devant la vitrine d'une agence de voyages, elle regarda la mer et se prit à rêver de sable chaud, de calme et du chuchotement des vagues qui rouleraient sur la plage. Elle franchit la porte et alla se poster devant la table d'une agente dont la peau bronzée et la cinquantaine avancée laissaient deviner une longue expérience dans le domaine.

– Je veux aller dans le sud, déclara Sophie en s'assoyant.

La femme lui sourit, ouvrit son tiroir et en sortit un prospectus mettant en vedette le Mexique.

– Je connais un joli petit hôtel, commença-t-elle.

Sophie jeta à peine un œil sur les photos des chambres, du bar ou de la plage. Pendant que l'agente décrivait l'endroit et vantait ses tarifs, Sophie ne voyait que le bleu de l'océan. Et cela lui suffit.

– Quand est-ce que je pars ?

Elle avait posé sa question de la même manière qu'on demande l'heure, parce qu'on sait d'avance qu'on ne peut rien y changer.

6.

Ce soir-là, Sophie mit à chauffer une pizza surgelée, au grand plaisir de ses filles et de son conjoint qui se régalèrent sans se douter de rien. Pour justifier l'absence de sa voiture dans le stationnement, Sophie avait expliqué qu'elle avait préféré rentrer en métro à cause de la neige. C'était le premier vrai mensonge de sa vie. Elle se sentit rougir en terminant sa phrase, mais personne ne remarqua son embarras.

À l'heure d'aller au lit, elle se glissa dans la salle de bain et essaya le maillot qu'elle avait acheté en sortant de l'agence de voyages. C'était un vêtement seyant, un de ceux qui compriment le ventre et affinent la taille. Dans la boutique, Sophie avait jugé la coupe flatteuse, mais en se regardant dans le miroir ce soir-là, elle se trouva ridicule. Elle ne pouvait quand même pas partir comme ça ! Elle ne pouvait pas les abandonner pour le temps des fêtes. Il fallait leur laisser une dernière chance. Elle sortit dans le couloir et parada en maillot devant Luc, ses yeux le suppliant de lui donner une raison de rester. Elle se contenterait d'un mot, d'un sourire, d'un geste de tendresse.

Luc n'imaginait pas ce qui lui pendait au bout du nez. Il examina Sophie comme il le faisait depuis des années : d'un œil distrait. Il songeait encore à la mauvaise performance des Canadiens quelques heures plus tôt. Pour parler, il lui fallut chasser les images du but vainqueur de l'équipe adverse.

– Vas-tu toujours au gym ? demanda-t-il.

Sophie écarquilla les yeux, surprise par la question.

– Oui, pourquoi ?

– Pour rien.

Luc venait de réaliser ce que sa question avait de tendancieux, mais il était trop tard. Devant le regard buté de Sophie, il dut s'expliquer :

– Je me disais juste que ça ne paraissait pas encore.

Aurait-il pu la blesser davantage ? Probablement pas. Sophie pensa répliquer, mais conclut qu'il serait inutile de perdre son temps en colère et en cris. Elle devait passer à l'acte. Forte de cette résolution, elle retira le maillot, enfila son T-shirt et se mit au lit comme d'habitude. Elle enrageait toujours, mais son projet l'aidait à prendre son mal en patience. Son calvaire s'achevait.

Il s'écoula un peu plus d'une heure entre le moment où Luc éteignit la lampe de chevet et celui où il commença à ronfler. Sophie s'efforça de garder l'œil ouvert tout ce temps, écoutant le silence comme un animal aux aguets. Au début, elle avait craint qu'il tarde à s'endormir et qu'il décide de lire comme il le faisait souvent. C'est pourquoi elle esquissa un sourire lorsque les premiers ronflements retentirent. Elle se leva et endossa les vêtements qu'elle avait déposés sur le plancher près du lit. Puis elle attrapa un jean, un T-shirt de rechange ainsi qu'une poignée de sous-vêtements. Elle enfouit le tout dans un sac à dos subtilisé à ses filles pendant la soirée.

Elle se rendit ensuite à la salle de bain, s'empara de ses articles de toilette avant de descendre au sous-sol. Elle se déplaçait comme une ombre furtive, avec une agilité qui la surprenait elle-même. Sans réveiller personne, elle fouilla dans le garde-robe de cèdre, en extirpa une robe légère, une paire de sandales et des espadrilles. Dans la cuisine, elle appela un taxi, se prépara une collation en quelques minutes, puis écrivit une note qu'elle abandonna sur la table.

« Je suis partie en vacances. »

C'était *short and sweet.* Surtout, ne pas donner de détails. Des plans pour qu'on la retrouve et la ramène de force à la maison !

Son bagage sur le dos, sa veste en jean sous son manteau et un sac à main en bandoulière, Sophie sortit dans la nuit, verrouillant derrière elle. Dehors, le taxi l'attendait, et la neige tombait toujours, dansant devant les phares allumés.

7.

Les rêves de fuite faisaient partie du quotidien de Sophie depuis tellement longtemps qu'elle ne se rappelait plus quand ils avaient commencé. Il s'agissait de cauchemars réguliers qui, avec les années, étaient devenus des refuges sûrs, un peu comme la lecture d'un bon polar. Sophie y plongeait sans retenue, vivait dans la peur, mais s'éveillait de ces rêves toujours apaisée, presque sereine. Quand avait-elle commencé à les anticiper, à les désirer ? De cela non plus, elle n'avait pas souvenir. Chose certaine, son esprit avait transformé ce qui autrefois la terrifiait en une suite de moments délicieux.

Elle reconnaissait immédiatement ces rêves par l'impression qui s'en dégageait : une urgence de fuir liée à la survie. Elle se voyait alors courir, poursuivie par quelque vilain dont elle ne connaissait jamais l'identité. Elle transpirait, s'épuisait, retrouvait ses forces, sautait les clôtures, fendait les haies, traversait les rivières et les forêts, bondissait au-dessus des villes ou des océans. Rien n'était impossible dans ces rêves fous, mais Sophie y retrouvait toujours la même constante : malgré l'urgence, elle était libre.

Il ne se passait pas une semaine sans que le sommeil ne lui offre ce répit. Pas une semaine sans qu'elle ne s'évanouisse dans la nature, le temps de quelques heures bénies loin de ses responsabilités.

En montant dans un taxi le 19 décembre au soir, Sophie se demanda si elle n'était pas en train de rêver. Elle reconnaissait son état d'esprit : l'urgence, une solitude jouissive, le besoin de fuir qui devient une question de survie. Dehors, la neige tombait avec douceur comme dans un conte de fées.

Parce qu'il était tard, la circulation se fit légère sur l'autoroute qui la mena à l'aéroport Montréal-Trudeau. Le taxi la déposa à la porte des départs et s'en alla aussitôt, laissant virevolter dans son sillage les derniers vestiges de la tempête. Sophie scruta la nuit, inquiète à l'idée d'avoir été suivie, mais étrangement insensible au froid. Satisfaite de ne voir personne de suspect, elle pivota et pénétra dans l'aérogare.

À l'intérieur, quelques personnes dormaient sur les fauteuils des salles d'attente, d'autres buvaient du café dans un coin, et quatre agents de bord traversaient l'allée centrale. Un silence presque surnaturel régnait dans les couloirs, comme si chaque personne craignait de réveiller les autres. Ce calme acheva de convaincre Sophie qu'elle rêvait, et elle entreprit d'agir comme elle en avait l'habitude dans ses rêves. En premier lieu, il fallait se départir de tout ce qui pouvait entraver sa fuite. À la consigne, elle abandonna son manteau et ses bottes avant d'enfiler ses espadrilles. Puis elle alla enregistrer ses bagages, ne gardant avec elle que son sac à main. Comme l'avion ne partait qu'au petit matin, Sophie choisit un banc en retrait d'où elle pouvait observer l'ensemble des couloirs. Elle scruta les visages. Personne, absolument personne, ne lui prêtait attention.

Elle aurait souhaité se détendre, s'assoupir même, mais la tension qui l'habitait, ajoutée aux souvenirs de ce qui l'avait menée à fuguer, la gardait alerte. Des images lui revenaient. Des paroles cruelles, des gestes teintés d'indifférence, d'opportunisme. Son cœur se mit à battre plus vite, ses paumes redevinrent moites. Une brûlure jaillit soudain dans son estomac. Elle dut inspirer profondément pour contrôler le reflux qui lui montait jusque dans la gorge. Contrainte à l'introspection par la douleur, le silence et la solitude, Sophie plongea en elle-même.

Comment était-elle devenue cette superwoman qui voulait tout faire, tout réussir et toujours être aimée? Quand avait-elle glissé vers ce perfectionnisme fonctionnel? De tout temps, on avait valorisé ses comportements altruistes, son abnégation et sa résignation au détriment de ses autres qualités, de ses autres talents. Pourtant, Sophie ne s'était jamais sentie à la hauteur, ni de ce qu'on attendait d'elle ni de ce qu'elle aurait voulu être. Et maintenant, voilà qu'elle avait beau chercher, elle ne trouvait plus de balises pour s'évaluer, pour découvrir qui elle était vraiment. Ce constat la troubla. Si elle voulait se réinventer, il lui fallait au moins un point de départ!

Vers cinq heures du matin, l'aéroport recommença à prendre vie. Des hordes de voyageurs envahirent les salles d'attente et, dans les haut-parleurs, une voix féminine commença à annoncer les premiers vols. Une odeur alléchante de café et de bacon se répandit dans les couloirs. Sophie, qui n'avait pas fermé l'œil, ramassa son sac à main et se dirigea vers un restaurant où elle se commanda à déjeuner. Une fois installée à la table la plus isolée, elle sortit la documentation que lui avait remise l'agente de voyage. Dès qu'elle en commença la lecture, elle sentit quelque chose se briser. Comme les amarres d'un bateau qu'on largue avant de quitter le quai, les liens qui retenaient Sophie à ses proches commencèrent à céder. Certes, la coupure n'était pas définitive. Il restait encore un cordage de secours, dissimulé derrière un remords ou un regret. Il était toujours temps de faire demi-tour, de retourner à la maison, de reprendre sa vie là où elle l'avait laissée en sautant dans un taxi au milieu de la nuit.

C'est ce doute qui força Sophie à admettre enfin qu'elle ne rêvait pas. Dans ses rêves de fuite, elle ne s'interrogeait jamais sur la justesse de ses actes et jamais non plus elle ne reculait. Dans ses rêves, elle était libre et elle fonçait, sûre d'elle. Seule conclusion possible: cette fois, c'était vrai, elle était vraiment partie. Et puisqu'enfin elle avait eu le courage d'agir, il n'était pas question de revenir en arrière et de tout oublier. Plus question non plus de se soumettre à quelque autorité que ce soit. Sophie trouva d'ailleurs rapidement l'argument suprême pour se convaincre de poursuivre son voyage : elle ne voulait pas vivre la seconde moitié de sa vie comme elle avait vécu la première.

Lorsque la voix de femme appela les passagers du vol 708 en direction de Cancún, Sophie sortit un billet de 10 $ qu'elle abandonna sur la table. Elle en profita pour se délester aussi de ses dernières hésitations et se dirigea vers le poste de contrôle de la sécurité.

La sensation de rêve revint néanmoins lorsqu'elle monta à bord de l'avion. Sophie avait vu des films, avait écouté la description que lui avaient faite des amies, son frère aussi, mais jamais elle ne s'était retrouvée au milieu de tant d'inconnus qui, tous, partaient en quête d'un ailleurs meilleur. De chaque côté de l'allée, les rangées de sièges défilaient, remplies et agitées. On parlait fort, on remuait. Ça grouillait de partout. Sophie avait l'impression de flotter en gagnant l'arrière de l'appareil.

Elle eut du mal à s'installer dans le siège qui lui était assigné, car il lui fallait se glisser entre un homme assez grand qui portait un chapeau et une femme corpulente dont le parfum lui donna la nausée. L'homme se montra poli et se leva pour lui faciliter la tâche. La femme, pour sa part, garda les yeux rivés au hublot, ignorant ou feignant d'ignorer la présence des autres. Une fois assise et sa ceinture attachée, Sophie prêta attention à l'agent de bord filiforme qui s'agitait en avant, près de la porte. Filiforme, il fallait l'être pour circuler à son aise dans les allées qu'encombraient encore quelques passagers turbulents et plusieurs bagages trop gros pour être glissés sous les sièges. L'agent de bord parlait tantôt en anglais, tantôt en français et sa voix, bien qu'assurée, était teintée d'indifférence. Sophie sentit l'angoisse l'envahir. La description des mesures d'urgence mettait en lumière une possibilité qu'elle n'avait pas encore envisagée : l'avion pouvait s'écraser. Les accidents aériens étaient fréquemment rapportés aux nouvelles, et la semaine précédente, on avait justement parlé d'un avion disparu dans l'océan Atlantique et d'un autre détourné en direction de Mexico. Pas de quoi la rassurer ! Pourtant, à part elle-même, personne n'écoutait les instructions concernant le gilet de sauvetage ou la sortie de secours. L'insouciance des autres passagers n'empêcha pas Sophie de repérer la porte la plus proche. L'instinct de survie est puissant chez l'être humain, même quand il rêve.

Un grondement retentit, signalant que les moteurs étaient en marche et qu'on s'apprêtait à quitter le terminal. Sophie attendait avec anxiété, les paumes moites, le cœur battant plus vite qu'à l'ordinaire. Autour d'elle, on continuait de s'installer comme si de rien n'était. Son voisin sortit un livre, sa voisine, un journal. Ailleurs, on ouvrait une revue, on écoutait de la musique. Sophie s'essuya les mains sur son jean. Elle n'avait pas prévu de lecture pour se distraire et ne possédait donc aucun moyen d'échapper à la durée du voyage. L'avion se déplaçait déjà sur le tarmac, dépassait d'autres appareils et s'éloignait des bâtiments de l'aérogare pour atteindre la piste de décollage. Lorsqu'il commença à accélérer, Sophie se cala dans son siège et retint sa respiration. Elle sentit l'avion quitter le sol. Par le hublot, elle put voir Montréal s'éloigner et disparaître de son champ de vision. Un immense soulagement l'envahit. Elle venait enfin d'échapper à la réalité. Dans ce moment d'extase subite, elle se promit toutes les douceurs et tous les excès dont elle aurait envie.

L'air conditionné fonctionnait à plein régime. Sophie déroula sur ses cuisses la couverture offerte par l'agent de bord et ferma les yeux. Une sensation de légèreté l'habitait. Dans cet avion, personne ne dépendait d'elle. Elle pouvait regarder où elle voulait, avoir la tête ailleurs. Elle était seule pour vrai et pour la première fois depuis… depuis très très longtemps. Elle décida que sa fugue ne relevait pas du rêve et que ce voyage était mérité. Pour son estime d'elle-même, il lui fallait croire qu'elle avait parfaitement le droit de partir deux semaines dans le sud. Rassurée quant au bien-fondé de ce raisonnement, elle s'endormit.

Elle ne put voir la ville de New York, ni la côte de la Floride, ni la mer. Elle n'entendit pas non plus les conversations des passagers pour qui ces vacances au Mexique n'étaient qu'un interlude dans une vie tout aussi misérable que la sienne. Mais surtout, ainsi assoupie, Sophie ne prêta pas attention à l'homme qui occupait le siège à côté du sien. Grand et mince, la quarantaine avancée, il n'avait rien pour attirer l'attention, outre le fait qu'il s'était levé à son arrivée et qu'il portait, même à l'intérieur de l'habitacle, un chapeau de feutre délavé. Il cachait sous ce chapeau une chevelure couleur de châtaigne parsemée de fils gris. Une chevelure qui se raréfiait sur les tempes et sur le dessus du crâne, lui conférant un air mature qui aurait plu à Sophie, si elle l'avait aperçu. Ses joues, couvertes d'une barbe de deux jours dissimulaient mal les traces laissées par l'acné dont il avait été victime à l'adolescence. Mais on oubliait vite ce détail quand on apercevait le bleu vif de ses yeux et ce sourire un peu moqueur au charme indéniable. Si cet inconnu ne sembla manifester aucun intérêt pour Sophie, c'était qu'une timidité excessive l'empêchait d'aborder les femmes directement. Il préférait les étudier afin d'évaluer ses chances de séduire, avec pour seul atout son sens de l'humour. Il regarda donc Sophie du coin de l'œil tandis qu'elle dormait. Et il espéra secrètement la retrouver sur une plage de Cancún.

8.

L'avion s'immobilisa à une centaine de mètres du terminal, et des techniciens roulèrent un escalier en métal depuis un hangar. Lorsque Sophie quitta l'air froid de l'habitacle, elle fut enveloppée d'une touffeur qui l'enchanta au moins autant que le fait de descendre directement sur le tarmac, comme dans une bande dessinée de Yoko Tsuno.

Il était presque midi. Les rayons verticaux chauffaient l'asphalte qui réfléchissait une lumière crue et violente. Sophie enfila ses lunettes de soleil et se laissa gagner par l'euphorie. Elle était là, dans le sud, seule et en vacances. Le paradis ! À l'intérieur de l'aérogare, une voix d'homme s'élevait des haut-parleurs et s'adressait aux voyageurs en espagnol. Ces mots heurtèrent les oreilles de Sophie quand elle réalisa qu'elle ne comprenait rien. Avant de s'aventurer au Mexique, elle n'avait pas pris le temps de réfléchir au problème de la langue. Elle pria pour que quelqu'un à l'hôtel connaisse les rudiments du français ou qu'on sache, d'une manière ou d'une autre, faciliter le séjour d'une unilingue francophone.

Elle attrapa sa valise sur le convoyeur et passa la douane sans attirer l'attention. Les agents se montraient amicaux, lui offrant moult sourires et hochements de tête approbateurs. À l'homme qui la suivait, cependant, ils ordonnèrent d'ouvrir ses bagages. C'est ainsi que Sophie fut séparée de celui qui aurait aimé s'improviser son ange gardien. Sans s'apercevoir de ce qu'elle perdait, Sophie s'éloigna vers la sortie et héla un taxi. Elle tendit sa réservation d'hôtel au chauffeur.

– *Hacienda Manuel?* dit-elle en s'efforçant de moduler sa voix de manière interrogative.

– *Sí, señora*, répliqua l'homme avant de démarrer.

Ils roulèrent au milieu de ce que Sophie considéra comme une jungle luxuriante. Elle ne reconnaissait ni les arbres ni les oiseaux, mais cela n'avait rien de bien surprenant ; même au Québec, la flore et la faune la laissaient indifférente. Malgré son ignorance, ou peut-être justement à cause d'elle, le paysage lui parut d'un exotisme formidable.

Pour éviter de respirer la fumée de cigarette du chauffeur, Sophie abaissa la vitre de sa portière et offrit son visage à la brise. Des odeurs nouvelles s'engouffrèrent dans la voiture. Parmi elles, quelques parfums de fleurs, mais surtout les effluves d'humidité, de feuilles en décomposition et de sel où l'on percevait, comme en filigrane, la présence du poisson. Était-ce cela, l'odeur de la mer ?

La voiture roula longtemps en pleine forêt. Sophie avait l'impression de sentir la puissance de la vie dans son ensemble : la vie des autres, celle des plantes, des animaux et la sienne surtout, plus intense que jamais. Un peu comme si le sang circulait plus vite dans ses veines, comme si les sens dont la nature l'avait pourvue se trouvaient avivés. Parce qu'elle avait le corps et l'esprit alertes, elle surprit trois fois les coups d'œil admiratifs que le conducteur portait sur elle dans le rétroviseur. On ne l'avait pas draguée depuis si longtemps qu'elle en était toute remuée. Se pouvait-il qu'elle soit encore belle ?

La ville surgit enfin, agglomération de bâtiments disparates, anciens et récents. À droite, les constructions paraissaient solides, mais à gauche, on apercevait des cabanes de bambou au toit de chaume où résidait une grande partie de la population locale. Aux intersections, le regard de Sophie suivait les rues transversales dans l'espoir d'apercevoir la mer. Elle était chaque fois déçue. Elle distinguait bien, au loin, les tours des hôtels de luxe, mais de la mer, elle ne voyait pas l'ombre d'une vague.

Ce qu'elle pouvait voir, cependant, sur les trottoirs, mais aussi dans les rues, c'étaient des gens aux traits indigènes, à la peau sombre, au nez busqué qui lui rappelaient un peu les Mohawks qu'elle croisait parfois sur la rive sud de Montréal. Le chauffeur arborait lui-même cette physionomie autochtone, mais Sophie n'osa lui demander s'il était Amérindien de peur de le froisser. Tout le monde n'était pas nécessairement fier de ses origines, et Sophie, qui traversait un ras-le-bol familial, était bien placée pour le savoir.

Les édifices s'espacèrent soudain, et la mer apparut. Elle s'étirait à droite, pas aussi bleue que Sophie l'aurait cru, mais aussi spectaculaire que cristalline. Au large se dressait une île que le chauffeur, remarquant son intérêt, identifia comme Isla Mujeres. Sophie s'inquiéta. La ville se trouvait derrière eux maintenant. Devant, on n'apercevait que la jungle et une route de campagne déserte. La voiture y roulait d'ailleurs à vive allure, comme si l'hôtel était encore loin. Où diable ce taxi s'en allait-il ? Elle sortit de nouveau la réservation d'hôtel qu'elle brandit devant le conducteur.

– *Hacienda Manuel?* demanda-t-elle, encore une fois.

– *¡ Sí, sí! Hacienda Manuel...*

Il poursuivit sa phrase en gesticulant, et Sophie soupira, contrariée. Les mots lui parvenaient, aussi étranges qu'incompréhensibles. Elle dut se résigner. Cet homme devait bien savoir où il s'en allait. Après tout, c'était lui, le chauffeur de taxi.

La mer disparut encore une fois derrière un rideau de végétation. Alors que Sophie ne s'y attendait plus, la voiture ralentit, vira à droite dans une entrée en U avant de s'immobiliser devant une enceinte recouverte de stuc blanchi à la chaux. « Hacienda Manuel », annonçait un panneau délavé. Soulagée, Sophie paya la course, attrapa son maigre bagage et descendit. Elle était enfin arrivée.

Malgré l'excitation qui la gagnait, elle hésita à franchir le portail. L'endroit paraissait à l'abandon. Heureusement que le taxi s'éloignait, sinon elle aurait pensé à rebrousser chemin. Elle fit un pas vers l'entrée, humant les effluves marins où se mêlaient des parfums capiteux. Un petit sentier menait à une porte grillagée découpée dans l'enceinte. Sophie abaissa la clenche, et la grille grinça en s'ouvrant. Apparut alors un jardin luxuriant peuplé de palmiers, de cocotiers et d'une multitude de fleurs toutes plus belles les unes que les autres. Une douzaine de huttes couvertes de chaume s'élevaient de part et d'autre d'un sentier de gravier.

Sans même chercher la réception, Sophie s'avança, contourna la piscine et aboutit dans le sable, face à la mer. Elle s'arrêta et admira l'horizon où se découpait toujours Isla Mujeres. Comment ne pas sourire de béatitude quand on se trouve devant un tel paysage ? Sophie souriait donc, en retirant chaussures et chaussettes. Puis elle enfonça ses orteils dans le sable. C'était chaud, doux et invitant. Abandonnant ses sacs, elle marcha jusqu'à ce que les vagues lui lèchent les pieds. La tiédeur de l'eau la réjouit et, d'instinct, elle roula le bas de son pantalon pour s'avancer plus avant dans la mer. Autour d'elle ne s'élevait que le bruit des vagues venues mourir sur la grève. Pas de cri, pas de moteur, aucune agitation. Le calme plat.

Après plusieurs minutes de ce bonheur serein, Sophie se ressaisit. Le soleil déclinait, et il lui fallait une chambre pour la nuit. Elle remit ses chaussures et retourna vers l'entrée où elle aperçut une porte d'arche obstruée par un rideau de billes. Au-delà se trouvait un comptoir derrière lequel un homme regardait la télé. Pour entrer, Sophie écarta les billes qui s'entrechoquèrent bruyamment. Aussitôt, le réceptionniste bondit de sa chaise.

– *¡Hola!* s'exclama-t-il en lui tendant la main.

Sans tenir compte du « bonjour » lancé en français, il s'élança dans une explication à laquelle, encore une fois, Sophie ne comprit pas un mot. Elle fouilla dans son sac, en sortit sa réservation et la lui tendit.

– *From Canada?* demanda-t-il, plus heureux encore.

Sophie hocha la tête.

– Parlez-vous français ?

– *No, señora. No francés. But we speak english.*

Sophie haussa les épaules, et l'homme éclata de rire.

– *Don't worry*, poursuivit-il. *No problemo.*

Sophie signa la fiche d'accueil et s'empara de la clé qu'il lui tendit.

– *¡La habitación es frente a la playa!* s'écria l'homme au moment où elle repoussait le rideau de billes. *Room 12 is facing the beach.*

Sophie ne comprit que le dernier mot, mais cela lui suffit pour conclure qu'elle aimait déjà cet endroit.

9.

Les premiers jours à l'Hacienda Manuel se déroulèrent sans anicroche. Sophie se levait tard, passait la matinée allongée sur une chaise longue ou les pieds dans la mer. Après avoir dîné longuement, elle quittait l'hôtel vers 15 heures, prenait l'autobus qui longeait la côte et se rendait en ville. Si, au début, elle ressentait une certaine nervosité à l'idée d'errer seule dans les rues de Cancún, ce malaise se dissipa quand elle s'aperçut que personne ne lui prêtait attention. Ses craintes s'évanouirent d'elles-mêmes, et Sophie put enfin se concentrer sur ce qu'elle vivait. Elle fouina au marché, s'attarda dans les librairies, essaya différents restaurants. Être libre de marcher, de s'arrêter, de prendre un café ou de casser la croûte impliquait de prendre des décisions sans consulter personne, ce qui, dans le cas de Sophie, s'avérait une nouveauté à laquelle elle prit goût.

Bien sûr, il lui arrivait de penser à ses filles, à Luc, à sa mère aussi. Chaque fois, elle devait faire un effort pour se rappeler que Roxane et Anouk n'étaient pas des bébés, que Luc pouvait s'organiser et que sa mère n'était pas aussi démunie qu'elle aimait le lui faire croire. Tout son monde pouvait vivre sans elle pendant deux semaines.

Même si elle gagnait en assurance au fil des jours, elle préférait demeurer à l'Hacienda Manuel le soir venu. Elle appréciait la compagnie d'Antonio, le barman, qui lui servait un piña colada si fort qu'elle se sentait ivre dès la troisième gorgée. Et tandis que son jugement s'embrouillait, elle imaginait Antonio sans vêtements, se demandait s'il était marié ou s'il lui arrivait de s'aventurer dans la chambre d'une cliente, la nuit tombée.

Mais même saoule, Sophie n'aurait jamais posé un geste pour provoquer les choses. Ce n'était tout simplement pas dans sa nature. Elle attendait donc, ignorant que le règlement de l'hôtel interdisait aux employés de faire des avances aux clientes. De peur d'être accusé de harcèlement, ce qui lui aurait fait perdre son emploi, Antonio attendait, lui aussi, que Sophie fasse les premiers pas, la laissant se languir bien malgré lui.

Quand Luis Mundaca débarqua à l'hôtel, le jour de Noël, Sophie était aussi prête à cueillir qu'une princesse de contes de fées. L'homme avait l'habitude de l'Hacienda Manuel. Il y logeait une semaine ou deux tous les mois et profitait de son statut de frère du propriétaire pour s'approcher des voyageuses solitaires en toute impunité. Précisons ici qu'elles étaient nombreuses et faciles à repérer, ces femmes venues du nord qu'un conjoint négligent ou qu'un célibat imposé poussait vers le sud. Elles avaient le teint blanc, se déplaçaient en maillot de bain avec un certain malaise, ressentaient une envie de faire l'amour qu'elles retenaient avec peine et affichaient un regard avide engendré par des années de frustration. Confiant, Luis s'installait dans une chambre vacante et commençait à tisser sa toile.

Gigolo était un métier qui nécessitait de l'entraînement, de la patience et un fin sens de l'observation. Un métier comme un autre, aurait dit Luis si on lui avait demandé son avis. Le jour où il aperçut Sophie, il se contenta de s'allonger sur la plage et feignit de se plonger dans un livre. Il engagea aussi des conversations anodines avec le barman. Ce n'était pas la première fois qu'Antonio le voyait à l'œuvre. Luis choisissait toujours des femmes de plus de trente ans, celles qui regardaient la mer en soupirant de tristesse. C'étaient les plus faciles à séduire, les plus intéressantes aussi. Les autres avaient trop d'assurance pour tomber dans son piège et pas assez d'argent pour satisfaire ses besoins. Car Luis ne faisait pas qu'entraîner les femmes dans son lit. Il leur soutirait argent, repas, sorties, vêtements et bijoux hors de prix jusqu'au jour du départ. Du coup, les clientes s'en retournaient chez elles rassasiées, et Luis retournait chez lui enrichi. Tout le monde était content.

Parce qu'il craignait de perdre son poste s'il émettait un commentaire ou un avertissement, Antonio ne dit pas un mot quand Luis commença à s'approcher de Sophie. Il prit même ses distances pour éviter de se mêler de ce qui ne le regardait pas. Sophie en tira évidemment les mauvaises conclusions. Son estime d'elle-même s'affaiblit plus encore, ce qui en fit une proie d'autant plus facile.

Lorsque Luis décida enfin de l'aborder, il y avait une semaine que Sophie était en vacances. Une semaine qu'elle se languissait en attendant un geste d'Antonio. Elle était mûre.

– Avez-vous vu la zone hôtelière ? demanda-t-il un matin, après le déjeuner, au moment où Sophie s'apprêtait à quitter la salle à manger. La mer y est magnifique à cette saison.

Ces deux phrases étaient les préférées de Luis. Il les utilisait pour parler du quartier touristique de Cancún, de la cité maya Tulum ou des pyramides de Chichén Itzá. C'étaient deux phrases de structure trop simple pour paraître suspectes. Elles évoquaient un exotisme qui attisait la curiosité et la sensualité des femmes du nord. Le fait que les saisons n'influençaient en rien la beauté de la mer ou l'éclat des ruines mayas était un détail auquel personne ne s'attardait jamais. Luis était beau, grand et paraissait plus jeune qu'il ne l'était, ce qui s'avérait un atout dans un métier comme le sien. Il possédait une peau sombre et une chevelure aussi noire que ses yeux. En fait, il incarnait le type même des Espagnols de romans dont l'accent faisait craquer les cœurs abandonnés. Il s'était adressé à Sophie dans un français où se mélangeaient, avec une maladresse calculée, des mots d'espagnol et d'anglais. Au-delà du propos, Sophie retint que cet homme superbe et mystérieux s'intéressait à elle. Elle se laissa tomber dans le piège avec une délicieuse culpabilité.

Luis la suivit sur la plage, lui offrit un piña colada, la fit rire tout l'après-midi avant de l'inviter à souper dans un restaurant dont le charme latin le mettait, lui, en valeur. Le lendemain, il l'emmena visiter la zone hôtelière et ils marchèrent sur la plage devant les hôtels cinq étoiles. À cet endroit, la mer était d'un bleu de carte postale que Sophie ne se lassa pas d'admirer. Ils s'arrêtèrent, ce soir-là, dans un restaurant chic où Luis commanda du vin. Les choses allaient bon train pour lui ; il fallait célébrer. Sophie se persuada qu'elle était la source de l'enthousiasme qu'elle percevait chez lui, ce qui la ravit. Plus tard, après avoir stationné la voiture devant l'Hacienda Manuel, Luis prit le risque de l'inviter dans sa chambre. Sophie sentit le sang affluer dans son cerveau. Contrairement à ce que Luis avait prévu, l'effet de l'alcool se dissipa aussitôt. C'est avec une lucidité déconcertante qu'elle lui demanda s'il avait un condom. Quand il répondit par la négative, elle sentit sa gorge se nouer.

– Pas de condom, pas de sexe, dit-elle d'une voix qu'elle aurait voulu moins hésitante.

L'étau dans sa poitrine se resserra, mais elle soutint son regard, même quand il lui demanda, avec un sourire en coin :

– Tu es sérieuse ?

Elle ne répondit pas. Dans la pénombre, il ne pouvait voir ses lèvres se pincer de tristesse. S'il avait insisté, elle aurait peut-être fini par céder, mais il n'en fit pas l'effort. Il l'abandonna dans le stationnement sans rien dire. Déçue, Sophie franchit le portail. Le personnel avait terminé son quart de travail. Même le bar était désert. Seul demeurait le préposé à la réception, toujours hypnotisé par sa télévision. Au lieu de se rendre à sa chambre, Sophie poursuivit son chemin jusqu'à la plage, s'installa sur une chaise longue, le corps en feu et le cœur lourd. La lune se levait au-dessus de l'Isla Mujeres et se réfléchissait sur une mer d'huile. Sophie la contemplait en essayant d'oublier la brûlure entre ses cuisses quand Luis apparut à côté d'elle, tel un fantôme dans la nuit.

– Toujours intéressée ? demanda-t-il en agitant devant son nez un petit sachet carré.

10.

Ce soir-là, Sophie le suivit dans sa chambre. Pour s'assurer qu'elle reviendrait les soirs suivants, Luis la caressa avec lenteur, attendant qu'elle atteigne l'orgasme avant de jouir lui-même. Puis il la prit dans ses bras jusqu'à ce que sa respiration devienne régulière. Lorsqu'il fut certain qu'elle ne se réveillerait pas, il se leva, s'alluma une cigarette et la regarda dormir, satisfait.

Les attentions qu'il avait eues pour elle n'avaient pas nécessité un grand effort de sa part. C'étaient les ruses habituelles, celles qui ramenaient infailliblement les femmes dans son lit jusqu'au décollage de leur avion. Cette nuit, toutefois, Luis sentait qu'il avait marqué des points supplémentaires. Son instinct était infaillible dans ce domaine, et il voyait bien qu'il s'était montré plus doux et plus affectueux que ses prédécesseurs. Il avait reconnu dans ses bras une femme privée d'amour et en ressentit une soudaine pitié. Heureusement pour lui, ce sentiment ne suffit pas à le faire renoncer à ses objectifs.

Le troisième jour, il l'emmena visiter la cité de Tulum, sur la côte. Ils admirèrent les fresques et se baignèrent dans la mer. En après-midi, ils reprirent la route, direction ouest, vers les anciennes pyramides de Coba. Là, au milieu d'une jungle encore sauvage, Luis prit la main de Sophie et l'effleura de ses lèvres. Il la vit frissonner et s'en émut. Le piège se refermait sur une proie consentante.

Pendant le reste de l'après-midi, ils escaladèrent deux des pyramides et marchèrent entre les ruines. Luis raconta les plus récentes découvertes archéologiques, expliqua les lois de la jungle du Yucatán. Sophie s'émerveillait de ses connaissances. Ses yeux brillaient comme ils ne l'avaient pas fait depuis longtemps. Au retour, pendant que la voiture roulait en bordure de la mer, Luis tendit sa deuxième ligne. Il proposa une visite au parc écotouristique de Xcaret.

– On pourrait y aller demain. En partant à l'aube, ça te ferait une belle journée.

Son utilisation du pronom de la deuxième personne du singulier ne passa pas inaperçue. Sophie mordit à l'hameçon.

– Comment ça, ça *me* ferait une belle journée ?

Luis entreprit alors de décrire la rivière souterraine dans laquelle Sophie pourrait plonger en apnée. Il lui parla de la baignade en compagnie des dauphins, de la visite des parcs thématiques, avant d'insister sur la nourriture de qualité qu'on servait sur le site. Puis il expliqua que les droits d'entrée à Xcaret étaient trop élevés pour ses moyens. Il l'attendrait donc dans la voiture.

– Voyons donc ! s'exclama Sophie, scandalisée par une telle proposition. Tu fournis le transport, je paie ton billet. Est-ce que ça te convient ?

Luis protesta. Pour la forme, évidemment. La visite de Xcaret coûtait cher, car en plus du droit d'entrée, il fallait ouvrir sa bourse pour louer de l'équipement, pour nager avec les dauphins, pour manger et boire. Sophie sortit sa carte de crédit aussi souvent que nécessaire. Elle n'en éprouva pas le moindre remords, paya même sans compter et passa une excellente journée.

En vérité, Sophie avait l'impression de vivre la lune de miel qu'elle n'avait jamais eue. Puisque Luc et elle ne s'étaient pas mariés, et que Luc détestait les voyages, le couple n'avait jamais passé du temps ensemble loin de la maison, des enfants et du reste de la famille. Sophie appréciait tout à coup l'insouciance que procurent de tels voyages. Une insouciance qui ne s'atténuait pas au fil des jours. Les restaurants, les sorties, la découverte de paysages inconnus, tout cela la grisait. Avec Luis, elle se sentait belle, vivante, épanouie. Elle sentait qu'elle devenait une autre femme, une femme libérée du quotidien et de ses entraves. Libérée, surtout, de l'obsession de la perfection liée au besoin de reconnaissance et d'affection. Là, à des milliers de kilomètres de chez elle, Sophie Parent existait par elle-même et pour elle-même. Elle n'était ni la mère, ni la conjointe, ni la fille, ni la sœur et elle en éprouvait un soulagement et un plaisir qui, quelques mois plus tôt, lui auraient fait dresser les cheveux sur la tête. Et elle ne voulait surtout pas que ça cesse.

Quelques jours avant la date prévue pour son départ, Sophie eut le bonheur d'entendre Luis lui parler d'amour sur la plage. Il lui dit qu'il était tombé amoureux d'elle en la voyant, la première fois, allongée sur une serviette au bord de la piscine. Il lui parla de l'effet qu'avait produit sur lui son sourire. Il lui dit à quel point il la trouvait belle et avoua qu'il était triste à l'idée de la voir partir. Il espérait qu'elle reviendrait.

De tels aveux eurent pour effet de bouleverser Sophie. Se pouvait-il qu'on l'aime pour ce qu'elle était et non pour ce qu'elle faisait ? Il ne lui vint pas une seconde à l'esprit que Luis l'aimait pour ce qu'elle avait. Elle se laissa bercer par cette toute nouvelle estime d'elle-même qui lui donnait l'impression de rajeunir.

Luis lui accorda encore un jour pour s'attacher. Lorsqu'il fut certain que les hameçons étaient bien accrochés, il se risqua plus loin. Il lui proposa un voyage vers l'intérieur des terres.

– Je pourrais te faire visiter Campeche, si tu veux. J'y ai un appartement avec vue sur la mer.

Il avait ajouté cette précision pour éviter que Sophie s'inquiète du coût d'un hôtel dans la grande ville. Il se garda toutefois de décrire le deux-pièces minuscule dans lequel il vivait. Il savait que Sophie, en apercevant les coquerelles sur le lit, proposerait d'emblée d'aller à l'hôtel. Il n'aurait même pas à lui en faire la suggestion.

– C'est la plus ancienne ville espagnole du Yucatán, ajouta-t-il pour s'assurer la victoire. Elle date de 1540. On y trouve de grands palais du XVIIIe siècle et on peut visiter les fortifications qui servaient à défendre la ville contre les pirates.

Avec ces détails, Sophie comprit que Campeche se trouvait de l'autre côté de la péninsule. Elle essaya d'évaluer la distance et le temps que nécessitait un tel voyage. Elle conclut qu'elle risquait de rater son avion si elle se rendait jusqu'au golfe du Mexique. Voyant qu'elle hésitait, Luis modifia son offre.

– Si tu as peur de manquer de temps, on peut simplement se rendre à Mérida. En passant par l'autoroute, ça prendrait cinq heures. Un peu plus si on s'arrête en chemin pour visiter les ruines de Chichén Itzá.

Sophie réfléchit. Elle avait lu sur Chichén Itzá dans la brochure que lui avait remise l'agente de voyages. Elle savait que des visites étaient organisées à partir du centre touristique de Cancún. Il était donc possible de se rendre au site et de revenir dans la même journée. Aller à Mérida prendrait deux ou trois heures de plus. Serait-elle de retour à temps pour prendre l'avion ? Comme les minutes s'écoulaient, Luis craignit de la voir lui filer entre les doigts. Il joua alors sur un autre tableau.

– Chichén Itzá est inscrit au patrimoine mondial de l'Unesco depuis 1988. Ce serait dommage de venir jusqu'à Cancún et de ne pas y jeter un œil. C'est seulement à deux heures de voiture. Et puis la pyramide est magnifique à cette saison.

Cette dernière phrase aurait dû mettre la puce à l'oreille de Sophie. Toutefois, si elle sentit le piège, son subconscient lui interdit de s'y attarder. Déjà, le soleil descendait derrière eux. La plage était déserte. Luis s'était rapproché et lui caressait la nuque. Il s'allongea près d'elle, enfouit son visage dans son cou, descendit jusqu'à sa poitrine. Aveuglée par ce besoin d'affection qu'il comblait avec assiduité, Sophie se sentit tomber amoureuse. Elle ne réprima pas l'envie qu'elle avait d'être avec lui le plus longtemps possible. Elle ferma les yeux et oublia ses objections. Ce soir-là, Luis lui fit l'amour sur la plage. Le sable était chaud, la brise était tiède. La nuit était magnifique, comme dans les films.

Le lendemain, elle traversait avec lui le Yucatán. Elle apportait sa valise, son passeport et son billet d'avion au cas où ils reviendraient juste avant le départ.

II.

À Chichén Itzá, situé à mi-chemin entre Cancún et Mérida, se trouvaient les ruines les plus célèbres de l'Amérique centrale. La cité recelait encore bien des mystères, mais on savait qu'elle avait longtemps été un lieu de pèlerinage maya. Le site archéologique s'étendait sur plus d'un kilomètre carré et il était constitué de bâtiments tous plus magnifiques les uns que les autres. De quoi émerveiller bien des touristes.

Sophie escalada les trois cent soixante-quatre marches du Castillo et pénétra, tout en haut, dans le temple édifié en l'honneur de Kukulcán, le dieu serpent. Elle ne put réprimer un frisson d'effroi lorsque Luis lui expliqua que la stèle qu'elle voyait au centre de la pièce était un autel sur lequel, à l'époque, on sacrifiait des gens. Après une descente effectuée à reculons, Sophie suivit Luis au bord du cénote, ce trou géant dans lequel les Mayas de jadis jetaient des hommes et des femmes pour honorer leurs dieux. Luis lui montra également le terrain de jeu de balle, situé entre deux gigantesques murs de pierres sur lesquels des fresques représentaient des parties célèbres. On y voyait illustrée de manière non équivoque la mise à mort du capitaine de l'équipe victorieuse. Tant de violence chez un peuple capable de produire autant de beauté dérangea Sophie. Elle aurait préféré savoir les Mayas pacifiques.

Pendant toute la durée de la visite, elle continua de s'extasier devant les explications de Luis. Elle n'aurait su dire ce qui la fascinait le plus. Les connaissances de son compagnon ou les objets qu'il décrivait. Elle l'écoutait avec intérêt, troublée par la beauté, la chaleur, le soleil et l'amour qu'elle sentait grandir en elle. C'est ainsi qu'elle succomba. Luis n'eut même pas besoin de renouveler son offre. À la fin de l'aprèsmidi, Sophie lui demanda de l'emmener à Mérida.

Le jour se levait sur la ville, faisant étinceler les murs de mille couleurs. Le jaune canari, le bleu royal, le rouge. Les corniches ornées de frises roses, le stuc d'un blanc éclatant. Par la fenêtre ouverte, Sophie aperçut quelques chiens errant dans les rues encore désertes. Une dizaine de minutes plus tôt, elle avait été réveillée par un rayon de soleil. Et par le doute. Elle avait d'abord jeté un coup d'œil autour d'elle. Outre le rai entre les rideaux, la pièce était sombre. Sophie avait examiné les murs, les objets, la chambre. L'ensemble lui avait paru étranger.

Elle avait alors senti dans son dos le souffle régulier de celui qui dormait à côté d'elle. Elle s'était retournée et s'était attendue à découvrir Luc. Quelle surprise ça avait été d'apercevoir la peau sombre et la tignasse noire de Luis ! Et cette sérénité qui se dégageait de lui pendant son sommeil. Elle s'était souvenue et avait soupiré d'aise. Elle était à Mérida avec l'homme le plus tendre qu'elle ait jamais rencontré.

Elle s'était levée et avait marché jusqu'à la fenêtre, attrapant au passage le peignoir de l'hôtel qu'elle avait enfilé avant d'ouvrir les rideaux. C'est ainsi qu'elle avait vu Mérida s'éveiller. De ses rues montait maintenant une rumeur joyeuse. Il y avait des klaxons, des rires, des voix qui chahutaient en espagnol. Un va-et-vient étourdissant. Le ballet des voitures qui zigzaguaient entre des passants, celui des motocyclettes et des bicyclettes qui se faufilaient entre les voitures. Plus loin, les échoppes du marché étalaient leurs marchandises. Fruits colorés, viandes, pains divers, vêtements, bijoux, et autres objets hétéroclites s'offraient au regard des passants de plus en plus nombreux. Sophie poussa le battant, et l'odeur du café envahit la chambre, suivie immédiatement par celle des frijoles. Ce plat de fèves noires, qu'on préparait pour le dîner, générait un parfum entêtant que Sophie commençait à apprécier. Son ventre gargouilla.

Elle attrapa son sac sur le fauteuil pour y glisser la main. Sous ses doigts, elle sentit son passeport, son portefeuille et son billet de retour. Elle attrapa ce dernier puis se rapprocha de la fenêtre pour lire. Le départ de l'avion était prévu pour 17 heures ce jour-là. Sophie soupira de nouveau, mais la tristesse la gagna et laissa sur ses lèvres une moue contrite. Aujourd'hui, elle rentrerait. Elle abandonnerait Luis et retrouverait sa place dans le lit de Luc. Elle reprendrait également sa vie de famille avec son lot de demandes. Certes, ses filles commençaient à lui manquer, mais Sophie n'avait pas hâte de retrouver leur indifférence. Pour chasser cette idée, elle se tourna vers le paysage avec un intérêt nouveau. La ville de Campeche ressemblait-elle à Mérida ? Elle devait être plus belle encore puisqu'on y voyait la mer. Et il y avait le fort qui repoussait jadis les attaques de pirates. Quand Luis en parlait, Sophie se disait qu'elle n'avait jamais rien entendu d'aussi romantique. Elle le regarda dormir, attendrie. Qu'avait-elle fait pour mériter à ce moment-ci de sa vie un homme aussi extraordinaire ? En quelques jours, il avait réussi à combler un vide que personne d'autre n'avait même perçu. Dans ses bras, elle se sentait tellement bien et tellement belle ! Comme elle aurait aimé que cette sensation de plénitude dure plus longtemps ! C'est alors qu'il lui vint une idée, et que, sur un coup de tête, Sophie décida de changer sa date de retour. Satisfaite de sa toute nouvelle détermination, elle revint près du lit, retira son peignoir et se glissa sous le drap contre la peau tiède de Luis.

– Viens ici, dit celui-ci en la pressant contre sa poitrine.

Sophie sentit le sexe de Luis durcir contre sa cuisse. Elle sourit et lui glissa à l'oreille :

– Aujourd'hui, tu m'emmènes à Campeche.

Sans répondre, Luis éclata de rire, roula sur elle et lui fit l'amour, victorieux.

12.

Durant quarante années, Sophie avait fait des choix inconscients. Elle avait accepté Luc quand il s'était présenté, les enfants quand ils étaient arrivés, le travail parce qu'on le lui avait offert et la maison parce qu'elle était disponible. Cette négligence l'avait menée à vivre une vie très éloignée de sa nature profonde. La Sophie Parent de Longueuil ne connaissait pas ses limites ni ses véritables goûts. Elle laissait les jours s'écouler en se disant qu'il serait toujours temps de réfléchir plus tard.

Dans cette chambre d'hôtel de Mérida, elle se mit à penser plus intensément que pendant toutes les années qui avaient précédé. Elle arriva à la conclusion que, dans le fond, rien ne la forçait à retourner tout de suite à Montréal. Elle avait droit à des vacances. Tout le monde en prenait, pourquoi pas elle ? D'ailleurs, puisqu'elle était majeure – et pas qu'un peu ! – et puisqu'elle vivait dans un pays où les femmes étaient libres, pourquoi s'en serait-elle privée ? Elle venait de comprendre – enfin ! diront certains – qu'une Canadienne de quarante ans n'avait pas besoin de permission pour agir. Personne, d'ailleurs, ne s'opposa à sa décision. Pas davantage Luis que l'agent de voyage. Ce dernier se contenta de lui servir, juste avant de raccrocher, une mise en garde contre les amours de voyage.

– Ça ne dure pas.

Sophie balaya cet avertissement du revers de la main. Aucun homme ne pouvait comprendre combien elle s'épanouissait dans les bras de Luis. En réalité, ce n'était pas l'amour qui transformait Sophie, mais bien l'absence de contraintes extérieures. Elle était libre, et cette liberté lui permettait de s'écouter, de croître et de jouir de la vie comme jamais auparavant.

Dans le miroir de l'hôtel de Mérida, elle retrouva la jeune fille de dix-huit ans qu'elle avait été jadis, celle qui avait charmé le propriétaire du restaurant portugais. Elle retrouva la fraîcheur qui rosit les joues, allume le regard, et donne envie de faire l'amour une vie durant.

Elle sentit cependant qu'il lui fallait au moins avertir Luc. Elle pouvait partir deux semaines sans lui rendre de comptes, mais ne se sentait pas à l'aise de disparaître un mois entier sans lui donner de nouvelles. Il devait s'inquiéter, les filles aussi. Et tout le monde serait heureux d'apprendre qu'elle allait bien et qu'elle rentrerait à la fin janvier.

Pour éviter que Luis apprenne qu'elle avait déjà un conjoint, Sophie profita du temps où il traînait sous la douche pour descendre à la réception de l'hôtel. Là, on la dirigea vers une cabine téléphonique installée dans le hall à l'intention des clients. Après avoir signalé le numéro de sa carte d'appel, elle composa d'une main tremblante celui qu'elle connaissait par cœur. La sonnerie se fit entendre. Sophie craignait autant qu'elle anticipait la réponse qu'elle obtiendrait à l'autre bout du fil. Elle fut quand même soulagée d'entendre la voix de Luc.

– Sophie ? l'interrogea-t-il sur un ton plus furieux que curieux.

Elle eut un geste de recul et prononça un oui timide.

– Veux-tu bien me dire où tu es ? s'écria-t-il. On te cherche depuis deux semaines.

– Je suis en vacances à…

Elle ne réussit pas à prononcer un mot de plus, car Luc lui coupa la parole comme si ce qu'elle s'apprêtait à dire n'avait aucun intérêt.

– En vacances ? Comment ça en vacances ? C'est quoi l'idée de disparaître dans le temps des fêtes sans dire à personne où tu es partie ? On ne savait même pas où t'appeler !

– Ben, c'était un peu ça le but, réussit-elle à glisser au milieu des imprécations qui tonnaient dans le combiné.

– En tout cas, ma sœur ne l'a pas trouvé drôle. Tu devras t'expliquer avec elle parce qu'elle t'en veut à mort de l'avoir abandonnée comme ça. À quoi tu pensais ? Voyons donc ! On ne s'en va pas comme ça ! C'est moi qui me suis tapé ton ouvrage pendant *tes* deux semaines de vacances. Les cours des filles, la cuisine, le ménage, le lavage, l'épicerie. C'était l'enfer ! Je veux bien t'aider, mais là… As-tu oublié que j'ai une job pis que je n'ai pas rien que ça à faire, m'occuper des enfants et de la maison ?

Sophie se demanda s'il s'écoutait quand il lui parlait ainsi. N'avait-il pas réalisé qu'elle aussi effectuait toutes ces tâches en plus de travailler à temps plein ?

– J'espère que tu t'en reviens, poursuivit Luc, parce que ta mère s'inquiète. Elle a un rendez-vous la semaine prochaine et compte sur toi pour l'accompagner. Alors, rentre !

Plus Luc parlait, plus Sophie sentait l'indignation la gagner. Personne n'avait rien compris à sa fugue. Pire, Luc continuait de la réprimander comme une enfant. Elle pensait qu'il avait terminé enfin quand il prononça une dernière phrase assassine :

– En ce qui concerne ton voyage, on réglera ça quand tu seras à la maison.

C'était le comble ! Luc avait l'intention de la sermonner et de la remettre à sa place. Sophie comprit que le reste de la famille l'attendait avec la même impatience et pour les mêmes raisons. Elle sentit le sang affluer à ses tempes à mesure que la colère la gagnait. Elle décida d'abuser du pouvoir que lui conférait le téléphone. Elle lança simplement :

– Je ne rentre pas tout de suite.

Puis elle raccrocha sans attendre la réplique. Le silence s'abattit dans son esprit. L'air se fit lourd juste avant que se pointe une migraine. Sophie sortit de la cabine les yeux hagards, la tête dans un étau, et alla s'asseoir dans un fauteuil près du comptoir de la réception. L'employé ne lui prêta pas attention, les yeux rivés à la télévision où se déroulait un match de soccer. L'espagnol emplissait le hall, mais Sophie n'entendait rien. Elle s'était calée dans le siège et avait fermé les yeux, le cœur en miettes. En quelques mots, elle s'était affranchie de ses proches, mais au lieu de se sentir légère, elle éprouvait de l'accablement. Quelque chose s'était brisé. Définitivement brisé. La colère n'avait pas été bonne conseillère, et Sophie savait qu'il serait difficile de réparer les pots cassés. Car elle ne se leurrait pas : ses proches auraient peut-être fini par oublier ses deux semaines de vacances, mais ils ne lui pardonneraient pas aussi facilement le fait d'avoir prolongé son escapade alors qu'ils avaient besoin d'elle.

Elle demeura prostrée dans le fauteuil pendant un long moment, à repenser aux paroles de Luc. Elle fut soudain frappée par son absence de sensibilité. Il avait été heureux de son appel parce que cela lui donnait l'occasion de la forcer à rentrer. Il n'avait pas dit un mot de réconfort, pas une fois demandé les raisons de son départ. Elle lui avait manqué, mais parce qu'il avait dû faire le ménage ! L'indignation revint plus intense encore que précédemment. Sophie décida qu'elle n'avait pas à souffrir de s'être affranchie. À quarante ans, il était plus que temps. Et que ça leur plaise ou non, elle vivrait *sa* vie.

Elle possédait suffisamment d'argent dans son compte en banque pour lui permettre de séjourner au Mexique encore deux semaines sans qu'elle ait à s'inquiéter. Et puis, s'il le fallait, elle pigerait dans sa marge de crédit. Elle disposait donc des fonds nécessaires pour profiter de chaque instant en compagnie de Luis. Elle pouvait désormais le suivre à Campeche.

Luis avait bien étudié sa victime. Les événements se déroulèrent comme il l'avait prévu, sans même une petite variation. Ils prirent la route au milieu de l'après-midi et traversèrent la jungle qui séparait Mérida de Campeche, s'arrêtant à plusieurs reprises pour admirer le paysage devant lequel Sophie ne cessait de s'extasier. Malgré ces pauses, ils arrivèrent à temps pour voir le soleil se coucher sur le golfe du Mexique. Si Sophie ne fut pas impressionnée par la plage, elle tomba sous le charme de la ville, moins peuplée que Mérida, mais mieux entretenue. Statut de capitale oblige.

Quand elle découvrit l'appartement de Luis, Sophie refusa net d'y séjourner. Dans ce deux-pièces miteux, la peinture sur les murs s'écaillait, des fuites d'eau avaient laissé des cernes au plafond et, sur le lit, quelques coquerelles gisaient, comme en attente. Elle n'y resta même pas cinq minutes et entraîna son amant dans un hôtel confortable au centre-ville. Ils vécurent les deux semaines suivantes dans le luxe tandis que se créait autour d'eux un nuage de bonheur entretenu par les caresses et les mots doux. Les jours s'égrenèrent au rythme des couchers de soleil rougeoyants, des petits-déjeuners au lit et des longues promenades en ville.

13.

Le compte en banque de Sophie baissait de jour en jour, mais elle ne s'en souciait pas. À son retour, elle reprendrait son travail, et son salaire aurait tôt fait de combler le déficit lié à ce voyage. Elle profitait de chaque minute, de chaque nuit et de toutes ces petites choses qu'on ne vit qu'à l'étranger. Au bout de deux semaines, elle se décida enfin à rentrer à Cancún.

– Mon avion part demain, lança-t-elle en s'éveillant un matin.

Elle avait parlé en poussant un soupir. Luis se rembrunit lui aussi. Il avait vécu des jours merveilleux et se demandait de combien d'argent disposait encore sa proie. L'idée de la retenir quelques semaines de plus au Mexique l'effleura, mais il y renonça. Il avait pour principe de ne jamais utiliser deux fois la même technique avec la même femme. Et il savait qu'insister aurait eu l'air suspect.

Il roula sur le côté, étira la main pour lui caresser l'épaule et, mine de rien, repoussa le drap du bout du pied. Ce geste eut pour effet de dévoiler son corps bronzé et son sexe dressé. Sophie émit un petit rire nerveux, ce qui ravit Luis bien davantage que des aveux. Il n'avait même plus besoin de parler pour la séduire. Il n'avait qu'à être lui-même : un homme qui aime les femmes, toutes les femmes. C'était vraiment trop facile. Poussant plus loin l'amusement, il posa la tête entre les seins de Sophie et colla son oreille de manière à entendre son rythme cardiaque qui, comme prévu, s'accéléra. Il sourit, content.

Le jour s'était levé depuis un moment déjà, et la lumière qui baignait la chambre rendait plus laiteuse encore la peau de Sophie. Luis s'étonnait toujours de découvrir à quel point les seins d'une femme étaient chauds et doux. Sophie, comme les autres, lui offrait ce coussin avec un plaisir si évident que c'en était émouvant. Il se demanda s'il pourrait vivre ainsi avec elle toute sa vie sans se lasser. Probablement pas. Mais le bien-être qu'il ressentait en sa présence valait la peine qu'on le fasse durer aussi longtemps que possible. Du bout des doigts, il effleura le nombril de Sophie et la vit frémir. Elle le regardait avec intensité, les yeux chargés de cet amour qu'il savait faire naître chez les femmes. Elle étira le bras, glissa une main dans ses cheveux avant de lui souffler un baiser. Une idée germa alors dans l'esprit de Luis. Il ferma les yeux, se laissa caresser pendant un moment, plongé dans ses pensées. Ce nouveau plan était audacieux, car il y avait des risques. Un échec serait catastrophique. Il lui fallait donc prendre des précautions. La première d'entre elles consistait à affirmer son emprise. Il dirigea sa main entre les cuisses de Sophie et, profitant de l'émoi que ce geste provoqua, il verbalisa une partie de son nouveau projet :

– Et si je te conduisais chez toi...

Sophie écarquilla les yeux.

– Qu'est-ce que tu veux dire ?

Luis se redressa, s'éclaircit la voix et s'expliqua :

– Je pourrais t'emmener au Canada dans ma voiture.

– Et après ?

Après ? Luis avait sa petite idée à ce sujet, mais il se garda bien de l'énoncer.

– Je pourrais vivre avec toi.

Sophie se mordit la lèvre. Elle mourait d'envie de l'emmener, mais n'aurait jamais osé lui faire une telle proposition.

– Tu sais qu'il faudra m'épouser, dit-elle, un brin hésitante. Immigration Canada ne te laissera pas entrer autrement.

Luis savait, mais il fit mine d'en être surpris. Il ne voulait surtout pas qu'elle le soupçonne d'y avoir pensé en premier. Et puisque la meilleure défense, c'est l'attaque, il attaqua :

– Peut-être es-tu déjà…

– Non !

Sophie avait presque crié ce « non » qui lui sortit des tripes. Non, elle n'était pas mariée. Luc avait toujours refusé de l'épouser, arguant qu'il ne croyait pas au mariage. Quand Sophie insistait, il expliquait que ça ne changerait rien entre eux, qu'il ne l'aimerait pas davantage. Quand elle avait demandé ce qui se passerait en cas de séparation, il avait dit que chacun reprendrait ses biens. Les choses devaient rester simples. Pour lui, l'important, c'était de garder sa liberté. Sophie avait donc dû renoncer au mariage. Une fois ou deux, l'idée lui était venue que Luc vivait peut-être avec elle en attendant de trouver mieux. Comme à son habitude, elle avait refusé d'y réfléchir davantage. Mais en ce moment même où elle réalisait qu'elle avait envie d'un autre homme dans sa vie, elle ressentit pour Luc une vive reconnaissance.

14.

Par la suite, les choses s'étaient déroulées très vite. Ils avaient fait leurs bagages, pris la route en direction sud avant de piquer vers l'ouest pour remonter vers le nord en traversant le Mexique. De ce voyage, Sophie ne garda qu'un vague souvenir. Luis occupait toutes ses pensées. Avec lui, rien n'était laid, ni la pauvreté des villages traversés ni le smog qu'on apercevait au-dessus des villes. Dès qu'elle pouvait se blottir contre lui, elle s'imprégnait de son odeur, du goût de sa peau et imaginait avec lui mille projets. Au début, elle aurait à le loger et à le nourrir, mais cela ne l'inquiétait pas. Elle gagnait un bon salaire à l'école; l'argent ne manquerait pas. L'idée que ses filles puissent rejeter son nouvel amant ne lui vint pas à l'esprit. Puisqu'elle aimait Luis, tout le monde aimerait Luis. Elle lui dressa le portrait de Roxane et d'Anouk en évitant de mentionner le type de relation qu'elle entretenait avec elles depuis quelques années.

Ils traversèrent le Rio Grande à Laredo. Le fleuve, qui servait de frontière entre les États-Unis et le Mexique, s'avéra fortement surveillé. À leur arrivée, on comptait déjà une centaine de voyageurs en attente, tous désireux de franchir le pont militarisé qui menait, du moins le croyaient-ils, vers la richesse et la liberté. Luis et Sophie durent patienter deux heures avant qu'on leur fasse signe de s'avancer vers la guérite où trois hommes armés montaient la garde. Luis tendit leurs deux passeports à un agent, avant de se lancer dans une longue explication en anglais à laquelle, encore une fois, Sophie ne comprit pas un mot. Par deux fois, il la désigna du doigt en ajoutant le mot *Canadian*. L'agent répliquait, et le ton montait tandis que les deux autres agents surveillaient leurs moindres gestes. Mal à l'aise, Sophie évitait de croiser leurs regards.

– *What are you afraid of?* lui lança soudain l'un d'eux en s'avançant plus près.

À son ton agressif, Sophie avait compris le sens de la question. Elle désigna du doigt l'arme qu'il brandissait dans sa direction.

– *You don't like guns, do you?*

Elle secoua la tête, terrifiée à l'idée qu'il fasse feu juste pour l'intimider. Il lui offrit un sourire mauvais, leva le menton et désigna la portière.

– *Get out!*

Sophie crut qu'elle allait mourir, là, dans un pays étranger devant des hommes dont elle comprenait à peine les paroles. Dès qu'elle mit pied à terre, quatre autres gardes sortirent du poste. L'heure qui suivit parut durer une éternité. La voiture fut fouillée d'un bout à l'autre, et on scruta à la loupe les objets contenus dans les bagages. Les paumes moites, Sophie regardait la scène, blottie contre Luis qui, lui, ne bronchait pas. Elle trouvait rassurant de se tenir à côté d'un homme qui n'avait pas peur alors qu'elle tremblait comme une feuille.

Évidemment, les gardes ne trouvèrent dans la voiture ni drogue, ni immigrant caché, ni arme, ni objet volé. Sophie avait commencé à se convaincre qu'on les laisserait enfin passer quand un autre homme vint les interroger. Il était plus vieux que les premiers, plus impressionnant aussi, même s'il ne portait qu'un pistolet dans son ceinturon. Il questionna Luis avant de se tourner vers Sophie. Celle-ci expliqua, dans un anglais plus qu'approximatif, qu'elle avait manqué son avion. Le garde soupira, l'étudia encore un moment, puis il leur tendit leurs passeports.

– *You may go*, lança-t-il, à contrecœur. *But we'll be watching you!*

Ils ne se firent pas prier pour quitter le poste frontalier. Et pendant qu'ils roulaient vers le nord, Sophie remarqua les marques de sueur que les mains de Luis laissaient sur le volant. Il avait eu peur, lui aussi, mais n'en avait rien laissé paraître. Cette capacité à dissimuler ses sentiments impressionna Sophie. Puis elle se rappela les paroles du garde. *We'll be watching you!* Luis craignait-il d'être suivi ? Il conduisait plus prudemment qu'il ne l'avait fait depuis le départ de Campeche. Il scrutait la route sans arrêt, devant aussi bien que derrière, et ses yeux demeuraient plissés, comme à l'affût. Sophie, elle, se sentait plus légère, car elle savait que franchir la frontière canadienne serait beaucoup plus facile.

Une heure plus tard, Luis immobilisa la voiture sur un chemin peu fréquenté afin que Sophie aille uriner. Elle en avait envie depuis la frontière, mais pour rien au monde elle n'aurait insisté pour qu'ils s'y attardent plus longtemps. Elle s'éloigna donc de l'auto, baissa son pantalon et s'accroupit derrière les buissons qui bordaient la route. Elle était encore dans cette position quand elle entendit le moteur gronder. Les pneus crissèrent, soulevant la poussière. Sans même un regard dans le rétroviseur, Luis fonça vers l'est.

Les heures avaient passé. Sophie gisait en plein désert, sur l'accotement d'une route de campagne, quelque part au Texas, non loin de la frontière mexicaine. Des larmes taries avaient dessiné sur ses joues des sillons inégaux qui lui donnaient un air d'enfant perdu. Elle souffrait dans son corps et dans son cœur. Après avoir flotté sur un nuage pendant presque un mois, elle souffrait surtout de la trahison de son amant. Le rêve était terminé, et le retour à la réalité s'avérait brutal.

Le soleil descendit sur les collines, laissant d'abord à l'est une traînée bleu marine, puis plongeant le désert dans des ténèbres profondes. La noirceur amplifia les bruits et la sensation d'isolement en plus de pénétrer tous les êtres vivants d'un froid violent. Lasse, Sophie se replia sur elle-même. Elle n'avait nulle part où aller. Rien d'autre à faire qu'attendre. Quelqu'un finirait bien par emprunter cette route.

Elle perçut dans l'obscurité un premier signe de vie. Les buissons épineux venaient de frémir. Un animal rampait sur le sol tout près. Sophie serra les dents. Elle se trouvait au bout du monde, sans argent et sans passeport, sans bagage ni énergie. Et la peur lui nouait l'estomac.

DEUXIÈME PARTIE

La chance

15.

Il faisait nuit depuis longtemps lorsque les phares d'une voiture apparurent dans le lointain. Sophie sentit son cœur bondir. Elle se redressa, secoua la poussière qui maculait ses vêtements et tendit le pouce, comme elle s'était imaginé le faire depuis le départ de Luis. Les phares grossirent jusqu'à ce qu'une camionnette s'immobilise en bordure de la route. La vitre du côté du passager s'abaissa dans un bruit de moteur électrique.

– *¡Hola!* s'écria le conducteur dont Sophie ne distinguait que la silhouette derrière le volant. *¿A dónde vas?*

– Montréal, Canada! lança Sophie en esquissant un sourire fatigué, le seul dont elle était capable.

L'homme ne répondit pas tout de suite. Elle sentit qu'il l'étudiait. Il redressa son chapeau texan, mais ses yeux demeuraient invisibles dans l'ombre. Au bout d'un moment, il étira le bras et déverrouilla la portière.

– *People who drive on that road are not going to Canada*, dit-il, la voix modulée par l'accent espagnol. *If you want, I can take you to Peppe's. There, you might find someone going North.*

Sophie hocha la tête. Elle n'avait pas tout compris à propos du Nord et du Canada et ne savait pas qui était Peppe, mais elle n'avait pas l'intention de demeurer sur le bord de la route. Elle avait froid, elle avait faim et elle craignait par-dessus tout les serpents à sonnettes qu'elle devinait dans l'obscurité.

Sans parler des scorpions et autres bestioles qui s'agitaient dans les buissons. Elle grimpa dans la camionnette qui se remit en marche.

Ils roulèrent dans le noir, guidés par le faisceau des phares qui découpait un ruban d'asphalte bordé de sable. De temps en temps surgissait du néant un panneau délavé et illisible qui disparaissait aussitôt. On se serait cru dans un univers postapocalyptique. Comme si la fin du monde était survenue et que Sophie n'en avait pas eu connaissance. Elle en constatait seulement les effets : une plaine vallonnée et aride au-delà de laquelle plus rien ni personne n'existait. Aucune lune pour montrer la voie ou dessiner l'horizon.

Par prudence, Sophie gardait la main droite sur la poignée, prête à sortir si le conducteur se montrait entreprenant ou violent. L'homme ne posa toutefois aucun geste compromettant. Et il resta muet. Les lumières du tableau de bord dessinaient les contours d'un visage rond encadré par une chevelure noire et raide. Des yeux bridés combinés à une petite stature confirmaient une origine amérindienne. Mexicaine peut-être aussi, si on se fiait à l'accent. Une main sur le volant, l'autre retenant entre le pouce et l'index la moitié d'une cigarette, il surveillait la nuit comme s'il craignait d'y voir surgir un animal. Lorsqu'il se rendit compte que Sophie l'étudiait, il se tourna vers elle avec un sourire où il manquait des dents. Il ne dit rien cependant, et Sophie ne s'excusa pas de son impolitesse. Elle continua même de l'observer pendant quelques secondes encore avant de se détourner, incapable de décider si son examen était concluant ou non. Aurait-elle dû avoir peur de cet homme ? Ses yeux semblaient doux, son sourire, pas bien méchant. Mais Luis aussi lui paraissait inoffensif.

L'air conditionné produisait un ronronnement qui voilait à peine la musique country de la radio. De moins en moins alerte, Sophie se laissa bercer, pénétrée par le calme qui régnait dans la cabine.

– *Are you hungry?* demanda enfin le conducteur, sans quitter la route des yeux.

L'anglais que possédait Sophie lui permit de décoder le sens de la question. Elle répondit que oui, elle avait faim, sans savoir s'il s'agissait ou non d'une bonne chose à dire à un inconnu.

Lorsqu'elle ouvrit les yeux, elle ne vit d'abord que le plafond, le pare-soleil usé et, à travers le pare-brise, le bleu étincelant d'un ciel de désert. En avant-plan, suspendu au rétroviseur, se balançait un rosaire dont les boules de bois verni réfléchissaient l'éclat du jour. Sophie se redressa. Son regard s'attarda un moment sur l'image plastifiée de la Sainte Vierge sur le tableau de bord avant de se perdre à l'extérieur. Elle reconnut le paysage. Partout, des vallons de sable, des buissons épineux, ici et là le mirage d'un étang dans un creux surchauffé. La même chose que la veille, en somme. Sauf à gauche où une dizaine de véhicules, surtout des pick-up, étaient garés devant un édifice de deux étages. L'enseigne du Peppe's Kitchen dominait la façade, juste au-dessus d'une distributrice de Coca-Cola, d'une poubelle et d'un banc de bois. Sous un revolver fixé à la porte se trouvait l'inscription *We don't dial 911* qu'on pouvait lire depuis la route. Ces gens-là n'appelaient pas les secours en cas d'agression. Voilà qui était bon à savoir. Sophie digérait encore l'avertissement quand le grondement d'un hélicoptère brisa le silence. Le bruit alla en s'amplifiant et, soudain, l'appareil fendit le ciel en direction sud pour disparaître une minute plus tard derrière les collines.

Dans ce décor digne d'un film de Quentin Tarantino ou d'un étrange western moderne, Sophie eut beau chercher, elle ne trouva pas de trace du conducteur qui l'avait prise en stop. Elle remarqua toutefois les clés abandonnées sur le contact. Si elle l'avait voulu, elle aurait pu voler la camionnette pour rentrer au Canada, mais cette idée ne lui vint même pas à l'esprit. Elle jeta seulement un œil intrigué sur les clés.

Dès qu'elle ouvrit la portière, le soleil l'éblouit, ajoutant sa brûlure à la chaleur étouffante. Une main en visière, Sophie s'avança vers le restaurant. Elle aperçut derrière les vitres, une série de têtes coiffées de casquettes et de chapeaux texans. Elle ne distinguait pas les visages, mais sentait les yeux posés sur elle. Redressant les épaules, elle poussa la porte et l'écriteau *We don't dial 911* grinça sur son crochet.

Il lui fallut un moment pour s'habituer à la pénombre. Quand les contours se dessinèrent enfin, des visages apparurent, pour la plupart âgés, à la peau mate, à la bouche rieuse et aux yeux brillants. Tous des hommes.

– *¡Buenos dias, señora!* lança quelqu'un derrière le comptoir.

Sophie entendit au fond quelques éclats de rire, mais, heureusement, les conversations reprirent là où son arrivée les avait interrompues. Étourdie par le bruit et l'odeur de café qui embaumait les lieux, Sophie s'appuya à une chaise.

– *Come and sit with me…*

Cette fois, la voix venait de derrière elle. Sophie se retourna. Assis près de la porte, un homme lui désignait la table où quelqu'un avait déjà dressé deux couverts.

Sophie mangea avec appétit, les yeux sur l'assiette qu'on venait de lui apporter. De l'autre côté de la table, l'homme qui l'avait ramassée en stop termina son café et s'en commanda un autre. Ses yeux étaient plissés en de minces fentes noires tandis que ses lèvres esquissaient un drôle de sourire, comme une moue naturellement joyeuse. Depuis qu'elle s'était attablée, il n'avait pas cessé de l'étudier.

– *I'm Rodrigo*, souffla-t-il en roulant les « r ».

– Sophie.

Il allongea le bras par-dessus la table pour lui serrer la main.

– Sophie, répéta-t-il, en fronçant les sourcils. *Are you lost, Sophie?*

– *Lost, yes.*

Elle n'était pas vraiment perdue, mais cela importait peu. Elle aimait juste l'idée que Rodrigo la croit perdue. Comment aurait-elle pu justifier autrement sa présence si près de la frontière mexicaine ? Et puis elle ne possédait pas assez d'anglais pour raconter ce qui lui était arrivé.

Sur le mur du fond, des haut-parleurs crachaient une musique latino familière. Il s'agissait d'une pièce à la mode. Sophie l'avait déjà entendue dans les taxis de Cancún. Derrière son comptoir, le proprio exécutait quelques pas de salsa fort agiles pour un homme de son âge. Il dansait et sa voix s'intensifia jusqu'à couvrir celle de la radio, puis il commença à chanter avec énergie. Les clients se mirent à crier :

– Peppe ! Peppe !

Ce dernier connaissait les paroles par cœur et, faisant le bouffon, il se jeta à genoux sur le plancher, l'air faussement suppliant. Sa voix portait et montait jusqu'à se transformer en une envolée lyrique qui fit rire tout le monde, lui le premier. Quand la pièce se termina, Peppe s'inclina comme un artiste à la fin de son spectacle. Sophie réalisa que, pendant un instant, elle avait oublié qui elle était et le danger qui la guettait. D'instinct, elle reporta son attention sur les camionnettes dans la cour. Trouverait-elle ici quelqu'un pour rentrer au Canada ?

– *I can take you to Dallas, if you want.*

Cette offre de Rodrigo alluma une étincelle dans les yeux de Sophie. Dallas était une grosse ville. Peut-être y trouverait-elle un moyen de transport. Puis la réalité la rattrapa. Que ferait-elle à Dallas, seule, sans argent et sans papiers ?

16.

Le restaurant se vidait à mesure que s'achevait l'heure du dîner. Toujours assise près de la fenêtre, Sophie attendait, les yeux rivés à la route. Elle aurait pu partir avec le dernier client, celui-là même dont la camionnette émettait de la fumée bleue tandis qu'il accélérait pour quitter le stationnement en direction de Laredo. Sophie s'était dit qu'il n'y avait rien pour elle à Laredo. Rien de plus qu'à Dallas.

Elle n'avait plus faim, mais essuya le fond de son assiette avec un bout de pain pour passer le temps. La voix de Rodrigo lui parvenait de la cuisine. Il vérifiait avec Peppe si la solution qu'il avait proposée à Sophie était viable. Pourrait-elle travailler ici, au noir, le temps d'amasser de quoi payer son voyage de retour vers le Canada ?

Il aurait été tellement plus facile de prendre le téléphone ! Il y en avait un, justement, près de l'entrée. Sophie aurait pu faire un appel à frais virés, demander à Luc de lui envoyer de l'argent pour qu'elle prenne l'autobus. Par voie terrestre, elle n'aurait pas besoin de passeport pour franchir la frontière. Évidemment, cette solution nécessitait une forte dose d'humilité, parce que Luc en profiterait pour l'humilier en bonne et due forme. Sophie n'en doutait même pas. À son arrivée, il lui faudrait s'excuser de son départ, expliquer son absence prolongée, justifier son refus de s'occuper de tout le monde pendant le temps des fêtes. Luc serait furieux. Il prendrait les membres de la famille à témoin. Et parce qu'aucun d'entre eux n'acceptait un « non » comme réponse, ils en profiteraient tous pour lui répéter qu'elle devait s'occuper des autres. Ils lui expliqueraient à quel point l'égoïsme lui seyait mal. Et ça l'enragerait. Elle enrageait d'ailleurs juste à y penser.

Si elle avait pu imaginer qu'on l'accueillerait à bras ouverts, qu'on comprendrait la détresse qui l'avait poussée à partir en pleine nuit comme elle l'avait fait, peut-être Sophie aurait-elle trouvé le courage de téléphoner. Mais elle savait que les choses ne se dérouleraient pas aussi bien, qu'on lui ferait payer cher sa désertion. Mieux valait s'abstenir de demander de l'aide. Elle rentrerait par ses propres moyens ou elle ne rentrerait pas.

Par la porte de la cuisine, elle aperçut Peppe qui faisait couler de l'eau pour laver ses casseroles pendant que Rodrigo essayait toujours de le convaincre. Les deux hommes parlaient fort. Sophie n'y comprenait pas grand-chose, mais elle devinait que Peppe n'avait pas envie de se faire prendre avec une *illegal*. Les U.S. Border Patrols ne pardonnaient pas ce genre d'écart. Elle jeta un regard dans la salle à manger déserte. Parmi les hommes qui avaient mangé ici ce midi, lesquels bénéficiaient d'un statut légal ? Elle se souvenait de son propre passage à la frontière, des armes qu'on brandissait vers elle, de la tension qui l'avait envahie, de la peur aussi. On les avait laissé passer, Luis et elle, mais après combien de tergiversations ! Même après avoir quitté le poste de contrôle, même après avoir roulé une bonne heure en territoire américain, Luis faisait encore preuve d'une grande nervosité, comme elle l'avait remarqué. Tout à coup, son expression se figea. Elle serra les poings, furieuse contre elle-même, mais surtout déçue de sa propre naïveté. Luis n'avait jamais eu l'intention de la conduire au Canada ; il voulait simplement qu'elle lui facilite l'entrée aux États-Unis.

Depuis l'ouverture de l'autoroute, les voyageurs fréquentaient peu la route secondaire. On y croisait seulement des gens du coin, d'origine mexicaine pour la plupart. Voilà l'argument massue, celui que Rodrigo servit à Peppe en dernier recours, et qui réussit à le convaincre d'embaucher une immigrante illégale.

Cuisiner dans un restaurant quand on ne comprend pas la langue du patron s'avéra cependant un exercice périlleux. Dès le premier jour, Sophie dut subir les impatiences de Peppe, ses moqueries aussi. Incapable de suivre les instructions, elle fit gaffe par-dessus gaffe et transpira au point que son unique T-shirt en fut détrempé. Elle suffoquait dans la fumée de cigarette, étouffait de chaleur devant les casseroles, se brûlait les mains sur les poignées rougies, se coupa le bout d'un doigt avec un couteau trop aiguisé et souffrit le martyre quand le jus des piments s'infiltra dans la plaie. À son insu, elle devint le personnage principal des blagues grivoises de Javier, l'autre cuisinier, qui se payait sa tête sans retenue. Heureusement qu'elle connaissait à peine dix mots d'espagnol, sinon elle serait morte de honte.

À la fin de la première journée, elle était convaincue d'avoir atterri en enfer. Elle se serait considérée en sécurité si elle avait pu verrouiller la porte de la chambre que lui louait Peppe à l'étage du restaurant. Elle dut se contenter d'appuyer une chaise sous la poignée. Bien que fourbue, elle n'osa pas s'allonger sur le lit où s'ébattait une demi-douzaine de coquerelles. Elle s'assit plutôt le long du mur et replia ses jambes qu'elle entoura de ses bras.

Malgré la fatigue, elle fut incapable de fermer l'œil. Sans savon ni dentifrice, elle se sentait sale et savait qu'elle puait autant que si elle avait passé cinq jours sans se laver. Dire que Peppe n'avait même pas eu une brosse à dents à lui offrir.

– *¡Mañana!* lui avait-il lancé tandis qu'elle essayait de lui demander de la conduire dans une grande surface, une épicerie ou une pharmacie.

C'était bien la première chose qu'elle ferait quand on lui verserait son salaire : s'assurer d'un minimum d'hygiène. Et voilà que son ventre gargouillait encore, pour la énième fois aujourd'hui. Sophie se leva, sortit de sa chambre en vitesse et se rendit jusqu'aux toilettes érigées dans un cagibi au bout du corridor. L'odeur y était infecte, mais le temps pressait. Comme si la situation n'était pas assez critique, Sophie avait découvert que ses intestins ne supportaient pas l'eau du robinet.

Lorsqu'elle revint à sa chambre, son dégoût céda le pas à la nécessité. Elle chassa les coquerelles et se coucha sur le lit, étourdie et déshydratée. Puis elle se mit à pleurer. Elle aurait sans doute pleuré longtemps si le grondement de l'hélicoptère des U.S. Border Patrols n'était venu étouffer ses sanglots. On aurait dit cette fois que l'appareil stagnait au-dessus du restaurant. Sophie cessa de gémir et, quand le bruit commença à s'estomper, elle s'approcha de la fenêtre. Le point rouge et lumineux rétrécissait déjà au loin. Était-ce elle qu'on recherchait avec de tels moyens ?

Elle se recoucha, mais le désespoir lui nouait l'estomac. En lui trouvant cet emploi, Rodrigo avait voulu l'aider, lui permettre de se sortir dignement de l'impasse dans laquelle Luis l'avait entraînée. N'avait-il réussi qu'à l'y plonger plus profondément ?

17.

Travailler au noir en pays étranger comporte des risques. Tous les jours, Sophie entendait des bribes de récits dont elle saisit rapidement l'essentiel. Des Mexicains qu'on reconduisait *manu militari* à la frontière, certains qui disparaissaient, d'autres qu'on malmenait au point de leur faire perdre connaissance. D'autres encore qu'on abattait parce qu'ils tentaient de s'enfuir. Mais la U.S. Border Patrol n'était pas la seule menace. Sévissaient aussi les passeurs, les trafiquants, les milices de patriotes américains. Chacun, à sa manière, s'avérait plus dangereux que les serpents et les scorpions du désert. Combien d'histoires d'horreur entendit-elle chez Peppe ? Des centaines au moins. Elle tressaillait chaque fois qu'un client racontait ce qui était arrivé à son frère, à son cousin, à son oncle. À sa sœur, à sa cousine et à sa tante aussi, parce qu'on n'épargnait pas les femmes. L'avertissement sur la porte prenait tout son sens : *We don't dial 911*. Ici, on se méfiait. Et on se faisait justice soi-même.

Les gens que Sophie côtoyait lui semblaient vieux. La vie s'était montrée peu clémente envers eux. Plusieurs avaient passé la frontière illégalement, fuyant la violence des cartels de la drogue, évitant de justesse celle des gardes frontaliers. Ils étaient usés, leurs visages, sillonnés de rides, leurs yeux, plissés en permanence pour évaluer la menace que représentait un nouveau venu.

Alors, chaque fois que grinçait l'enseigne, chacun se tournait vers la porte, et l'inconnu était soumis à l'examen. Si on le trouvait suspect, il était expulsé par le patron sans explication. De toute façon, l'air redoutable de Peppe lorsqu'il décidait qu'un individu n'était pas le bienvenu ne nécessitait aucune explication. Quand Sophie repensait à son arrivée au Peppe's Kitchen, elle était obligée d'admettre qu'elle avait été chanceuse. Rodrigo lui avait ouvert le chemin.

L'espagnol de Sophie s'améliora. Son endurance aussi. Au bout d'une semaine, elle pouvait rire à une blague concernant le mur frontalier et travailler quinze heures d'affilée sans se plaindre et presque sans souffrir. Mais tout ce qu'elle entendait, c'étaient des paroles venues de la salle à manger. Des paroles qui se rendaient jusqu'à la cuisine où elle se terrait quand elle n'était pas dans sa chambre. Car, comme tous les immigrants illégaux de la région, Sophie craignait qu'on la découvre. Et quand les hélicoptères survolaient la région, elle retenait son souffle et attendait que le bruit s'estompe avant de recommencer à vivre.

Si elle avait eu une expérience minime des voyages, Sophie ne se serait pas autant inquiétée. Elle aurait su qu'une fois arrêtée par les U.S. Border Patrols, elle aurait simplement été reconduite au Canada avec interdiction de séjour aux États-Unis. Son ignorance de la vie et du monde la mena à croire qu'une fois prise, elle aurait été renvoyée là d'où elle était venue, c'est-à-dire au Mexique. Elle imaginait le reste. Sans argent et sans passeport, dans une zone que le trafic de personnes et le trafic de drogue rendent dangereuse, elle s'était convaincue qu'au mieux, elle en mourrait, qu'au pire, elle serait entraînée dans un réseau de prostitution.

Au début, c'étaient surtout les risques et les désagréments liés à son statut d'immigrante illégale qui troublaient Sophie. Au fil des jours, cependant, elle constata à quel point elle ne connaissait rien de la vie. Et elle commença alors à l'apprécier à sa juste valeur.

Sous la supervision de Javier, le cuisinier, dont la présence était sans doute aussi illicite que la sienne, le voile se leva sur un monde nouveau. En plus de laver la vaisselle, Sophie apprit comment préparer frijoles, burritos, tacos, enchiladas, quesadillas, chilis et autres mets tex-mex, communs dans la région. L'œil moqueur et la moustache sombre, Javier prenait un malin plaisir à la voir grimacer quand il lui faisait goûter les épices et s'amusait de sa surprise quand il lui déposait sur la langue une poignée de feuilles de coriandre ou d'un autre condiment. Avec le temps, les odeurs et les saveurs se déclinèrent en une multitude de subtilités plus réjouissantes les unes que les autres.

Sophie gagnait un salaire ridicule, mais parce qu'elle était logée et nourrie, ce peu d'argent lui suffisait. Le soir, après avoir nettoyé le plancher et préparé les tables pour le lendemain matin, elle montait à l'étage et s'enfermait dans sa chambre. Elle dormait malgré la dureté de son lit, malgré la précarité de sa situation. Si loin du confort, la sensation de liberté atteignait des sommets et lui donnait l'impression de réapprendre à vivre. Cet apprentissage avait d'ailleurs commencé par l'abandon forcé d'une habitude qui datait de sa jeune adolescence : la pilule contraceptive.

Le hasard ne lui avait pas laissé le choix de toute façon. En lui volant son sac, Luis l'avait privée non seulement d'argent et de pièces d'identité, mais également de ce carton qui régulait avec précision son cycle menstruel. Sans les hormones, ce fut le déluge, certes, mais ce fut aussi une redécouverte de son corps, de ses pulsions, de sa sensibilité et de sa bonne humeur.

Sophie ne possédait toujours rien, mis à part une brosse à dents et un peigne d'homme. Elle utilisait, pour se laver le corps et les cheveux, un savon trop parfumé offert par la femme de Peppe et se contentait de serviettes hygiéniques épaisses datant sans doute de la dernière guerre. Autrefois, elle aurait jugé ces normes d'hygiène déficientes, mais à ce moment-ci de son histoire, cela ne la dérangeait même pas. Elle n'était plus en vacances et pourtant elle vivait au jour le jour en s'émerveillant des détails du quotidien. Elle apprenait la cuisine et l'espagnol. L'anglais aussi, par la bande.

Puis, comme surgi du dénuement, le bonheur apparut. Un bonheur tout neutre, tout neuf. Un bonheur qui ne s'embarrassait pas de possessions, de liens indéfectibles, d'attentes. Sophie s'habitua à la chaleur, au souffle du désert qui piquait les yeux, au grondement de l'hélicoptère et aux sirènes des voitures de la U.S. Border Patrol qui partaient en chasse. Elle dormait nue, sous des draps rêches, dans un lit visité par les coquerelles. Elle était libre, et chaque minute de liberté lui apparaissait comme un cadeau. Elle ne se plaignait jamais, car elle gardait toujours à l'esprit qu'un mot de trop prononcé par un client indiscret pourrait mettre fin à sa vie de bohème.

18.

Sophie se serait peut-être habituée à la précarité de sa situation. Or, un accident aussi bête qu'une chute sur un plancher mouillé changea encore une fois le cours de sa vie. Peppe venait juste de finir de compter sa caisse lorsqu'il avait glissé. Il avait bien tenté de s'accrocher au comptoir, mais ses bras n'étaient pas assez longs ni assez puissants. Après moult acrobaties, il était tombé sur la céramique humide et, dans sa chute, s'était cassé la jambe. Le lendemain de l'accident, il convoqua Sophie dans la salle à manger.

– À partir d'aujourd'hui, tu t'occupes du service aux tables.

Sophie demeura un moment abasourdie. Sortir de la cuisine, ce cocon suffocant, lui paraissait dangereux.

– Les clients vont s'apercevoir que je ne suis pas d'ici...

Peppe repoussa l'objection du revers de la main.

– Javier risque davantage, dit-il simplement en lui tendant un tablier de cuir à larges poches.

Elle devait lui donner raison ; dans le climat politique actuel, il était moins dangereux d'exposer une employée blanche qu'un latino. Ainsi projetée dans le monde des clients où l'espagnol chantait à la vitesse de la lumière, où les voix et les bruits s'entremêlaient, où les visages défilaient, souriants ou méfiants, tous semblables, mais différents, Sophie trouva son premier midi étourdissant. Très vite cependant, ses oreilles s'habituèrent à la langue, et son corps trouva la souplesse nécessaire pour éviter une caresse importune. Après avoir passé quelques semaines en cuisine, elle connaissait le menu par cœur, ce qui l'aidait pour prendre les commandes. Comme elle possédait de l'instruction et que l'argent américain était bien identifié, elle se trompait rarement dans la monnaie à rendre. Ces deux atouts firent d'elle une serveuse efficace, à la grande surprise du patron.

Il ne lui fallut pas longtemps, non plus, pour séduire la clientèle. Sa voix haut perchée et ses nouveaux fous rires la rendaient sympathique. Certains s'amusaient à lui faire répéter les commandes, juste pour entendre son accent. Jamais elle ne se fâchait, même lorsqu'elle percevait une main furtive sur ses cuisses ou ailleurs. Assis sur un tabouret près de la caisse, Peppe surveillait les opérations. Sophie savait qu'elle pouvait compter sur lui advenant que la situation dégénère.

Les semaines passèrent. Avec le temps, la femme timorée disparut pour faire place à une Sophie Parent autonome et insouciante. La fumée de cigarette, omniprésente tant au restaurant qu'à l'étage, ne l'incommodait plus. Il lui arrivait même de se laisser tenter par le tabac ou par une herbe plus forte, attitude qui aurait été impensable autrefois.

Ce qui aidait Sophie à se transformer et à se détendre, c'était l'absence d'urgence. Elle vivait chez Peppe depuis presque deux mois maintenant. Elle aurait aimé pouvoir dire qu'elle avait oublié Luc, ses filles et le reste de la famille, mais c'était faux. Leur existence n'était pas niée, mais elle ne pesait plus aussi lourd sur ses épaules. Ils n'avaient pas d'autre choix que de s'arranger sans elle, et elle survivait sans eux. En vérité, Sophie faisait plus que survivre : elle vivait. S'il lui arrivait de penser à leur téléphoner, elle y renonçait chaque fois, incapable de se convaincre que les choses avaient changé là-bas, chez ceux qui vivaient encore sous un mètre de neige.

La seule personne à qui elle pensait avec moins d'amertume, c'était Luis. Sans ses mensonges et sa fourberie, Sophie ne serait jamais arrivée jusque-là. Elle se promettait de l'en remercier s'il recroisait un jour sa route.

19.

Mars. Il faisait déjà chaud quand Sophie descendit pour déjeuner ce dimanche-là. En poussant la porte, elle fut accueillie par une demi-douzaine de femmes volubiles qui riaient, s'excitaient et l'entourèrent aussitôt. Sophie les connaissait toutes. C'étaient les filles, les sœurs, les cousines, les épouses de ces hommes à qui elle servait quotidiennement café, fèves et tortillas. Julia, la femme du patron, et sans doute la plus âgée du groupe, prit Sophie par la main et l'entraîna vers une banquette.

– On va s'occuper de tes cheveux aujourd'hui, Sophia.

– Mes cheveux?

– Sí, tes cheveux. Ils ont besoin de coloration.

D'instinct, Sophie leva une main et tâta les mèches qui lui descendaient devant les yeux. Comme ils avaient poussé depuis qu'elle était arrivée ici! Parce qu'elle ne possédait pas de miroir et que la salle de bain en était également dépourvue, il y avait un bail que Sophie s'était regardée. Elle imagina des racines grises de deux ou trois centimètres et fut gênée de ne pas y avoir pensé plus tôt.

Une des femmes se pencha sous son banc et en retira un sac de plastique contenant deux boîtes de L'Oréal.

– C'est français! lança Julia en poussant les boîtes devant Sophie. C'est parfait pour toi.

Sophie l'interrogea du regard, avant de remarquer les visages curieux des autres clients. Elles n'avaient tout de même pas l'intention de lui colorer les cheveux ici, au restaurant, devant tout le monde ? Mais les femmes avaient pensé à tout. L'une sortit de son sac à main une douche en caoutchouc dont un des bouts s'adaptait à n'importe quel robinet. Une autre déposa sur la table quatre serviettes usées et tachées, mais propres. Puis, ignorant les objections de Sophie, les deux plus jeunes l'entraînèrent vers les toilettes.

– Et mes clients ? protesta Peppe. Ils vont aller où, mes clients ?

– Dehors ! s'écrièrent en chœur les jeunes filles avant de s'enfermer à double tour.

L'heure qui suivit fut consacrée à la décoloration de mèches, à l'application de colorant clair avec des bouts de papier d'aluminium, pendant qu'on teignait la racine aussi foncée que le reste de la chevelure. L'heure fut aussi peuplée de confidences et de secrets qui construisirent de nouveaux liens d'amitié. De bon gré, Peppe vint leur porter du café et des biscuits, mais lorsqu'il essaya d'ouvrir la porte, il se vit imposer un « non » catégorique, accompagné de rires en cascades.

Lorsque Sophie réapparut enfin dans la salle à manger, les clients, le patron, et même Javier, sorti de sa cuisine, posèrent sur elle des regards admiratifs. Ses cheveux n'avaient pas seulement été colorés, ils avaient été soigneusement lavés et coiffés. Une des filles avait apporté du maquillage et profité de l'occasion pour glisser sur les paupières de Sophie une ombre couleur de charbon. La transformation était si radicale que les sifflements fusèrent de partout. Sophie rougit en acceptant le miroir que lui tendait Julia.

Sur le coup, elle ne reconnut pas son visage. Avec ces mèches blondes, elle paraissait dix ans de moins. Sa peau avait foncé, son visage, maigri. Sophie se doutait bien qu'elle avait perdu du poids depuis que son jean était devenu trop facile à boutonner. Elle évalua qu'elle devait peser cinq kilos de moins qu'à son arrivée, ce qui expliquait aussi l'espace libre dans son soutien-gorge. Elle continua de se regarder, de détailler son visage où les rides se faisaient rares, où les yeux brillaient avec une intensité qu'elle ne connaissait pas. Et lorsqu'elle rendit le miroir à sa propriétaire, elle se dit que c'était ainsi qu'on devait se sentir à vingt ans, quand on avait la vie devant soi.

20.

Les hélicoptères étaient silencieux depuis des heures. Déjà, l'obscurité régnait sur le Texas, dissimulant les dangers potentiels et les détails qui pouvaient rappeler aux Mexicains qu'ils n'étaient pas tout à fait chez eux. C'était une nuit sans nuages, et dans ce ciel d'encre s'élevait un mince croissant de lune. Jupiter brillait juste au-dessus. On n'entendait plus le grésillement des insectes ni les coups de feu tirés à la frontière. Le souffle du désert propageait des voix, un chœur d'hommes, des notes d'accordéon et de guitare. La musique effleurait les buissons, les cailloux gris et le sable encore chaud. Au Peppe's Kitchen, la vie quotidienne avait fait place à la fiesta, et les chants de Los Tigres Del Norte s'échappaient par chaque interstice.

À l'intérieur, les haut-parleurs diffusaient un merengue connu. Une mélodie qui, aidée par les volutes de cannabis, apaisait les tensions, estompait la fatigue en même temps que les peurs du passé et de l'avenir. On célébrait la vie, la liberté, la beauté des corps avides. Et on dansait. Entre le comptoir et les banquettes, sur quelques tables et jusque dans le cabinet de toilette. Sophie, qui s'était laissé griser comme les autres, avait l'impression que le monde extérieur n'existait plus.

Les Tigres du Nord cédèrent la place aux Los Chichos qui entamèrent une rumba sensuelle. Sophie s'émut de voir Rodrigo enlacer son épouse, la faire tourner sur elle-même et oser quelques caresses. Au fond, dans un coin à l'abri des regards, un jeune homme se lovait contre le corps impatient d'une jeune fille. En tout, deux douzaines de personnes se mouvaient, portées par des airs familiers, en proie à la nostalgie ou au délire, selon la quantité de tequila éclusée. Clients réguliers ou occasionnels, épouses habituellement discrètes, ils étaient venus des villages voisins. Sophie fêtait avec eux comme si elle était des leurs et se laissait conduire sur la piste improvisée par un mari, un frère, un cousin. Elle avait les yeux brillants, le sourire affable, le rire facile. Elle respirait cette atmosphère surchauffée d'où émanaient des relents de sueur, de sexe et d'herbe brûlée. Ce soir, elle appréciait d'autant plus la vie qu'elle en connaissait la précarité, la rudesse et la violence.

Lorsque Javier l'invita à danser, elle se pendit à son cou. Elle ne repoussa pas la main baladeuse parce qu'elle faisait partie de la fête. Elle se laissa guider au rythme de la musique. Il l'enlaçait, l'embrassait et, bien plus tard, il l'écrasa contre le mur sans trouver de résistance. Elle permit même à ses doigts avides de glisser dans son soutien-gorge ou de descendre dans son jean. Ainsi, l'esprit grisé et le corps brûlant, Sophie n'entendait plus la petite voix venue du fond de sa conscience. Cette voix qui insistait, qui interrogeait. Trouverait-elle assez d'aplomb pour éviter de suivre Javier derrière le restaurant où les couples allaient faire l'amour à la belle étoile ? Possédait-elle encore assez de jugement pour renoncer à lui comme elle avait renoncé à Luis lorsqu'il n'avait pas eu de condom ?

La nuit avait déjà commencé à s'éclaircir quand Peppe grimpa sur un banc pour s'adresser aux convives.

– C'est l'heure d'aller au lit ! déclara-t-il, les yeux chargés de sous-entendus.

S'en suivit une pluie d'acclamations sur lesquelles surfaient des regards ardents. Sophie éclata de rire comme les autres, mais évita de se tourner vers Javier dont elle sentait les yeux trop brillants se poser sur elle. Pour sortir dans la nuit, il lui fallut repousser les bras qui tentaient encore de l'enlacer. Elle dit non, mais sa détermination chancelait autant que ses pieds.

Les premiers rayons du soleil allaient bientôt poindre à l'est, et le ciel se colorait de bleu marine. Sophie se dirigea vers l'escalier. Elle n'ignorait pas que Javier la suivait, qu'il n'attendait qu'un geste pour escalader la volée de marches jusqu'à son lit. Alors, elle s'arrêta et, sans se retourner, attrapa sa main. Elle frissonna en atteignant l'étage, aussi affamée de lui qu'il l'était d'elle. Il la prit dans ses bras dès qu'elle referma la porte. Elle sentit la pression contre son ventre, celle qui accentuait la brûlure entre ses cuisses. Pendant qu'elle lui arrachait ses vêtements, elle comprit que l'acte ne durerait pas longtemps. Elle avait trop envie de lui pour apprécier des préliminaires. Elle le força à se glisser en elle et à l'apaiser. Elle fit l'amour avec violence et jouit comme si son existence entière avait été concentrée sur un centimètre carré de peau, sur ce vertige qui s'était accentué jusqu'à l'explosion. La lucidité lui revint quand Javier s'affala sur elle, le visage enfoui dans son cou. Sophie connut alors la plus grande révélation de sa vie : malgré son intelligence et malgré tous ses talents, l'être humain n'était qu'un animal comme les autres. Car il n'y avait rien de plus primitif que ce geste qui réduisait chaque personne à son sexe, sans user d'artifice ni de subterfuge. Il fallait d'ailleurs se laisser dominer par l'animal en soi pour faire l'amour sans condom, sur le fil du rasoir, au péril de sa vie.

Qu'était-il donc advenu de la maîtresse d'école consciencieuse, de la mère de famille dévouée, de la conjointe docile, de la fille obéissante et de la sœur attentive qu'elle était autrefois ? Ici, elle vivait à mille lieues de la Sophie Parent de jadis. Un peu comme si elle s'était réincarnée en une femme aussi sensible, mais plus indépendante, plus insouciante aussi.

Pourtant, enserrée dans les bras de Javier, le sourire aux lèvres et le corps en sueur, elle ne se demandait pas pourquoi elle avait tant tardé à vivre. Elle ne s'interrogeait pas non plus sur les raisons qui avaient rendu son existence, dans le confort d'une maison de banlieue, si proche d'une petite mort. Elle constatait simplement qu'elle respirait à pleins poumons et absorbait le parfum des corps et leur énergie. Elle se laissa bercer par la douceur de la nuit, par les battements réguliers du cœur de l'homme qui dormait près d'elle. Elle était là, à cet instant précis, et elle vivait. Point.

Il y eut de nombreuses nuits semblables. De nombreux jours aussi.

Combien s'écoula-t-il de ces semaines marquées par l'indolence du sud ? *Mañana* était devenu la devise de Sophie. Depuis que seuls les détails du quotidien occupaient son esprit, elle avait perdu le fil du temps. La vie semblait même se dérouler plus lentement qu'avant. Le jour, pendant ses pauses, elle laissait les rayons du soleil dorer sa peau. Le soir, assise sur le banc près de la porte, elle s'offrait à la caresse du vent et fumait. Elle n'aimait ni l'odeur ni le goût de la cigarette, mais elle fumait quand même, histoire de faire un pied de nez à ses valeurs d'autrefois.

Le souffle tiède charriait parfois depuis l'est les effluves et les promesses d'une mer lointaine. Mais Sophie n'attendait rien. Son sommeil restait neutre, réparateur et lourd, patient. Aucun cauchemar, aucun délire, même plaisant. Elle posait la tête sur l'oreiller, plongeait aussitôt dans le vide pour en ressortir au matin, la conscience tranquille. Les yeux ouverts, elle soupirait d'aise en constatant qu'elle était toujours là, au bout du monde, immergée dans le plus formidable des rêves. Elle pouvait donc se permettre de se griser, de flirter et de faire l'amour quand l'occasion se présentait. Parce que le temps filait, malgré sa lenteur, malgré sa douceur.

21.

Une nuit profonde et sans lune s'était abattue sur la frontière. On entendait au loin le feulement d'un animal, un coup de feu échappé, le grésillement régulier des insectes. Rien d'anormal en apparence. Mais pour l'oreille avertie, pour celui qui voyait une menace dans chaque regard étranger, le calme du désert apparaissait toujours suspect, voire trompeur. Surtout quand les coups de feu se raréfiaient soudainement. Surtout quand les pick-up de la U.S. Border Patrol disparaissaient du paysage. Absents ou invisibles, comme cette nuit-là.

Sophie dormait depuis plusieurs heures lorsqu'elle fut tirée du sommeil par un puissant fracas de bois. Elle ouvrit les yeux, alarmée et en proie à une poussée d'adrénaline. Elle se redressa, recula contre le mur, fouillant d'instinct l'obscurité à la recherche d'un objet pour se défendre. Il n'y avait dans la chambre ni bâton, ni arme à feu, ni ustensiles. Sophie ne possédait que ses chaussures aux talons trop usés pour être dangereux. Elle se dissimula dans un coin de la pièce, le corps recroquevillé afin de se fondre dans le noir. Le sang battait à ses tempes tandis que ses yeux balayaient la pièce.

– Sophia! hurla une voix grave venue du couloir.

C'était Peppe. Il secouait maintenant la poignée avec impatience.

– Réveille-toi, Sophia, et ouvre-moi. Il faut partir, vite!

Ces mots, ajoutés aux grincements du métal et à la violence des coups de poing assenés sur la porte provoquèrent en Sophie un élan de lucidité. Elle enfila ses vêtements, alluma la lampe et déplaça la chaise coincée sous la poignée.

– Dépêche-toi! ordonna Peppe en se ruant à l'intérieur. Il faut que tu partes.

Sophie déglutit.

– Il faut que je parte? Là? Maintenant?

– Oui, maintenant. Il va y avoir une descente. Tu dois t'en aller avant que…

Les informations se bousculaient dans l'esprit de Sophie, accentuant les incohérences et les doutes.

– Comment le sais-tu?

Elle le jaugeait dans l'ombre, l'esprit à mi-chemin entre la curiosité et la panique.

– J'ai des amis. Maintenant, ramasse tes affaires et sors!

L'ordre la surprit tellement qu'elle se figea. Elle avait cru à l'existence d'une amitié entre eux, au moins à du respect et voilà qu'il la jetait à la rue. Puis elle se rappela aussitôt la nature du danger qui les guettait. Un danger bien réel et devant lequel peu d'amitiés résistaient. Malgré ce constat qui aurait pu la porter vers l'indulgence, sa voix prit un ton cynique:

– Où irais-je sans papier et sans argent?

Toujours impatient, Peppe plongea la main dans la poche de sa chemise. Il en tira un rouleau de billets verts qu'il lui tendit.

– Prends ça. Je pense qu'il y en a assez pour rentrer dans ton pays.

Sophie s'empara de l'argent, le glissa dans la poche de son jean.

– Rentrer? répéta-t-elle, en proie à une répulsion soudaine.

Elle secoua la tête tandis que des images lui revenaient. Sa maison, ses filles, sa mère. Luc. Des sensations aussi. La pression, l'humiliation. S'en suivit un immense dégoût qui lui remonta dans la gorge en même temps qu'un reflux bilieux.

– Je ne veux pas rentrer, déclara-t-elle, sur un ton qu'elle aurait voulu plus assuré.

Elle ne se sentait pas prête à affronter sa vie d'avant, à faire face aux membres de sa famille. Elle devait bien pouvoir se cacher quelque part, attendre que la descente se termine, que la menace passe. Il lui fallait plus de temps pour penser. Mais déjà, Peppe la poussait vers la porte, ignorant la supplique.

– Dépêche-toi. Rodrigo s'en vient te chercher. Il te conduira à l'autobus.

L'autobus pour Montréal. On la bousculait. On la mettait à la porte. Elle aurait dû le voir venir, puisque c'était inévitable. Elle jeta un dernier regard sur la pièce nappée d'obscurité et soupira. Elle ne possédait qu'une vieille brosse à dents, un peigne et une serviette sale. Rien qu'elle voulait emporter. D'ailleurs, rien dans cette chambre n'aurait pu lui rappeler le bonheur qu'elle y avait connu. Ni homme, ni enfant, ni effets personnels. Juste un lit inconfortable, des draps maculés de cernes et une chaise où elle avait appris à lire l'espagnol et l'anglais. Alors pourquoi se sentait-elle triste de quitter un endroit à ce point insalubre ? Elle imagina la descente de la police qui allait suivre, les coups de feu égarés, la violence, la déportation. Elle refoula ses sentiments, tourna les talons et suivit Peppe jusque dans le restaurant. Malgré l'obscurité, elle trouva son chemin jusqu'à une banquette d'où elle pouvait voir la cour. Dehors, la nuit semblait si paisible qu'il était difficile d'imaginer un danger imminent. Peppe ne disait rien, mais ses gestes continuaient de trahir son irritation. Ou était-ce de l'inquiétude ? Il lui versa un café, s'assit avec elle et scruta la nuit, lui aussi.

– Qu'est-ce que tu pensais ? Que tu resterais ici éternellement ?

Sophie leva la tête. Peppe venait-il de lui poser ces questions ou les avait-elle imaginées ? Parce que répondre par l'affirmative l'aurait fait paraître ridicule, elle changea de sujet.

– Quel âge as-tu, Peppe ? s'entendit-elle demander, comme si la réponse pouvait expliquer la situation.

– Quarante-deux.

– Quarante-deux, répéta-t-elle, sans la moindre surprise.

Au fond d'elle-même, Sophie s'y attendait. Cet homme avait l'air plus âgé parce que son visage trahissait une vie difficile. Elle lui imagina un passé d'immigrant illégal. Et avant, un passé au Mexique, harcelé par les trafiquants.

– D'où viens-tu ? Je veux dire... Avant de vivre ici, où vivais-tu ?

Il la regarda comme si sa question était incongrue et, lorsqu'il répondit, sa voix trahissait de l'agacement :

– Je suis né ici et je n'ai jamais vécu ailleurs.

Sophie n'aurait su dire s'il mentait, mais cela n'avait pas d'importance. Chose certaine, Javier, lui, n'était pas né au Texas. Et ce soir, il se terrait comme un lièvre apeuré. Elle l'imagina dans la cave, tapi derrière une caisse, le corps tremblant à l'idée d'être déporté, battu ou tué. Sophie sentit un frisson lui parcourir l'échine. C'était sans aucun doute ce qui attendait Javier s'il était pris. Mais qu'est-ce qui l'attendait, elle ?

Le pick-up apparut dans le stationnement, tous phares éteints. Sophie se demanda comment Rodrigo avait réussi à trouver son chemin dans la nuit. Il n'y avait pas un lampadaire à la ronde. Elle ne posa pas de question, se contentant d'embrasser Peppe avant de sortir. La portière s'ouvrit devant elle, et Rodrigo lui fit signe de monter. Moins d'une minute plus tard, ils s'enfonçaient dans les ténèbres en direction de Laredo.

La lumière du tableau de bord était faible, mais Sophie pouvait lire la tension sur le visage de Rodrigo, ses lèvres pincées, son regard fixé droit devant sur la route invisible. Et lui, était-il né ici ? S'il ne semblait pas craindre d'être pris, il avait en tout cas peur qu'elle se fasse prendre. Cela confirma, dans l'esprit de Sophie, l'existence de sanctions pour les gens qui protégeaient les immigrants illégaux. Voilà qui justifiait aussi l'empressement avec lequel Peppe s'était débarrassé d'elle.

Ils roulèrent en silence, glissant dans la nuit comme des ombres. Rodrigo freina au bout d'une quinzaine de minutes et piqua à droite, vers le nord. Parce qu'elle ne voyait rien au-delà du pare-brise, Sophie lui demanda où ils allaient. Il ne répondit pas, mais écrasa la pédale de frein. Au même moment, trois hélicoptères surgirent du néant et passèrent juste au-dessus de leurs têtes. Le bruit était à ce point assourdissant que Sophie se boucha les oreilles. Elle suivit des yeux les clignotants lumineux qui s'éloignaient vers le sud-est, en direction du Peppe's Kitchen. Sur la grand-route, une demi-douzaine d'auto-patrouilles fonçait à toute allure vers le restaurant.

– J'espère que ce n'est pas pour moi, tout ce branle-bas de combat ?

Sophie avait murmuré sa question en priant pour une réponse négative. Rodrigo se fit rassurant.

– Tu n'es pas la seule personne du comté à travailler sans papier.

Sophie frémit. Était-ce donc pour Javier qu'on déployait l'artillerie lourde ? Rodrigo scruta la nuit, nerveux. Il attendit encore plusieurs minutes avant d'embrayer pour rouler sur un sentier invisible, mais cahoteux.

– Comment as-tu fait pour éteindre les phares de jour ? demanda Sophie lorsqu'elle réalisa ce que la chose avait d'inhabituel.

– J'ai brisé les ampoules.

– Vraiment ?

La surprise de Sophie fit naître un sourire sur les lèvres de Rodrigo, mais il n'ajouta rien. La menace devait être bien réelle pour qu'un homme aussi pauvre que Rodrigo engageât la dépense juste pour éviter que Sophie ne soit arrêtée.

– Où va-t-on maintenant ?

– Chez Maria.

– Maria ?

– Ma sœur. Il faut que j'aille travailler dans une heure. Maria va te conduire au terminus de Laredo. As-tu de l'argent ?

– Peppe m'en a donné.

Rodrigo hocha la tête. Ils dépassèrent les enclos, avant de contourner la résidence principale. L'endroit ressemblait à un ranch comme on en voyait dans les westerns. Une grange, du bétail, des chevaux. Devant eux apparut soudain une autre maison, presque une cabane.

– Attends-moi ici.

Sophie demeura dans la voiture, mais le suivit des yeux malgré l'obscurité. Elle l'entendit à peine frapper. Une lumière s'alluma, et la porte s'entrouvrit sur une femme en chemise de nuit qui attira promptement Rodrigo à l'intérieur. Sophie regarda au loin, en direction du Peppe's Kitchen. À cause des collines, elle ne voyait pas le restaurant, mais elle apercevait les projecteurs qui balayaient le désert aux alentours. Plus au sud, en direction de la route, la lumière des gyrophares trahissait la présence d'un barrage routier. Elle l'avait échappé belle.

Quand Sophie s'éveilla, elle s'aperçut que la camionnette roulait vers le sud. Le volant se trouvait entre les mains d'une grosse femme d'origine mexicaine.

– Êtes-vous Maria ? demanda-t-elle en se redressant sur son siège.

– *¡Sí!* s'exclama l'autre sans quitter la route des yeux.

Son ton était tellement peu amical que Sophie se réfugia dans le silence. Quand s'était-elle endormie ? Elle se rappelait la nuit, les lumières, les patrouilles. Après, plus rien. Elle s'en voulait. Elle aurait aimé remercier Rodrigo pour sa gentillesse, pour le risque qu'il avait encouru. Mais elle était déjà loin. Dans le désert que traversait la camionnette, aucune trace de civilisation. Pas même un panneau routier pour indiquer le nom d'une ville, d'un village, ou le numéro de la route.

– Où allons-nous ? s'enquit Sophie en examinant la conductrice.

– Laredo.

– Au terminus ?

– Si tu as de quoi payer.

Sophie ne répondit pas. Elle avait peut-être cent dollars dans sa poche. Cela serait-il suffisant pour traverser les États-Unis du sud au nord ? Elle le saurait bien assez vite.

Son regard s'attarda sur le rosaire suspendu au rétroviseur, puis sur le visage de la Sainte Vierge qui demeurait impassible sur le tableau de bord. Pour Sophie, qui n'avait que de vagues souvenirs de ses cours de religion, ces symboles relevaient de la superstition et du folklore. Ce jour-là, pourtant, elle se rappela une prière apprise à l'école primaire. *Je vous salue Marie*. Les mots lui revinrent, bien que difficilement, et elle les récita tout bas, au cas où. Qui sait ce qui l'attendait à Laredo ? Devrait-elle se résoudre à téléphoner à Luc ou à sa mère en les suppliant de lui venir en aide ? Elle pria que non.

La camionnette roula pendant une heure encore sous un ciel bleu sans nuages. Il faisait chaud, et l'air conditionné peinait à rafraîchir la cabine. Dehors, la circulation s'intensifiait. Au sud, le désert s'effaçait devant le ruban de végétation qui dissimulait le Rio Grande, la frontière naturelle, la vraie, entre les États-Unis et le Mexique. Le fleuve serpentait paresseusement dans son lit touffu, et la route le suivait comme un enfant docile. Surgirent enfin les premiers édifices de Laredo, brillant sous le soleil de midi. La route de campagne se transforma en autoroute, pénétra dans la ville et rejoignit une seconde autoroute qui fonçait vers le centre. Sophie admira la conduite de Maria. Une main sur le volant, l'autre retenant à deux doigts une cigarette, elle se faufilait entre les voitures avec adresse. Après un aussi long séjour dans le désert, Sophie se sentait étourdie au milieu de tant d'agitation, tant de bruit, tant de gens. Elle inspira pour apaiser la nausée qui grandissait au rythme des virages, des accélérations et des ralentissements. L'humeur maussade de Maria continuait d'imposer la retenue, et Sophie ne se détendit que lorsque le pick-up s'immobilisa devant l'entrée principale du terminus.

– Ça fait 25 $, déclara Maria de sa voix rude.

– Pardon ?

– Pour l'essence. Tu me dois 25 $.

Sophie écarquilla les yeux, incrédule.

– C'est pour l'aller et le retour. Tu penses bien qu'il faut que je rapporte le camion à mon frère.

C'était vrai. Sophie ne voulait surtout pas que Rodrigo paie davantage pour elle. Résignée, elle fouilla dans sa poche et tendit à la conductrice un billet de vingt.

– Est-ce que ça peut aller ?

L'autre acquiesça de mauvaise grâce en glissant le billet dans son soutien-gorge. Sophie regarda l'argent disparaître, soupira et rangea le reste dans la poche de son jean.

– C'est certain que je n'en ai plus assez pour rentrer au Canada maintenant.

Maria haussa les épaules et désigna le bâtiment où s'alignaient déjà trois autobus Greyhound.

– Tu n'as qu'à échanger un service contre un autre, dit-elle avec malice.

Sophie lui lança un regard assassin, mais se garda bien de répondre. Cette harpie aurait été capable de la dénoncer à la U.S. Border Patrol. Elle inspira pour trouver ce qui lui restait de courage et mit la main sur la poignée. La voix de Maria retentit de nouveau :

– Attends, dit-elle en la retenant par le bras. Je vais te conduire au *truck stop*.

– Qu'est-ce que ça changera ?

– Peut-être rien, mais les *truckers* sont habituellement plus conciliants que les chauffeurs d'autobus. Dans ce coin de pays, en tout cas. Et puis il y a des Canadiens là-bas. Et ils parlent comme toi.

Cette offre laissa Sophie perplexe. Elle n'abaissa pas sa garde, mais se rassit et referma la portière qu'elle avait à peine entrebâillée.

– Comment ça, ils parlent comme moi ?

– Ben, le français. Je les ai déjà entendus.

Sophie étudia encore un instant cette femme étrange. Une minute, elle lui soutirait de l'argent, la minute suivante, elle proposait de l'aider. Comment savoir à quoi s'en tenir ?

– Tu y vas souvent, au truck stop ? demanda-t-elle au moment où le moteur redémarrait.

Maria ne répondit pas, mais son sourire en coin en disait long. Plus loin, alors que la camionnette s'engageait sur l'autoroute, elle ajouta :

– C'est plus payant avec des étrangers.

Cette phrase ne surprit pas Sophie.

– Il faut ce qu'il faut, conclut-elle simplement.

Cette fois, Maria éclata de rire. Sophie l'imita malgré l'aspect tragique de la situation.

22.

Après le départ de Maria, Sophie observa un moment le relais routier. Elle le contourna, écoutant les conversations, cherchant des mots familiers, un accent semblable au sien dans des phrases en anglais ou en espagnol. L'endroit grouillait d'activités. Elle fut impressionnée par la taille des camions alignés dans le stationnement. Comme tout le monde, elle en avait déjà croisé sur les routes du Québec, mais jamais elle ne s'était tenue aussi près d'eux. C'étaient de véritables mastodontes ! Il fallait d'ailleurs grimper plusieurs marches pour se hisser à l'intérieur de la cabine. Si elle réussissait à se trouver un chauffeur, le retour promettait d'être intéressant.

Elle s'éloigna des camions et pénétra dans le bâtiment à la recherche des toilettes. Elle les trouva près de la salle de repos réservée aux camionneurs. À part un bar garni de machines à vidéopoker, on n'y trouvait qu'une buanderie et une dizaine de cabines de douche auxquelles on avait accès avec un code numérique. « Bienvenue au royaume de la bohème ! » songea-t-elle en poussant la porte des toilettes.

Quelques minutes plus tard, elle franchissait le seuil du restaurant, lavée et prête à affronter l'adversité. Prête à séduire aussi, au besoin. Elle s'assit sur la banquette de l'une des tables, se commanda un café et laissa son regard errer dans la salle. Elle remarqua tout de suite le téléphone installé sur chacune des tables. Plusieurs clients étaient d'ailleurs engagés dans des conversations animées. Sophie repéra l'appareil fixé à sa table. Elle sentit alors le désespoir poindre en elle et se demanda si elle ne devait pas l'utiliser, elle aussi. Après tout, le combiné se trouvait à portée de main. La situation n'était-elle pas critique?

Rentrer. En jetant un œil sur les camions à l'extérieur, Sophie s'imagina dans l'un d'eux, assise sur le siège du passager, franchissant la frontière canado-américaine, descendant à Longueuil devant la maison. En était-elle vraiment rendue là? Après ces mois d'errance, Sophie admettait enfin qu'il était peut-être temps d'affronter le monde. Mais pourrait-elle se tirer d'affaire sans s'abaisser, sans s'humilier? Le paradoxe s'imposait de lui-même: elle avait su s'affirmer devant des étrangers alors qu'elle n'avait jamais été capable de tenir tête à aucun membre de sa famille. D'où venait donc cette contradiction? Était-ce une simple question d'habitude? Une sorte de relation qui s'était imposée au fil des ans?

La journée se déroula lentement, comme toutes les journées du sud. Sophie erra entre les toilettes, la salle à manger et le stationnement. Elle n'était bien nulle part. À l'intérieur, l'air conditionné lui donnait la chair de poule. À l'extérieur, elle crevait de chaleur. Alors, elle flâna un peu partout, l'oreille aux aguets. Elle n'entendit d'abord que de l'anglais. Elle reconnaissait bien ici et là quelques mots d'espagnol, mais jamais ils n'étaient prononcés à la manière des francophones, sans ces J roulés. Elle commença à désespérer, et les téléphones sur les tables devinrent tentants. Le soir venu, lorsqu'elle s'écrasa enfin sur une banquette pour se commander à souper, un homme vint s'asseoir sur le siège en face du sien.

– Combien? demanda-t-il en se penchant vers elle d'un air entendu.

Sans attendre de réponse, il commanda deux bières à la serveuse qui s'était approchée. Sophie eut d'abord envie de demander à cet homme s'il était sérieux. C'est qu'il avait provoqué chez elle un étrange dilemme. Elle se trouvait en effet tiraillée entre son ego flatté de se savoir encore séduisante à quarante ans et son ego blessé de passer pour une prostituée. Elle comprit que son besoin de survivre l'emportait quand elle sentit ses lèvres esquisser un sourire amène. Aussi bien ne pas fermer toutes les portes tout de suite.

En attendant la bière, Sophie étudia son client. Il s'agissait d'un homme dans la trentaine, plutôt moche et l'air fatigué. Elle accepta le verre qu'il lui offrait, mais le sirota lentement de peur de perdre la tête. Il n'était plus question de reculer maintenant. L'autre continuait de boire, de parler en anglais, de lui faire des avances, de lui demander combien elle voulait. Sophie calcula, repensa à sa conversation avec Maria. « C'est plus payant avec des étrangers », avait-elle dit. Comment diable évaluait-on sa propre valeur sur le marché du sexe ?

– Vous me donnez combien ? demanda-t-elle finalement en avalant d'un trait ce qui lui restait de bière.

L'homme la regarda, perplexe.

– Vous n'êtes pas…

Il s'interrompit, rougit, et vida son verre lui aussi.

– C'est la première fois ? demanda-t-il au bout d'un moment d'hésitation.

Sophie se mordit la lèvre, et son regard se perdit au loin avant de revenir vers l'homme. La dernière barrière venait de céder. Les dernières inhibitions étaient sur le point de tomber.

Pour une première fois, ce n'avait pas été si terrible. Peut-être que Sophie était bien tombée. Peut-être que l'homme qui l'avait menée dans son camion n'était pas un mauvais gars.

Peut-être qu'il avait simplement des besoins réguliers. Quoi qu'il en soit, Sophie n'avait pas trouvé difficile de se déshabiller devant lui, de le voir faire de même, de le prendre dans ses bras et de s'allonger pour le recevoir en elle, à l'abri d'un condom, évidemment. Parce qu'une fois éjectée de son havre de paix, Sophie avait retrouvé certains morceaux d'elle-même. Les plus importants seulement. Et la prudence en faisait partie.

Elle n'avait pas joui – comment aurait-elle pu ? – mais elle n'avait pas refusé de dormir dans son lit jusqu'au matin. Où serait-elle allée, de toute façon ? Elle n'y avait même pas pensé. Elle prit l'argent à 5 heures et regarda le camion disparaître sous un soleil incandescent. Au-dessus du restaurant, le panneau lumineux indiquait déjà 77 °F*.

Elle retourna au restaurant avec 100 $ de plus en poche. Dès qu'elle entra, cependant, elle eut l'impression que quelque chose avait changé dans le regard des autres camionneurs. Les imaginait-elle, ces coups d'œil lubriques, provocateurs, réprobateurs aussi ? Elle n'arrivait pas à croire qu'elle pouvait être l'objet de tant d'attention, et une partie d'elle-même préféra ignorer ce qui pouvait se passer dans la tête des autres. Il était trop tard pour se soucier de sa réputation. Sophie s'installa sur une banquette, fixa le téléphone, allongea le bras puis se ravisa. Combien de temps allait-elle rester ici ? Combien de temps avant de céder ?

À peine avait-elle commandé son déjeuner à la serveuse que d'autres mots surgirent, ailleurs, qui attirèrent son attention aussi aisément que s'ils avaient été prononcés dans un haut-parleur. À la table voisine, un homme parlait en français.

– Je devrais arriver mercredi… Oui… Je vais essayer d'y penser, mais je ne te promets rien. N'oublie pas de couper

* 25 °C.

l'eau dans la cave, sinon ça va faire du dégât… Moi aussi, je t'aime. À mercredi.

Sophie garda les yeux fixés sur celui qui parlait avec autant d'affection. Il s'agissait d'un homme de plus de soixante ans, de petite stature. Les cheveux blancs, le visage mince, les yeux d'un bleu si clair qu'ils en paraissaient doux. L'homme consulta le menu avant d'ouvrir son journal. À la serveuse qui revenait, il demanda des *pancakes*, et ses yeux croisèrent ceux de Sophie. Puis il se détourna comme s'il ne l'avait pas vue.

Sophie exultait. Si elle pouvait l'aborder, si elle pouvait lui demander d'où il venait, où il allait, si elle pouvait lui expliquer sa détresse, peut-être l'emmènerait-il dans son camion. Son déjeuner arriva, et Sophie avait tellement faim qu'elle se jeta sur l'assiette. La serveuse venait juste de s'éloigner quand deux gardiens de sécurité se matérialisèrent près de la table.

– Veuillez nous suivre, Madame.

Le dernier mot avait été prononcé avec tellement de mépris que Sophie leva les yeux, surprise de constater que c'était à elle qu'on s'adressait.

– Je vous demande pardon. Qu'est-ce qu'il y a ?

– On ne tolère pas les *commercials* à l'intérieur du *truck stop*, lança un des deux hommes. On vous demande de vous en aller.

– Pas avant d'avoir payé votre déjeuner, ajouta la serveuse, revenue sur ses pas pour ne rien manquer du spectacle.

Sophie scruta le visage du premier colosse, puis du deuxième, et enfin celui de la serveuse. Elle n'avait pas besoin de traduction pour le mot *commercials*. Utilisé avec autant de mépris, son sens transcendait les langues. Sophie n'avait pas imaginé qu'on retiendrait contre elle son action de la veille. À une autre époque, elle aurait compris leur jugement, elle l'aurait peut-être même approuvé. Mais dans une situation aussi désespérée que la sienne, elle refusait d'admettre qu'on puisse lui reprocher son geste. Si elle avait été quand même surprise de leur réaction, elle le fut davantage de la sienne. D'où lui vint ce calme qui l'envahit tout à coup ? On aurait dit qu'elle se dédoublait ou qu'elle devenait un peu plus cette autre femme, la rebelle, celle qui ne craignait pas l'avenir. Fait notable et inquiétant, les armes à feu que portaient les gardiens l'indifféraient. Elle en avait tellement vu depuis son entrée aux États-Unis que leur effet s'était amenuisé. Sophie se sentit tout à coup semblable aux héroïnes de *Thelma et Louise*. Elle reconnut chez elle la même audace. Comme elles, Sophie Parent n'avait plus rien à perdre et voulait marcher la tête haute. Elle leva le menton et empoigna sa fourchette.

– Je vais manger. Ensuite je m'en irai.

Son attitude, qui tenait de la provocation, fit bondir les deux gardiens. L'un d'eux se pencha et l'empoigna pour la forcer à se mettre debout.

– Vous allez sortir d'ici ! ragea-t-il pendant que son compagnon se tenait prêt à intervenir au besoin.

Avec une agilité surprenante, Sophie se redressa sur son siège, renversa son assiette sur le premier agent et jeta son café au visage de l'autre. Un peu plus et elle s'emparait de son couteau pour les affronter au corps à corps. Elle n'en fit rien cependant ; la témérité avait ses limites, quand même ! Elle se contenta de se lever, de s'essuyer la bouche avec sa serviette et de lancer un billet de 5 $ sur la table.

– Gardez la monnaie, dit-elle en tournant les talons.

Elle n'avait pas fait trois pas que les gardiens lui sautaient dessus. Ils lui serraient les bras, la secouaient, la poussaient. Il n'était plus seulement question de la conduire vers la sortie, il s'agissait désormais de lui faire payer un affront servi en public. Sophie se débattait autant qu'elle le pouvait.

Lorsqu'une main se leva pour la gifler, une autre voix retentit, voilée par un filet de menace :

– Voulez-vous bien lâcher ma fille !

Chacun suspendit son geste. Puis les gardiens se retournèrent, les doigts repliés sur la crosse de leur revolver. Ils découvrirent, en même temps que Sophie, le client québécois toujours assis à sa table.

– Allez-vous lâcher ma fille ou est-ce que je dois appeler la police ?

Joignant le geste à la parole, il s'étira vers le combiné qu'il feignit de décrocher. Aussitôt, la pression se relâcha sur les bras de Sophie.

– C'est votre fille, ça ? demanda un des gardiens.

L'inconnu hocha la tête, se leva et s'approcha de Sophie.

– Elle a pris un client, hier soir, votre fille, rétorqua l'autre gardien.

Le nouveau venu secoua la tête, l'air exaspéré, et ses paroles se teintèrent d'une patience exagérée.

– Ce n'était pas un client, commença-t-il en aidant Sophie à se relever. Celui avec qui elle a passé la nuit est son mari. Il n'y a qu'ici qu'ils peuvent se voir étant donné qu'il est toujours sur la route, le pauvre.

Il conduisit Sophie vers la banquette avant de se tourner de nouveau vers les gardiens.

– Maintenant, allez-vous nous laisser déjeuner en paix ou bien est-ce que je dois me servir du téléphone pour protéger mon enfant ?

Mon enfant. Ces mots firent sourciller les gardiens. Surprise mais alerte, Sophie esquissa un sourire et se pencha vers l'inconnu pour l'embrasser sur la joue.

– Merci, papa.

Elle jubilait de voir les colosses secouer la tête et s'en aller à contrecœur. Son sauveur s'adressait maintenant à la serveuse :

– Rapportez-lui de quoi déjeuner ! Et ensuite, laissez-nous tranquilles.

La femme s'exécuta, secouant la tête à son tour. Elle se garda bien, cependant, d'émettre le moindre commentaire. Son pourboire en dépendait.

Les minutes s'étaient écoulées et le restaurant s'était vidé, puis empli de nouveau. Dans la cour, plusieurs camions avaient disparu. Si ailleurs en ville, on commençait à peine à s'éveiller, au relais routier, la journée était bel et bien commencée. Les serveuses transportaient cafés, *pancakes*, œufs et omelettes avec une agilité de ballerines. Après l'esclandre provoqué par les gardiens, les choses étaient revenues à la normale. Une partie de la clientèle s'était renouvelée. Partout, chacun s'occupait de ses affaires. Les plus perspicaces avaient d'ailleurs conclu que l'inconnue assise à la même table que Mike Campagna n'était pas une prostituée. Ils s'en désintéressèrent.

– Je n'ai pas d'argent, lança Sophie, tout de suite après les présentations. Je cherche un moyen pour rentrer au Canada.

Mike continuait de manger. Il lui était venu en aide quand il avait reconnu son accent, mais un malaise demeurait entre eux. La serveuse s'en aperçut lorsqu'elle se rapprocha pour remplir les tasses. Elle ne dit rien, mais s'empressa de s'occuper de la table voisine.

– C'est vrai, cette histoire de client ? demanda Mike lorsqu'ils furent de nouveau seuls. Parce que moi, les *commercials*, ça ne m'intéresse pas.

Sophie haussa les sourcils. C'était la deuxième fois qu'on utilisait ce mot pour parler d'elle, et cette pudeur l'amusa. À choisir entre prostituée, pute et tous les autres synonymes du terme, elle aussi préférait *commercial*, finalement, pour désigner ses activités de la nuit précédente. Parce que l'attitude paternaliste de Mike imposait la prudence, elle choisit de demeurer évasive. Trop de franchise entre eux pouvait compromettre une belle occasion.

– Le gars m'a offert une place pour la nuit.

Mike se recula sur son siège pour mieux la détailler et, au bout de quelques secondes, il hocha la tête. Il acceptait sa version des faits.

– C'est vrai que ça peut être dangereux pour une femme seule de traîner dans le coin, déclara-t-il. Il y a pas mal de trafic.

Sophie acquiesça.

– Je ne parle pas juste de la drogue, précisa-t-il en balayant le restaurant d'un regard suspicieux avant de reporter son attention sur elle. Mais tu n'es pas toute jeune. Comment as-tu atterri ici ?

Sophie se dit qu'elle pouvait interpréter de plusieurs façons la remarque concernant son âge. Elle choisit de ne pas s'en offusquer. Elle n'en avait tout simplement pas les moyens.

– Mon chum m'a larguée, dit-elle, ce qui n'était pas complètement faux. Il est parti avec mon portefeuille et mon passeport.

Devant l'air attendri de Mike, elle ajouta :

– Je veux juste rentrer chez nous.

– Ça fait longtemps que tu es aux *States* ?

– Non.

Sophie n'eut pas l'impression de mentir. Comment d'ailleurs pouvait-on mesurer « longtemps » ? Les deux derniers mois lui avaient paru tellement courts ! Si Mike n'était pas dupe, il n'en laissa rien paraître lorsqu'il reprit :

– Il n'y a pas de menterie, pas de sexe, pas d'alcool et pas de drogue dans mon camion, c'est clair ?

Un franc sourire illumina le visage de Sophie, pour s'effacer aussitôt. Elle allait rentrer…

23.

Peut-on retourner à sa vie après un intermède aussi complexe et mouvementé que celui vécu par Sophie cet hiver-là ? Sophie se demandait si elle avait réellement envie de retrouver la femme qu'elle avait été. Elle n'arrivait pas à s'imaginer reprenant sa place dans la famille, rejouant son rôle de conjointe, de mère, de fille et de sœur. Et pourtant, elle était en route pour le Canada.

L'avenir commença à la préoccuper dès que le gros camion rouge de Mike Campagna s'éloigna de Laredo sur l'Interstate 35 pour traverser un désert vallonné où ne poussaient que des buissons rachitiques. Le vent soufflait le sable en rafales et couvrait l'asphalte d'une mince pellicule poudreuse que soulevaient à leur tour les milliers de pneus qui sillonnaient quotidiennement la route. Le ciel, toujours d'un bleu impeccable, en était presque aveuglant. On aurait dit qu'il ne pleuvait jamais dans ce coin de pays.

À l'abri derrière des vitres fermées, bercée par le ronronnement de l'air conditionné et par les notes tristes d'une chanson country, Sophie regarda sans le voir ce paysage en tout point semblable à celui qui entourait le Peppe's Kitchen. Elle s'était appuyée contre le dossier du siège et gardait la tête tournée vers l'extérieur, comme si elle cherchait à s'évader d'elle-même. Elle aurait voulu éviter de réfléchir. Mais, comme toujours, dans un cycle incessant, une idée était remplacée par une autre, différente ou quasi identique, peu importait.

La nature avait horreur du vide et s'affairait à fixer des pensées là où on aurait voulu qu'il n'y ait rien.

Comment expliquer qu'une femme soit à ce point terrifiée à l'idée de rentrer chez elle? Sophie avait beau se calmer en se rappelant qu'il leur faudrait cinq jours pour arriver au Canada, c'était peine perdue. Elle anticipait la scène, la crise. Elle imaginait la colère des autres. Une colère qui ne se calmerait qu'avec le retour de l'élément essentiel à toute réconciliation familiale : sa soumission pure et simple. Et puis s'ensuivrait la punition. Des reproches, des regards froids, des rappels insidieux qui dureraient des années. Et plus tard, des mots cruels qui signifieraient qu'on aurait pardonné, mais qu'on n'avait pas oublié. Sophie enrageait juste à y penser.

Certes, dans le fond, ses filles lui manquaient. Luc aussi, peut-être, à sa manière. Et sa mère et son frère. Mais quand elle pensait à eux, il lui fallait creuser longtemps pour retrouver un moment agréable, un beau souvenir. Toujours revenaient les dernières paroles échangées. C'étaient elles qui, dans l'esprit de Sophie, cristallisaient désormais la nature de ces relations. Car si elle avait changé, eux étaient demeurés les mêmes. Comment aurait-il pu en être autrement puisqu'ils n'étaient pas partis? Ils l'avaient attendue, rongeant leur frein, impatients de retrouver leur servante.

Pour toutes ces raisons, Sophie n'arrivait pas à accepter de retourner d'où elle venait. Elle se tourmentait, se questionnait. À un certain moment, elle perdit son calme et s'insurgea. Avait-elle seulement le choix? « On a toujours le choix! » entendait-on parfois, quand une personne acculée à un mur essayait de justifier sa situation. Mais quel choix laissait-on à une mère non mariée? À une femme étouffée tant par les besoins de sa famille immédiate que par les exigences de sa famille élargie? La solitude, la pauvreté et la honte d'un bord, l'humiliation et la soumission de l'autre. Appelait-on cela un choix?

Pour aggraver les choses, Mike s'avérait un compagnon discret. Il parlait peu, ne posait pas de question et gardait les yeux rivés à la route, comme si Sophie n'existait pas ou comme s'il voulait lui permettre de réfléchir en paix, de se remettre en question tant qu'elle voulait. Réfléchir. Se remettre en question. Y a-t-il autre chose à faire lorsqu'on est seul avec soi-même à bord d'un véhicule tellement gros qu'il nous force à voir le monde de haut ? Les voitures semblaient minuscules, les êtres humains, presque des fourmis qui s'excitaient pour rien. Il est si facile de se croire puissant quand on est au-dessus de tout, si facile d'oublier qu'il faut toujours redescendre, toujours retrouver la vie quotidienne et ses fardeaux.

Sophie admettait qu'elle s'était épanouie depuis le début de ce voyage. Bien malin celui qui aurait prétendu voir en elle la femme qu'elle était trois mois plus tôt. Mais entre faire preuve de caractère devant un étranger et imposer sa volonté aux membres de sa famille, il y avait un monde. Un monde immense où la culpabilité n'était pas absente. La culpabilité et la responsabilité, qu'elles fussent fondées ou non.

Le camion filait depuis deux heures au moins, toujours sur la voie de droite. Prudent, Mike gardait une bonne distance entre son pare-chocs et celui de la voiture qui le précédait. Sophie remarqua les regards qu'il jetait dans les rétroviseurs, sur les différents cadrans, sur l'ordinateur, sans jamais quitter complètement la route des yeux. Les deux mains sur le volant, il conservait un air détendu, mais alerte. Du coin de l'œil, elle aperçut un panneau annonçant San Antonio à une vingtaine de miles.

– Combien de temps avant le premier arrêt ? demanda-t-elle en serrant les cuisses.

Au lieu de se montrer exaspéré par cette question infantile, Mike sourit.

– Pourquoi, tu es déjà tannée ?

Il avait parlé d'un air innocent, en jetant un bref coup d'œil dans sa direction.

Embarrassée, Sophie haussa les épaules.

– Non, non.

Elle sentait bien qu'il jouait avec elle, mais elle ne comprenait pas le sens du jeu. Alors, elle se tourna de nouveau vers le désert, affichant autant d'indifférence que possible.

– Trop de café ?

Il savait. Il savait, mais avait attendu qu'elle se manifeste. En guise de réponse, Sophie lui offrit un sourire contrit.

– Je me demandais quand on en viendrait là, déclara Mike sur le ton de ceux qui doivent régler une urgence nationale. Va derrière. Il y a un autre gallon comme celui-là.

Il désigna le contenant de plastique de quatre litres posé à ses pieds.

– Il y a un entonnoir sur le dessus. C'est celui de ma femme. Tu peux t'en servir.

Devant l'air perplexe de Sophie, il ajouta :

– C'est ça ou tu attends encore deux heures.

Résignée, Sophie détacha sa ceinture et se faufila à l'arrière où elle entreprit d'uriner, non sans un fou rire, dans l'entonnoir en question.

– Vous êtes sûr que c'est pour votre femme, ça ?

– Oui. Pourquoi ?

Cette question teintée de surprise laissa planer un court silence dans la cabine. Puis Mike ajouta :

– N'imagine pas des choses. Je suis un homme fidèle.

Un sourire moqueur sur les lèvres, Sophie revint à sa place. Elle imaginait son siège occupé par une dame âgée.

– Elle vous accompagne souvent, votre femme ?

– De temps en temps.

Après cette brève interruption, le silence revint, et Sophie reporta son attention sur le désert. Ses préoccupations reprirent immédiatement le dessus. L'angoisse du retour, la sensation d'immatérialité de la route, du paysage, de sa vie.

24.

Après un bref arrêt à San Antonio, dans une immense halte routière, Mike s'engagea sur l'Interstate 10, que les panneaux identifiaient par le code I-10. L'autoroute traversait une contrée plate et boisée, fendait la ville de Houston de part en part avant de continuer vers l'est. Les villes, par la suite, étaient plus petites, et ils dépassèrent ainsi Lafayette sans s'arrêter. Tout de suite après, des clignotants lumineux annoncèrent que le poste de contrôle routier était ouvert. Le camion s'engagea à droite dans une file qui s'étirait sur plusieurs centaines de mètres.

– J'espère que tu n'es pas trop pesante, railla Mike lorsque le camion s'avança enfin sur la balance.

Il immobilisa avec précision les roues avant à l'endroit désigné et attendit le signal du poste avant de s'avancer et de s'immobiliser encore une fois. Second signal. Suivirent un troisième déplacement et un troisième arrêt. Un agent surgit alors du poste et se dirigea vers eux.

– M'as-tu dit que tu n'avais plus de passeport ? demanda Mike alors que l'agent s'avançait vers le camion.

Sophie sentit ses mains devenir moites.

– Prie, fille ! souffla Mike, une note d'inquiétude dans sa voix. Prie !

– Prier ? Pourquoi ?

– Pour que ce gars-là ait digéré son déjeuner.

Sophie retint son souffle et garda les yeux sur l'homme qui marchait toujours dans leur direction, l'air contrarié. Elle le vit soudain lever le bras et porter un walkie-talkie à son oreille. Il écouta, tourna la tête en direction d'un autre camion et lança une imprécation dans la radio avant de reporter son attention sur Mike. Puis, d'un geste rageur, il lui fit signe de passer. Sophie poussa un soupir de soulagement, imitée par Mike qui, en plus, lui adressa un clin d'œil malicieux.

– Continue de prier, fille. Ça marche ton affaire.

Il s'esclaffa, et Sophie rit de bon cœur, elle aussi.

– Il y a combien de balances jusqu'au Canada ? demanda-t-elle en jetant un dernier regard dans le rétroviseur de côté.

– Une centaine.

– Dans ce cas, il va me falloir beaucoup de prières.

– Beaucoup, oui.

Mike rit de nouveau et reprit l'autoroute, aussi alerte et serein que s'il ne s'était rien passé.

Le paysage se transforma et devint moins aride. La mer s'avançait dans les terres, créant un marais qu'on traversait sur un pont long de plusieurs kilomètres. Il planait sur la côte des embruns odorants qui passèrent inaperçus. À l'abri dans la cabine du camion, toutes vitres relevées, Sophie dodelinait de la tête au rythme de la musique two-step diffusée par la radio.

Apparurent les panneaux indiquant Bâton Rouge, puis New Orleans. Sophie sentit l'excitation la gagner. Elle avait tellement entendu parler des Cajuns, des bayous et de l'ouragan Katrina. Allait-elle enfin visiter la région ? Son visage s'allongea de dépit lorsque, à l'embranchement de la I-10 et de la I-12, Mike choisit cette dernière et poursuivit vers l'est.

– Désolé, lança-t-il à l'intention de Sophie dont il avait perçu le changement d'humeur, mais je ne peux pas jouer les guides touristiques. Quand je suis sur la route, je préfère les *by-pass*. Ça va plus vite, et c'est plus sécuritaire. Avec mon chargement, je ne prends pas de chance.

– Et ça vaut cher, ce que tu transportes ?

– Oui, 150 000 $.

Sophie émit un sifflement admiratif, puis jeta un dernier regard vers le prolongement de l'Interstate 10 qui glissait doucement vers la Nouvelle-Orléans, tandis que le camion continuait sur la I-12, contournant le lac Pontchartrain par le nord. Du haut de la cabine, on avait du lac une vue exceptionnelle. Le miroitement de l'eau, le plat interminable du paysage et la mer qu'on devinait au loin constituèrent une sorte de consolation pour Sophie.

Au carrefour suivant, le camion s'engagea vers une seconde halte routière. La journée était finie. Il s'était écoulé quatorze heures depuis le départ de Laredo. L'angoisse et le désespoir de Sophie s'apprêtaient à prendre une pause pendant qu'elle se mêlerait à la faune du relais routier. C'est avec le sourire aux lèvres qu'elle mit pied à terre, qu'elle s'étira, marcha, sautilla et s'étira encore. Quatorze heures assise, ça laissait des traces.

Pendant qu'elle allait et venait autour du camion, elle en examina tous les aspects. Mais ce qu'elle admirait surtout, c'était son autonomie. À part l'essence, dont le matin même on avait fait le plein, le véhicule offrait une vie en complète autarcie, ou presque. On y trouvait deux lits superposés, un petit frigo pour conserver la nourriture, un four à micro-ondes, une radio, une télé et un ordinateur relié par satellite à la compagnie de transport. On n'avait pas accès à Internet, mais l'appareil permettait d'obtenir en quelques secondes des directions ou des informations.

– Qu'est-ce qu'il y a dans ton camion ? demanda-t-elle à Mike pendant qu'ils contournaient le bâtiment.

– Tu vas rire si je te le dis. Tu es mieux de garder la belle image que tu t'es construite dans la tête.

Il lui fit un clin d'œil complice en ouvrant la porte du relais. À l'intérieur, Sophie découvrit un environnement en tout point semblable à celui de Laredo. Restaurant, dépanneur, toilettes, salon pour les camionneurs, bar, vidéopoker. Cette fois cependant, elle eut droit à une visite guidée des lieux.

– Quand tu voudras prendre ta douche, tu iras d'abord payer à la caisse. Le commis va te donner un numéro. Tu le composes sur le clavier et ça ouvre la porte. Pour ce qui est du lavage…

Il se tourna vers le coin buanderie.

– Je suppose que tu n'as pas de vêtement de rechange?

C'était davantage un constat qu'une question. Sophie secoua la tête, penaude.

– Ça ne fait rien. Je vais te prêter un T-shirt. Tu mettras celui que tu as sur le dos dans mon panier à linge sale. Tout à l'heure, on viendra faire une brassée.

Sophie se rendit compte, gênée, qu'elle devait sentir bien mauvais pour que Mike suggère de faire sa lessive.

– Tu peux manger au restaurant si tu veux, poursuivit-il. Moi, ce genre de bouffe, je ne suis plus capable. Ma femme m'a préparé mes soupers. Si tu veux, tu peux t'acheter quelque chose au comptoir et le manger avec moi dans le camion.

Cette dernière suggestion convenait au budget de Sophie. Elle se procura un sandwich et une salade et retrouva Mike dans son camion, penché sur un cahier, en train d'y inscrire une série de chiffres. Il vérifia les cadrans, corrigea deux lignes, griffonna quelques mots et referma le cahier dans un clac joyeux.

– Mon *logbook*, déclara-t-il en rangeant l'objet alors que Sophie grimpait sur le siège du passager.

La cabine embaumait la sauce tomate. Mike sortit un plat de lasagne du micro-ondes et deux bières du petit frigo placé en dessous. Il lui en tendit une.

– Pour la détente.

Sophie le remercia, ouvrit la bouteille et en avala la moitié. Puis elle revint à la charge au sujet de la cargaison.

– Je promets de ne pas rire.

Mike haussa les épaules et répondit enfin :

– Des pneus.

– Pour 150 000 $?!

– Ben, oui. Ça vaut cher, des pneus.

Sophie imagina tout ce caoutchouc bien cordé dans la semi-remorque. Mike avait raison : l'image du camionneur revêtait un aspect plus romantique lorsqu'on ne savait pas ce qu'il y avait à l'arrière.

– Et qu'est-ce que tu transportais à l'aller ?

– Des pneus.

– Tu fais quoi ? Les déplacer du nord au sud, aller-retour ?

Mike rit doucement.

– C'était d'autres sortes de pneus. Je prends un chargement à Valleyfield, je le laisse à la frontière mexicaine où je ramasse un autre chargement, différent, qui vient de Monterrey.

– Monterrey ?

Sophie revit ce nom aperçu sur un panneau pendant sa traversée du Mexique. Elle ne se rappelait pas de quoi la ville avait l'air, car à cette époque, pas si lointaine pourtant, elle ne voyait que Luis. Ses mains, son visage, son corps. Rien d'autre. À ce souvenir, elle prit conscience de sa transformation. Quelle femme naïve elle avait été ! Quelle femme sensible aussi, facile à berner, à manipuler ! Aujourd'hui, il lui semblait qu'une partie d'elle-même était morte le jour où il l'avait abandonnée sur le bord de la route.

– Tu vas souvent au Mexique ?

– Jamais.

– Je ne comprends pas.

– Les camionneurs canadiens et américains ne franchissent pas la frontière. On laisse la van aux Mexicains qui s'occupent de la vider et de nous la ramener pleine.

Sophie n'arrivait pas à croire qu'on puisse s'approcher à ce point d'un pays sans y mettre les pieds.

– As-tu déjà visité la Nouvelle-Orléans ?

– Non, mais je l'ai contournée au moins cent fois.

Sophie cacha tant bien que mal sa surprise et osa une autre question.

– Et Houston ?

– De l'autoroute, oui. Comme on l'a fait aujourd'hui.

– Et New York ? Tu as sûrement visité New York.

– Cette ville-là, j'ai toujours réussi à l'éviter. Si tu savais à quel point c'est l'enfer là-bas. Ben, en fait, tu vas le voir par toi-même puisqu'on va en traverser un bout pour rejoindre la 87.

Sophie était abasourdie. Qu'une personne puisse avoir autant voyagé sans avoir vraiment vu du pays la bouleversait. Elle repensa à l'ignorance dans laquelle elle avait vécu sa vie de mère-de-famille-de-banlieue-trop-occupée-à-survivre-pour-voir-le-monde.

– Moi, si je faisais ton métier, je m'arrêterais partout pour visiter.

Cette fois, le ton de Mike se fit tranchant.

– Et tu arriverais en retard avec ton chargement et tu te ferais mettre à la porte. Je suis camionneur, pas touriste.

Sur ces mots, les plus durs qu'il avait prononcés depuis le début du voyage, Mike attrapa la télécommande de la télé et trouva un canal où on diffusait une partie de hockey.

25.

Le lendemain, le camion traversa le Mississippi, l'Alabama et pénétra en Floride. Sophie comprenait mieux ce que Mike avait voulu lui dire en parlant de son métier. Une autoroute était une autoroute, où que l'on conduise dans le monde. Il était rare que les paysages soient magnifiques. Mis à part les lacs qu'on apercevait de loin, tout se ressemblait. Les villes, les forêts, les murs antibruit. Le ruban de la I-10 se déroulait, bien droit, bien plat. Et terriblement ennuyeux. Mike conduisit de 6 heures du matin à 8 heures du soir et ne parla presque pas. La journée s'avéra en tout point identique à la précédente, et Sophie devinait que les suivantes ne seraient pas différentes non plus.

Après avoir étudié le comportement de Mike, elle se dit qu'il fallait aimer son métier pour répéter quotidiennement les mêmes gestes, suivre des routes qui se ressemblaient autant et manger de la lasagne tous les jours ou presque. Si on n'était pas heureux derrière son volant, on se retrouvait vite dans la situation qui était la sienne avant qu'elle ne prenne l'avion pour Cancún : prisonnier d'une vie sur laquelle on n'avait pas d'emprise, d'une vie qui s'alourdissait au fil des jours. En remarquant le sourire béat qui illuminait le visage de Mike, Sophie se demanda ce qu'il avait dû sacrifier pour obtenir le droit de vivre comme il l'entendait.

Le lendemain matin, après avoir quitté le relais routier, le camion franchit les limites de Jacksonville, au grand bonheur de Sophie. Elle aperçut la mer au loin, et se voyait déjà en train d'enfoncer ses orteils dans le sable. C'était sans compter sur le professionnalisme de Mike qui appuya sur les freins et modifia l'embrayage afin de reculer le camion dans un entrepôt.

Il fallut deux heures pour décharger la semi-remorque, à la suite de quoi, ils reprirent la route. Direction nord, cette fois. La I-95 longeait la côte, mais à distance. Quand l'autoroute surplombait les édifices, Sophie pouvait apercevoir les vagues d'un gris métallique. Même devant de simples baies, l'effet sur son humeur était identique. Elle se réjouissait et enviait les gens qu'on devinait sur le pont des bateaux. Puis ils quittèrent la Floride, traversèrent la Géorgie où Mike s'assura d'éviter Savannah en empruntant l'autoroute de contournement.

– Je me suis déjà arrêté ici, lança-t-il en désignant le panneau qui annonçait le quartier historique.

Sophie se tourna vers lui, aussi surprise que s'il lui avait déclaré avoir eu une maîtresse.

– J'étais en panne.

Il rit de sa blague, et le silence qui revint dans la cabine fut aussi léger qu'une brise. Chacun replongea dans ses pensées. Après la Géorgie, la Caroline du Sud offrit un paysage plat à perte de vue. Vint alors la Caroline du Nord, et enfin la perspective sembla prendre vie au prix de montées et de descentes qui s'enfonçaient dans les terres. La mer et ses bateaux disparurent tandis que la forêt, les villes et les murs antibruit se dressèrent de chaque côté de l'autoroute. À la fin de la journée, Mike stationna son poids lourd dans un relais routier à l'extérieur de Raleigh, et la soirée se déroula comme les précédentes, sans la moindre variation, ni dans les activités ni dans le menu.

Au matin du quatrième jour, Sophie osa enfin lui poser la question qui la tourmentait depuis qu'elle réfléchissait au libre arbitre dont chacun disposait pour construire sa vie.

– As-tu toujours su que tu voulais être camionneur ? demanda-t-elle au moment où ils enfilaient la bretelle d'accès de la I-95.

Les yeux de Mike continuèrent leur routine, allant et venant entre la route, les panneaux routiers, l'écran de l'ordinateur, les cadrans et les rétroviseurs. Il trouva néanmoins le temps de lui répondre :

– Je n'ai pas toujours été camionneur, déclara-t-il avant de mettre son clignotant pour dépasser une voiture plus lente. Jusqu'à l'âge de 45 ans, je travaillais dans une usine de textile.

Le camion accéléra à peine, contourna la voiture et revint sur la voie de droite comme si de rien n'était. Mike poursuivit :

– En 85, quand la *shop* a fermé, j'ai eu le choix entre le chômage et l'école. J'ai choisi l'école. Il me semblait qu'il était temps que je vive comme j'avais envie de vivre. La route, j'adore ça.

– Mais tu ne visites rien ! s'écria Sophie qui n'arrivait toujours pas à comprendre qu'on puisse voyager autant sans s'attarder nulle part.

– Ce n'est pas les villes que j'aime, c'est la route. C'est mon mode de vie.

Sophie repassait les derniers jours. Le silence, les brèves conversations au CB, les rencontres furtives dans les relais routiers, les douches publiques, le gallon de lave-vitre en guise d'urinoir. Un mode de vie, tout ça ?

– Pis ta femme, comment elle a pris ça ?

Mike ne répondit pas tout de suite. Sophie en conclut qu'il était embarrassé, ou peut-être insulté par cette question indiscrète. Elle fut soulagée lorsqu'il reprit la parole.

– Mariette ne l'a pas trouvé drôle, surtout au début. Les enfants avaient grandi et venaient de quitter la maison. Elle pensait que je l'abandonnais.

Nouveau dépassement, suivi d'un bref silence.

– Faut dire qu'on avait déjà vécu vingt-cinq ans ensemble. La plupart de nos amis étaient divorcés. Nous, on tenait le coup, mais il fallait quand même qu'on se donne une chance si on voulait que ça dure encore longtemps.

Il parlait maintenant sans retenue. On aurait dit que la question de Sophie avait ouvert un barrage et que les souvenirs, trop longtemps retenus, se ruaient comme l'eau vers la rivière.

– De toute façon, qu'est-ce que j'aurais fait? Après le chômage, ça aurait été le BS. Dans mon coin, les usines fermaient les unes après les autres. Personne n'allait bien loin avec un secondaire III, même à cette époque-là. Alors, Mariette m'a laissé partir.

Il se tourna vers Sophie et lui offrit un sourire malicieux.

– Tu ne me croiras pas, mais elle a pris ce jour-là la meilleure décision de sa vie. Et c'est elle qui l'a dit. Parce que ce changement a eu des conséquences positives pour elle aussi. Ça lui a permis de retrouver sa liberté, celle qu'elle avait perdue avec l'achat de la maison et l'arrivée des enfants. Au bout d'un an, elle est devenue peintre.

Il éclata de rire comme s'il venait de dire quelque chose d'hilarant. Sophie n'osa l'imiter, se demandant quelle partie du monologue lui avait échappé. Elle risqua une autre question:

– Qu'est-ce qu'elle peint? Des paysages?

– Non, des murs.

Il rit de plus belle, et cette fois, Sophie ne réprima pas le fou rire qui s'empara d'elle. Elle ne s'étonna même pas quand, d'un air joyeux, Mike dirigea son camion vers la première bretelle qu'il aperçut.

– On a pris un peu d'avance, dit-il en essuyant une larme du revers de la main. Viens, je te paie un café.

Ce jour-là, ils contournèrent encore toutes les grandes villes grâce à des voies périphériques. Richmond, Washington, Baltimore, Philadelphie. Sophie les aperçut à peine. Arrivés à New York, ils franchirent un pont qui les mena dans le Bronx et Mike désigna à Sophie les quartiers délabrés.

– C'est sale et dangereux, déclara-t-il avant de s'empresser d'enfiler la I-87 en direction nord.

Peu après, l'autoroute retraversa le fleuve Hudson qu'elle longea ensuite par sa rive ouest. Et à 20 heures précises, Mike engagea son camion dans le stationnement d'un relais routier à l'extérieur d'Albany. Une mince couche de neige recouvrait l'asphalte. Ici et là, de la glace s'entassait sous les arbres. On était à la fin du mois de mars. Sophie imagina Montréal. Les rues devaient encore être enneigées. Tous les matins, l'autoroute 10 devait être bloquée. Un nœud lui broya soudain l'œsophage. Le voyage se terminait. Il leur restait moins d'une journée de route.

Des montagnes. Des montagnes, de la forêt, et rien d'autre. Voilà à quoi ressemblait la traversée des Adirondacks sur la I-87 jusqu'au poste frontalier de Lacolle où Mike présenta sa *Fastcard*. Allongée sur le lit le plus élevé, Sophie était demeurée silencieuse.

– Avec les ordinateurs d'aujourd'hui, les douaniers savent tout sur toi et ils te laisseraient probablement entrer sans problème, mais on ne prendra pas de chance. S'ils décidaient de te faire leur grand numéro, je ne pourrais pas t'attendre.

Sophie n'avait pas argumenté et s'était tenue tranquille les quelques minutes qu'avait duré l'entretien. Ensuite… Ensuite, ce fut des champs immaculés. La I-87 devint la 15, un terrain connu qui eut sur Sophie le même effet qu'un agent de la U.S. Border Patrol. Chaque panneau annonçant Montréal lui donna un coup au cœur. Chaque nom de village familier la fit tressaillir.

Sophie ne posait plus de questions. Elle s'abstenait aussi de tout commentaire. Elle gardait les yeux fixés sur le ruban d'asphalte enneigé qui se déroulait devant le poids lourd. Tout au bout se trouvait sa vie. Celle dont elle ne voulait plus, mais dont elle ne savait comment se défaire.

Ils atteignirent le fleuve et s'engagèrent sur le tablier du pont Champlain. Il était midi passé et, pourtant, la circulation y était fluide.

– Il n'y a presque personne, s'étonna Sophie. Je n'ai jamais traversé le pont aussi facilement en vingt ans.

– On est dimanche.

Mike avait parlé en freinant pour éviter d'emboutir la voiture qui venait de lui couper la route.

– Demain matin, ce sera autre chose.

Sophie frémit, et des larmes lui brouillèrent la vue. Elle les sentit couler le long de ses joues, mais n'amorça pas un geste pour les essuyer. Il y en avait trop ; elle aurait perdu son temps.

– Tu pleures parce que tu es triste ou bien parce que tu es contente ? demanda Mike en l'entendant renifler.

– Je pleure parce que j'ai peur.

D'une main, Mike fouilla dans un des compartiments placé près du tableau de bord. Il y trouva une boîte de mouchoirs qu'il lui tendit sans dire un mot. Dehors, il avait commencé à neiger et un fin brouillard dissimulait l'horizon. De chaque côté de la route, des congères sales cachaient les parapets. Sophie s'étrangla de dégoût. Le camion traversa

Montréal, longea le lac des Deux Montagnes et piqua vers le sud.

– On va d'abord laisser la van, annonça Mike en rejoignant Valleyfield. Après ça, on ira récupérer mon auto. Puis après...

Il hésita, ne sachant comment évaluer la portée de la phrase qu'il s'apprêtait à prononcer.

– Après, j'irai te reconduire chez toi.

Sophie déglutit avec peine, mais n'ajouta rien.

26.

Mike déneigeait sa voiture, stationnée depuis trois semaines à Valleyfield. Assise sur le siège du passager, Sophie se demandait si elle devait lui demander de s'arrêter à l'aéroport afin de récupérer le manteau et les bottes qu'elle y avait laissés. Elle y renonça en réalisant que le montant à payer pour une consigne de trois mois à 2 $ par jour dépasserait largement la valeur de ses affaires. Il lui faudrait s'en passer ou en trouver d'autres.

Les yeux fixés sur le blanc du ciel, Sophie essaya d'anticiper encore une fois la réaction de sa famille lorsqu'elle débarquerait chez elle dans moins d'une heure. Que pourrait-elle leur dire pour justifier une si longue absence? Qu'elle avait eu besoin de vacances?

La portière s'ouvrit du côté conducteur, et Mike s'engouffra à l'intérieur, suivi d'une volée de flocons.

– As-tu une place où aller? demanda-t-il en regardant droit devant lui, immobile, les deux mains sur le volant.

Puis, lentement, il se tourna vers elle.

– À voir ta peine et tes silences, je conclus que tu ne veux pas rentrer chez toi. Mais je ne peux pas te laisser ici, tu n'as même pas de linge d'hiver. Je t'emmènerais bien chez nous, mais Mariette n'aimerait pas ça. Alors...

Il se pinça les lèvres.

– ... je pourrais te laisser chez ma sœur en passant.

– Je ne veux pas déranger, s'opposa Sophie, mal à l'aise à l'idée de lui causer du souci. Laisse-moi dans un motel, je m'organiserai bien.

– Non, non. Tu ne dérangeras pas. Rachelle sera même contente d'avoir de la compagnie. Et puis elle pourra te trouver du linge. Elle est très débrouillarde, ma sœur.

– Je ne veux pas dé…

– Arrête donc ! Puisque je te dis que ça va lui faire plaisir. Elle vit toute seule dans une clairière en plein bois, avec des poules pis un jardin. Personne ne viendra te chercher là, c'est certain.

« Personne ne viendra te chercher là. » Ces mots constituaient le meilleur argument possible pour convaincre Sophie d'accepter. Elle hocha la tête.

– C'est parfait. Je vais l'appeler pour l'avertir. Bouge pas, je reviens.

Il sortit, referma la portière et courut s'engouffrer dans un édifice commercial. Il en revint deux minutes plus tard, un sourire fendu jusqu'aux oreilles.

– Elle nous attend.

D'un geste qui paraissait instinctif chez lui, il embraya en marche arrière, et la voiture se mit en branle.

La campagne défilait, blanche à perte de vue. De chaque côté de la route, les maisons s'élevaient, plus ou moins proches du chemin, bien entretenues, bien chauffées. Des rangées d'arbres couverts de neige bordaient un terrain, une entrée, un commerce. Ailleurs, la plaine se fondait dans la tempête qui semblait vouloir reprendre de la vigueur. Sophie étudia ce paysage qui lui était étranger. Elle n'était jamais venue dans ce coin de la province. Salaberry-de-Valleyfield était loin derrière, et la route 201 descendait vers le sud-est aussi droite qu'une règle. Ils roulèrent une dizaine de kilomètres avant de pénétrer dans Ormstown. Bien qu'on fût en plein cœur de l'après-midi, le village avait l'air endormi, enseveli sous la neige.

– Une vraie tempête de mars! s'exclama Mike dont la voiture s'enfonçait parfois jusqu'aux essieux. Rachelle n'aura pas eu le temps de faire déneiger son entrée. Prépare-toi à pousser.

Mais quand, de l'autre côté du village, il mit son clignotant pour emprunter le chemin qui menait chez sa sœur, il trouva la voie dégagée.

– Je te dis que c'est quelqu'un d'organisé, Rachelle!

La voiture s'engagea avec facilité à travers le boisé.

– Elle a dû appeler son voisin. C'est un cultivateur. Avec son tracteur, il lui aura ouvert ça en cinq minutes.

L'admiration qu'il vouait à sa sœur piqua la curiosité de Sophie. Elle étira le cou pour observer, entre les arbres, le premier bâtiment qui venait d'apparaître sur la gauche. Il s'agissait d'un hangar, peut-être d'une ancienne grange, difficile à dire avec la neige qui continuait de tomber. Puis l'ombre de la maison se dessina dans le blizzard. Construite en briques rouges et entourée de forêt, elle s'élevait sur un étage et demi grâce à un toit mansardé. Comme on l'approchait par le côté, on n'apercevait de la façade qu'une galerie bordée de barrotins. La maison en elle-même semblait venir d'un autre siècle avec sa lucarne et sa grosse cheminée. Des rideaux de dentelle voilaient en partie les fenêtres à carreaux. Dans l'une d'elles, au rez-de-chaussée, la silhouette d'une vieille femme se découpait, appuyée au chambranle. Elle leur fit signe de la main, et un châle de laine sombre glissa de ses épaules, découvrant une chevelure magnifique, dense et blanche, qui retombait sur sa poitrine et probablement aussi bas dans son dos.

Dès que la voiture s'immobilisa, trois gros chiens sortirent en trombe par la porte arrière. Leurs aboiements effrayèrent

Sophie qui demeura sur son siège, une main sur la poignée, les yeux fixés sur les crocs qu'elle apercevait dans les gueules béantes. Sans éprouver la moindre crainte, Mike ouvrit la portière et rejoignit les bêtes qui gémirent de bonheur en le reconnaissant.

– Salut, mes beaux! s'écria-t-il en distribuant les caresses. Comment ça va? Hein? Comment ça va? Oui, vous êtes contents de me voir. Ah, les beaux chiens!

Il continua son monologue, se laissant bousculer, s'efforçant malgré tout de rejoindre la portière derrière laquelle Sophie demeurait à l'abri.

– Viens! Ils ne sont pas dangereux. Si tu les laisses te sentir, tu vas voir qu'ils sont doux comme des agneaux.

Des agneaux? Des loups plutôt! Après une profonde inspiration, Sophie trouva le courage de mettre pied à terre. Elle se dirigea d'un pas rapide vers la porte, suivie par les trois chiens qui la reniflaient à qui mieux mieux.

– Bonjour! s'exclama alors une voix de femme. Mais vous n'avez pas de manteau! Dépêchez-vous donc de venir vous réchauffer près du poêle.

Malgré l'ordre lancé, Sophie s'immobilisa et chercha son interlocutrice. Son visage s'illumina lorsqu'elle l'aperçut, près de la porte.

– Je vous ai préparé du chocolat chaud, continua-t-elle lorsque Sophie franchit le seuil. J'espère que vous aimez ça. Mike, veux-tu rentrer les bagages de ton amie?

– Elle n'en a pas, répondit son frère, un peu embarrassé. C'est pour ça que je te l'amène.

– Pas de bagage? répéta-t-elle en se tournant vers Sophie. Tu as bien fait de me l'amener. Pauvre fille! Vous devez être transie. Venez près du poêle. Venez!

Sans attendre un geste de Sophie, elle lui prit le bras et l'entraîna dans la cuisine. Sophie entendit Mike retirer ses bottes. Elle savait qu'il leur emboîtait le pas, mais elle ne l'attendit pas, envoûtée qu'elle était par le joyeux capharnaüm qui régnait dans la cuisine.

Le haut de deux murs était couvert d'étagères où la vaisselle s'empilait proprement, mais sans laisser le moindre centimètre d'espace vide. Sous ces « armoires », un comptoir de bois était recouvert d'ustensiles de cuisine et de petits appareils électriques, de bouteilles d'huiles, de fines herbes et d'épices, d'un bol de pommes et d'une assiette remplie d'œufs. Derrière ces objets un peu hétéroclites, sur toute la longueur du comptoir, un alignement de bocaux de verre contenant des légumes et des fruits en conserve dissimulait des carreaux de céramique blanche. Au fond de la pièce, une grande fenêtre s'ouvrait sur la cour. En plein jour, elle devait permettre au soleil de couver de sa lumière la demi-douzaine de plantes qu'on avait juchées sur des tabourets. Pour l'heure, elle rendait invitante une chaise berçante placée là pour profiter au maximum de la chaleur du poêle. La cuisinière, le frigo et un congélateur vertical meublaient ce qui restait des autres murs alors qu'au centre de la pièce trônait une gigantesque table entourée de chaises dépareillées. Et partout, dans chaque espace disponible, et parfois même fixées sur d'autres objets, se trouvaient des assiettes. Des assiettes anciennes, des plus récentes, des assiettes intactes et d'autres ébréchées. Certaines peintes ou décorées de fils d'or. Plusieurs étaient ouvragées, d'autres unies. Il y en avait en faïence, en terre cuite, en bois et en étain. Deux d'entre elles semblaient même avoir été plaquées avec de l'argent. Par terre, sur un plancher de bois aux lattes larges et foncées, deux très petits tapis avaient été placés, l'un devant l'évier, l'autre devant la planche à découper. L'ensemble respectait un ordre certain. Un ordre aussi mesuré et discret que le tic-tac de l'horloge grand-père qui se dressait au bout du couloir.

– Comme tu peux le voir, dit la vieille femme en désignant fièrement sa cuisine, cette maison est habitée.

– Sophie, je te présente ma sœur Rachelle, lança enfin Mike, lorsqu'il les rejoignit après avoir caressé les chiens un à un. Rachelle, voici Sophie.

Devant le sourire interrogateur de sa sœur, il précisa :

– Elle arrive du Texas.

Rachelle se tourna vers Sophie, admirative.

– *From Texas ? Really ?*

– Je suis québécoise, s'empressa d'ajouter Sophie afin de dissiper toute confusion.

– Tant mieux ! Mike, tu restes avec nous pour souper, n'est-ce pas ?

– C'est gentil, Rachelle, mais ça fait trois semaines que je suis sur la route. J'ai bien hâte de revoir Mariette.

– Tant pis pour toi. J'ai fait un ragoût dont moi seule connais la recette. Avec des légumes de mon jardin et un morceau de ce cher Alfred.

Maintenant que Sophie s'était habituée à la chaleur, elle remarqua les arômes alléchants qui embaumaient la maison.

– Tu prendras bien un café au moins ? insista Rachelle en tirant une chaise pour son frère.

– Ça, ce n'est pas de refus.

D'un pas souple, elle se rendit à l'évier. Sophie remarqua qu'elle portait un jean et, sous le châle, une chemise à carreaux digne d'un ancien camp de bûcherons.

– Tu seras bien ici, lui murmura Mike.

Sans savoir pourquoi, Sophie le crut sur parole. Elle se sentait déjà à l'aise. Les odeurs étaient agréables, et la maison évoquait la sécurité. Sophie réalisa qu'elle n'avait qu'une envie : s'enfoncer profondément dans son siège et faire une sieste.

– Il y a une chambre de visite à l'étage, poursuivit-il, toujours à voix basse. Et puis ma sœur fait assez de provisions à l'automne pour tenir un siège de six mois.

– Inutile de chuchoter, répliqua Rachelle. Je suis vieille, mais pas sourde. Tu sauras que j'aime avoir de la nourriture sous la main. Comme ça, quand la rivière aux Outardes inonde mon terrain et me coupe du monde pendant deux semaines, je suis certaine de ne pas mourir de faim.

Elle rit en revenant, trois tasses à la main. Derrière elle, le café infusait dans un glouglou réconfortant. Mike commença à raconter son voyage et sa rencontre avec Sophie. Il passa sous silence l'épisode du client, mais décrivit avec moult détails leur arrêt au poste de pesée.

– Alors, je lui ai dit : « Prie, fille, pour que ce gars-là ait digéré son déjeuner. » Au même moment, on a vu le contrôleur lever le bras pour écouter ce que son boss lui disait dans le walkie-talkie. Deux secondes plus tard, il nous laissait passer.

Il rigola en imitant l'air bourru du contrôleur, le soulagement de Sophie, sa propre inquiétude du moment.

– Ça fait que je lui ai dit de continuer ses prières parce qu'il y avait une centaine de balances jusqu'au Canada. Ben, tu ne me croiras pas, mais on n'a pas été fouillés une seule fois. Même pas à la frontière.

Il termina son histoire et avala d'un trait ce qui lui restait de café.

– Ce n'est pas parce que je m'ennuie, mais Mariette doit m'attendre.

Il se leva, enfila le manteau qu'il avait suspendu au dossier de sa chaise et se dirigea vers la porte.

– Garde mon gilet, lança-t-il à Sophie, une main sur la poignée. J'en ai plein d'autres.

Se tournant vers sa sœur, il ajouta :

– Je t'appelle demain pour qu'on arrange quelque chose.

– Mais c'est tout arrangé, lui assura Rachelle en passant un bras autour des épaules de Sophie. Cette belle fille-là peut rester ici tant qu'elle veut.

27.

Malgré un certain malaise, Sophie ne s'offusqua pas de l'attitude maternelle de Rachelle. Les deux femmes avaient au moins trente ans de différence, mais aux yeux de son hôtesse, Sophie était encore bien jeune.

– Bon ! s'exclama Rachelle après le départ de son frère. Si tu me racontais comment tu t'es retrouvée au Texas sans bagages.

Elle avait versé un trait de cognac dans les tasses de café. Alors, comme si c'était la chose la plus naturelle du monde, et sans même se demander s'il était approprié ou non de raconter une telle histoire à une femme de cet âge, Sophie se mit à parler. Elle commença son récit le jour de son quarantième anniversaire. Elle raconta tout : la haie de cèdres aux branches aussi mortes qu'elle à l'intérieur, le ras-le-bol familial, la fuite à Cancún, Luis, le téléphone à Luc, puis le rêve d'amour qui l'avait menée chez Peppe. Elle décrivit les conditions de vie à l'étage du restaurant, la peur, la crasse. Elle raconta aussi l'histoire de son seul et unique client à la gare routière et les vrais détails de sa rencontre avec Mike. Suivirent une description de ses pensées sur la route du retour et celle de la terreur qui l'avait assaillie à la frontière canado-américaine.

– Et tes filles ? demanda alors Rachelle qui l'avait écoutée en sirotant son café. Elles doivent bien te manquer ?

À cette dernière question, Sophie sentit les larmes lui monter aux yeux. Elle hésitait et en avait honte. Elle renifla, essaya en vain de ne pas pleurer. Elle cherchait au fond d'elle-même autre chose que ces mots qui lui déchiraient les entrailles. Mais la seule réponse qui lui vint était empreinte d'une telle franchise qu'elle éclata en sanglots.

– Les filles qui me manquent sont mes petites filles, répondit-elle avec la même intensité que ses larmes coulaient. Je ne m'ennuie pas de mes ados. Elles sont insupportables. Je voudrais tant les retrouver telles qu'elles étaient quand je les berçais, quand je leur montrais comment décorer un gâteau de fête, quand elles faisaient leurs devoirs sur la table de la cuisine. Elles étaient tellement belles et tellement fines ! Je ne sais pas ce qui leur est arrivé avec les années. Je ne comprends pas comment elles ont pu devenir aussi…

– Ah, ça ! s'exclama Rachelle, c'est à cause de la date de péremption.

Devant l'air confus de Sophie, elle poursuivit :

– C'est une théorie que j'ai développée au fil des ans. Certains enfants semblent venir au monde avec une date de péremption. Tu sais, du genre « meilleurs avant telle date ».

Sophie rit malgré ses sanglots, et quand elle se remit à parler, une partie de sa douleur s'était envolée.

– Elles me traitent comme une servante. Je les aime, mais je n'arrivais plus à les endurer. Je sais que c'est de ma faute. J'aurais dû intervenir avant. Mais j'étais si obsédée par l'idée de tout réussir tout le temps que je n'ai pas réalisé ce qui m'arrivait, jusqu'où je m'abaissais pour maintenir l'harmonie autour de moi. Je voulais juste la paix.

– Et maintenant ?

– Je veux toujours la paix et je n'ai aucune envie de retourner là-bas. Je ne veux plus de cette vie-là. Mais je n'ai pas vraiment le choix, n'est-ce pas ? Je n'ose même pas les appeler. Je n'ai pas envie d'entendre Luc crier. Et je ne veux pas entendre les filles me dire tout ce qu'elles pensent de moi. J'aimerais les voir, leur parler, les serrer dans mes bras. Je voudrais juste que ça se passe en silence, que personne ne me critique, que personne ne cherche à me forcer la main.

Rachelle avait plissé les yeux et hochait la tête.

– Pis les autres ? Pis ta job ?

Les autres… Sa mère, Sophie aimait autant ne pas y penser. À quel sermon elle aurait droit ! Que d'excuses elle allait devoir fournir pour qu'on daignât lui pardonner de s'être défilée ! Quant à son frère, Sophie savait maintenant qu'elle n'était pas responsable de lui. L'avait-elle jamais été ? Pour ce qui était de son poste à la commission scolaire…

– Je suppose que je vais avoir un blâme pour être partie comme je l'ai fait. Au pire, je serai mise à la porte. Mais, vous savez, ça ne me fait rien. Je n'ai pas d'argent, pas de papiers, et ça ne me dérange même pas. La seule chose qui me dérange, c'est de retourner à la maison.

– Alors, n'y retourne pas.

– Ben, voyons ! Ça ne se fait pas.

– Partir toute seule dans le sud en abandonnant sa famille à la veille des fêtes, ça ne se fait pas non plus. Quant à vivre à la frontière mexicaine, on n'en parle même pas. C'est même illégal.

Sophie demeura bouche bée d'entendre une femme qu'elle connaissait à peine lui tenir des propos aussi directs. Mais c'était l'image évoquée par ces mots qui la bouleversa le plus. Avait-elle vraiment fait preuve d'autant de courage… et de folie ?

– De toute façon, tu n'as rien besoin de décider ce soir. Tu peux rester ici tant que tu veux. On a de la nourriture en masse. Et puis je vais te trouver de meilleurs vêtements. Tu prendras ton temps. Quand tu seras prête, tu pourras au moins appeler chez toi, histoire de sonder le terrain.

Sophie frémit à cette idée, mais dut tout de même admettre que c'était la meilleure solution. Elle se tourna vers le poêle dont on voyait les flammes par la petite porte en verre sur le devant. Pendant un moment, elle ne pensa plus et laissa la chaleur la submerger. Pas seulement la chaleur de la pièce, mais aussi celle de cette femme, de sa maison, de son accueil et de ce repas qui sentait tellement bon.

– On parle, on parle, mais le temps file ! s'exclama justement Rachelle. Il me semble que ce serait l'heure de souper.

Elle bondit sur ses pieds, replaça son châle et dansa presque en s'approchant de la cuisinière. Puis, se penchant au-dessus du chaudron, elle trempa ses lèvres dans une cuillère de ragoût et poussa une exclamation de plaisir.

– Pour un festin, c'en sera tout un !

D'un grand éclat de rire, elle écarta les chiens qui voulaient goûter eux aussi, et ouvrit la porte d'une armoire bien garnie. Elle en sortit une bouteille de vin rouge qu'elle tendit à Sophie avec deux verres.

– Mais d'abord, on va boire à ta santé.

À la nuit tombée, la tempête s'intensifia. Au chaud sous les couvertures, un chien endormi sur ses pieds, Sophie était toujours éveillée. Entre les gémissements de l'animal et les ronflements de Rachelle dans la chambre voisine, elle n'avait réussi à fermer l'œil qu'un bref instant. Pourtant, malgré les bruits, la maison offrait un calme rare. Sophie étudia la chambre à la lueur de la veilleuse fichée dans un mur du couloir. Le plafond mansardé descendait en pente raide sur sa droite. Elle aurait pu y toucher si elle avait tendu le bras, mais elle n'en fit rien. L'air froid s'infiltrait par un interstice entre la fenêtre et le mur, ce qui faisait danser le rideau au rythme du vent qui rugissait dans les arbres. Sans la chaleur de l'animal pour lui réchauffer les pieds, Sophie aurait été frigorifiée. Des ombres rectangulaires se dessinaient sur les trois autres murs. De vieilles photographies encadrées, quelques fleurs séchées, le dessin d'un enfant aussi. Sophie se demanda de qui il s'agissait, mais se trouva aussitôt ridicule. Rachelle était probablement grand-mère depuis longtemps. Combien d'enfants avait-elle porté? Les avait-elle élevés dans cette maison? Autant de questions trop personnelles pour qu'elle s'imaginât en train de les poser. Il était néanmoins évident que Sophie occupait la chambre d'un garçon. Des meubles de bois foncé, carrés, solides, et dans un coin, sur une étagère, la silhouette d'un camion avec la benne relevée. Pas une poupée, rien de féminin.

Il y avait donc un garçon dans la vie de Rachelle. C'était peut-être son fils ou son petit-fils. Sophie sourit. Si elle avait eu à se choisir une grand-mère, c'était une femme comme Rachelle qu'elle aurait voulue. Mais Sophie avait peu de souvenirs de ses grands-parents. Ils étaient tous décédés quand elle était encore enfant.

Sophie entendit soudain des bruits de pas précipités. Elle jeta un œil dans le couloir, mais ne vit personne, malgré la veilleuse. Après une brève pause, les pas s'engagèrent dans l'escalier, dévalant les marches à un rythme effréné. Ce tumulte, bien que feutré, réveilla le chien qui dormait au pied du lit. Sophie le sentit se lever. Il bondit et descendit à son tour au rez-de-chaussée. S'en suivirent un bruit de plats de métal qu'on renverserait et une série de grognements dissuasifs.

Sophie enroula ses pieds dans la couverture encore chaude. Précaution inutile, car déjà, les bêtes remontaient l'escalier. Sophie retrouva son compagnon qui escalada le lit pour reprendre sa place, en boule sur ses pieds. Elle étira le bras et lui gratta le cou. Dire qu'elle avait eu peur lorsque Rachelle avait ordonné à Jack de dormir avec elle. Le chien lui avait paru énorme et dégoûtant avec ses crocs blancs et les poils qu'il laissait partout. Elle devait admettre, maintenant, qu'il dégageait assez de chaleur pour deux, ce qui n'était pas un luxe quand on dormait dans une chambre si mal isolée.

Quand elle y pensait, Sophie n'en revenait pas d'être couchée aussi près d'un gros animal et de ne pas avoir peur. Elle n'avait jamais aimé les chiens. Pas davantage que les chats d'ailleurs. Elle n'avait jamais compris cet intérêt pour les animaux domestiques. Un poisson rouge, à la rigueur. Un hamster, peut-être. Mais une bête qui requérait de l'attention, des soins, de l'exercice, des dépenses et qui salissait en plus, pas question ! Or, ce soir, couchée avec un chien d'au moins quarante kilos, Sophie se demandait si elle ne devait pas revenir sur ses positions.

– C'est le froid, sans doute, se dit-elle pour justifier l'affection soudaine qu'elle portait à l'animal. Le froid ou la fatigue.

Et justement, après avoir de nouveau gratté le cou de Jack, elle reprit sa position et s'endormit.

28.

Pendant la nuit, Sophie rêva du réconfort que lui aurait apporté une grand-mère. Que de leçons de vie elle aurait pu apprendre au contact d'une aïeule ! Que de patience aussi ! Rachelle était apparue à ses yeux comme celle qui préparait volontiers des crêpes à ses petits-enfants. L'affection facile, un réel intérêt pour le bonheur des autres. Une vraie grand-mère, quoi ! Elle ne fut donc pas surprise en ouvrant les yeux le lendemain matin de reconnaître dans l'air l'odeur du café mêlée à celle de l'huile chaude et de la pâte sucrée. Au pied du lit, le chien avait disparu, mais sa place était encore tiède. Sophie se leva, se rendit à la fenêtre et demeura ébahie devant la quantité de neige tombée pendant la nuit. Cinquante centimètres au moins ! Du coup, le Texas lui parut aussi loin que sa vie d'avant. L'image du Peppe's Kitchen devint évanescente. Difficile de croire qu'elle y travaillait encore une semaine plus tôt. Le chant d'un coq retentit tout à coup, provoquant chez Sophie un fou rire qui prit un moment à s'estomper. Jamais de sa vie elle n'avait entendu de coq. Elle n'était pourtant pas surprise qu'un événement de ce genre se produise chez Rachelle. Tout était tellement différent dans cette maison que ça lui donnait l'impression que le temps s'était arrêté. Peut-être avait-il même reculé…

Elle s'habilla, fit un brin de toilette, et descendit rejoindre son hôtesse. Elle n'avait pas mis le pied sur la dernière marche que les chiens se ruaient déjà sur elle.

– Jack ! Ti-Pit ! Sophie ! Couché !

Sophie s'immobilisa en entendant son nom. Rachelle se tenait debout derrière les bêtes, une spatule à la main. Elle était vêtue d'une chemise de nuit blanche en flanelle de coton qui lui descendait jusqu'aux chevilles. Sur ses épaules se trouvait le châle noir sur lequel se découpait une grosse tresse blanche.

– J'ai une bien triste nouvelle pour toi, ma fille, dit-elle en désignant les chiens du bout de la spatule. Cette femelle berger allemand s'appelle Sophie, elle aussi.

Elle avait parlé en esquissant un sourire embarrassé. Sophie tendit la main vers la chienne et lui caressa le museau, l'âme chargée de compassion.

– Enchantée de faire ta connaissance, Sophie, dit-elle d'une voix qu'elle aurait voulu enjouée. Elle doit avoir bon caractère.

– En effet, c'est pour ça que je l'ai baptisée Sophie. Ça veut dire « sage » en latin.

Sophie sourit tristement. Elle connaissait déjà la signification de son nom. Sa malédiction ne venait-elle pas de là justement ?

– Le gros bâtard avec qui tu as dormi, c'est Jack. L'autre, le fatigant, c'est Ti-Pit. Je n'aime pas son nom, mais quand je l'ai adopté, il s'appelait déjà comme ça. Je n'ai pas voulu le bouleverser en changeant son nom. Déjà qu'il changeait de maison, le pauvre. Repousse-le si tu le trouves trop tannant. Il doit avoir manqué d'affection toute sa vie, ce chien-là, parce qu'il n'en a jamais assez. Bon ! Ça suffit, Ti-Pit, va jouer dehors.

À ces mots, elle se dirigea vers la porte arrière qu'elle ouvrit toute grande.

– Allez ! Tous dehors ! ordonna-t-elle d'une voix autoritaire teintée d'affection. Vous allez jouer, le temps qu'on mange. Allez !

L'ordre était bien inutile, car les chiens se réjouissaient à l'idée de batifoler dans la neige. En franchissant le seuil cependant, les deux plus gros se retrouvèrent coincés dans l'embrasure. Quelques aboiements bien sentis réglèrent vite la question du droit de passage. La priorité appartenait à Jack et à ses kilos supplémentaires.

– Viens, maintenant, dit plus doucement Rachelle en entraînant Sophie vers la chaise berçante. Assieds-toi, je t'apporte du café. Tu le prends comment ?

– Noir, bredouilla Sophie, avant de se relever. Mais je vais me le servir moi-même. Venez vous asseoir, vous en avez assez fait. Je vais finir de préparer le déjeuner.

– C'est déjà tout prêt, ma fille. Les crêpes sont dans le four, au chaud. Mais avant, tu vas prendre un café, histoire de te réveiller un peu. As-tu bien dormi au moins ?

Elle poursuivit sur le temps qu'on annonçait pour ce jour-là, sur les chiens qu'elle adorait. Elle parlait encore, déposant des fruits dans une assiette, ajustant les fleurs séchées dans le vase, versant du jus d'orange dans les verres. Derrière elle, sur la cuisinière, des œufs cuisaient dans un chaudron. Rachelle y jeta un œil, programma la minuterie et revint vers la table terminer la préparation du déjeuner.

Tandis qu'elle la regardait s'activer, Sophie réalisa qu'il y avait bien longtemps qu'on avait cuisiné pour elle, qu'on l'avait servie, et qu'on lui avait interdit de prendre part à la tâche. La dernière fois, c'était… Elle ne s'en souvenait plus. Quand elle était enfant, probablement, parce qu'à l'adolescence, elle savait déjà ce qu'on attendait d'elle. C'était par réflexe qu'elle avait offert à Rachelle de l'aider, de la remplacer même. Depuis toujours, servir avait été sa manière de vivre, sa façon d'être heureuse. N'était-ce pas le rôle des femmes les plus jeunes de servir les plus âgées… et de servir les enfants… et de servir les hommes ? Même de nos jours, alors qu'on aimait croire que tous étaient égaux, même chez les femmes les plus indépendantes. Parce que l'égalité, c'était de la politique, c'était dans la vie publique. Dans le privé, dans les foyers, les choses n'avaient pas tellement changé. Pour les femmes de la génération de Sophie, en tout cas.

Comme il lui avait été facile de retomber dans cette vieille habitude ! Mais cette attitude servile était derrière elle maintenant. Sophie avait décidé que sa vie changerait et elle la changerait de force s'il le fallait. Elle voulait pouvoir boire tranquillement son café le matin, comme en ce moment. Elle voulait prendre le temps, respirer lentement, et à pleins poumons, les arômes de la nourriture ou l'air ambiant qui apportait la paix. Plus question de respirer par à-coups, entre deux corvées, debout derrière le comptoir, la cuisinière, la laveuse ou la planche à repasser. Elle ne voulait pas qu'on la serve, mais elle ne voulait pas non plus qu'on la force à servir. Elle le ferait quand elle en aurait envie. Plus jamais par obligation.

Juste le fait d'y penser lui permit de se calmer et de laisser monter en elle la vague de bien-être qui tentait de la submerger depuis la veille. Rien ne pressait. Elle n'avait nulle part où aller et personne ne l'attendait. Un coup d'œil à la fenêtre dissipa les derniers vestiges d'un malaise passé. Dehors, les chiens aboyaient et couraient dans tous les sens, chassant qui un oiseau, qui un écureuil, qui un chat. Les arbres étaient chargés d'une neige lourde que les rayons de soleil faisaient briller comme des milliers de cristaux. Au-delà de la clairière, derrière un rideau de végétation, une rivière coulait, ses flots libres et sombres glissant avec lenteur vers le nord. Et au-delà encore, Sophie aperçut une campagne vierge de toute tension. Sa respiration devint plus lente, plus régulière. Les mains enroulées sur sa tasse, elle se berça doucement dans la chaise, les prunelles humides à l'idée d'un bonheur simple, mais qu'elle n'avait pas encore connu.

Lorsqu'elle revint à Rachelle, les couverts avaient été dressés. Elle vit la vieille femme sortir les crêpes du four et les arroser d'un trait de sirop d'érable.

– Je l'ai fait chauffer un peu avant. Ça rehausse le goût, comme on dit. Un de mes amis est acériculteur. C'est lui qui m'a donné ce truc. Après ça, je n'ai pas eu d'autre choix que de lui acheter son sirop. Mais je ne le regrette pas. Il travaille bien, cet homme-là.

D'un geste, elle invita Sophie à s'asseoir de l'autre côté de la table, afin que la jeune femme conserve dans son champ de vision ce paysage campagnard d'une autre époque.

Après une visite des placards et des tiroirs de l'étage, Sophie se retrouva avec un jean, une salopette et deux chemises fleuries.

– Bon, ce n'est pas parfait, murmura Rachelle, en étudiant les petites fleurs. Je devais être dans une autre zone quand j'ai acheté ça.

Elle se tut et, pendant qu'elle fouillait dans un dernier placard, Sophie réalisa tout ce qu'impliquait l'expression « être dans une autre zone ». N'était-ce pas une manière intéressante de voir la vie ? Accepter ce qu'on avait été. Accepter ce qu'on était devenu. Accepter le changement sous toutes ses formes. S'accepter tout court, tel que l'on était, avec ses contradictions et ses imperfections. Quelle simplicité dans cette révélation ! Si elle avait été croyante, Sophie aurait remercié le ciel d'avoir mis cette vieille dame sur sa route, ne serait-ce que pour la leçon de vie qu'elle venait de lui exposer en quelques mots.

– De toute façon, conclut Rachelle, je n'ai rien d'autre qui te ferait. Si ça te convient, ce linge-là est à toi.

Sophie accepta le cadeau. Cette femme venait de lui donner bien plus que des vêtements.

Après un coup d'œil dans un dernier tiroir, Rachelle se redressa avec un châle rouge un peu délavé.

– C'était mon premier, expliqua-t-elle en dépliant le carré de lainage pour en examiner le détail d'un œil de connaisseur. Les mailles ne sont pas toutes égales, mais il n'en est pas moins chaud, je te le garantis.

Elle le lui tendit, et Sophie le glissa sur ses épaules. Elle se retrouva aussitôt enveloppée dans un nuage au parfum de lavande. Une étrange chaleur l'envahit, comme venue de l'intérieur, comme si, en même temps que de l'odeur, c'était d'une partie de la sagesse de Rachelle dont elle venait de s'imprégner.

– Ça sent bon, n'est-ce pas ? déclara la vieille femme en portant un pan du châle à son nez. Un de mes amis possède une lavanderaie à Franklin. Je lui achète des fleurs et je fais des pochettes comme celle-là.

Elle sortit d'un tiroir une enveloppe de coton carrée, bombée et odorante.

– J'en mets partout. J'aime que mon linge sente l'été à longueur d'année.

Sophie se lova dans le châle, troublée. C'était vrai qu'il sentait l'été, mais il sentait aussi la joie de vivre, le plaisir et une grande tranquillité d'esprit.

Rachelle plongea le visage dans les vêtements qu'elle sentit une dernière fois avec satisfaction.

– Dire qu'avant, je préférais le muguet, déclara-t-elle comme pour se moquer d'elle-même. Je devais être dans une autre zone là aussi. Comment est-ce qu'on peut préférer le muguet à la lavande ? Je me le demande bien. Bon, va te changer pendant que je te trouve un manteau et des bottes. Il faut qu'on aille déblayer la galerie d'en avant.

Sophie s'exécuta, surprise de sa propre docilité. De toute façon, comment aurait-elle pu s'opposer à une personne qui donnait autant et exigeait si peu en retour ? Elle n'en avait simplement pas envie. Elle se sentait trop bien en sa compagnie.

Dans l'intimité de sa chambre, Sophie se déshabilla et se rendit compte qu'en retirant ses vieux vêtements, elle se dépouillait d'une partie d'elle-même. Le T-shirt et le jean étaient si sales et si usés qu'il était difficile d'imaginer qu'elle aurait pu les porter de nouveau. Elle hésita quand même à s'en débarrasser ; elle possédait trop peu de choses pour jeter ce qui pouvait encore servir. Elle les mit simplement de côté. Avec une joie qu'elle ne réprima pas, elle enfila son nouveau jean qui, bien qu'un peu grand, s'avéra confortable. Lorsqu'elle glissa les bras dans une des chemises, son humeur changea tout d'un coup, et elle sentit les larmes lui piquer les yeux. Non seulement les petites fleurs ne la vieillissaient pas, mais le motif lui conférait un air campagnard qui la bouleversa. Elle eut l'impression de se redécouvrir en se regardant dans le miroir. Comme si le vêtement révélait une partie d'elle-même dont elle ne soupçonnait pas l'existence. Elle s'admira, s'étudiant de face, puis de profil, puis encore de face. Était-ce vraiment la Sophie Parent d'autrefois qu'elle apercevait dans la glace ? On aurait dit une fermière de l'ancien temps. Anne de *La maison aux pignons verts* ou Laura de *La petite maison dans la prairie*. Ses cheveux avaient tellement poussé que, d'une main, elle put les remonter en torsade. Elle découvrit alors un visage nouveau. Avec sa peau bronzée et ses traits détendus, elle semblait tellement sereine ! Ses yeux, bien qu'humides de larmes, n'avaient plus l'éclat triste qu'elle y avait perçu durant des années. Était-ce la proximité de Rachelle qui lui faisait cet effet-là ?

Lorsqu'elle revint dans la cuisine, elle trouva son hôtesse debout près de la porte, sur un tapis tissé à l'ancienne. Elle s'était habillée chaudement, avait dissimulé sa tresse sous un bonnet de fourrure et tenait dans ses bras un parka de toile ainsi que des bottes de loup-marin identiques à celles qu'elle avait dans les pieds.

– C'est la paire que je garde en cas d'avarie, dit-elle en les lui tendant. Quand on vit au confluent de deux rivières, il vaut mieux se montrer prudent. On ne sait jamais quand une des deux va sortir de son lit.

Il leur fallut moins d'une demi-heure pour repousser la neige qui s'était accumulée sur la galerie et assécher les chaises en osier et la table assortie. Rachelle retourna alors à la cuisine et en revint quelques minutes plus tard avec deux tasses de café fumant.

– Tiens, dit-elle, en lui désignant une des chaises. Assieds-toi ici. Tu vas voir, on est à l'abri du vent. Avec le soleil, c'est même très confortable. Parfait pour célébrer le printemps.

– C'est le printemps ? interrogea Sophie en jetant un regard incrédule sur le terrain couvert de neige.

– Bien sûr. Depuis hier.

Rachelle leva sa tasse et la frappa doucement contre celle de Sophie.

– Au printemps qui se montre enfin ! lança-t-elle.

Sophie trempa les lèvres dans le café et faillit s'étouffer. Il était 10 heures du matin, et Rachelle, pour s'assurer de célébrer en grand, avait versé un trait de cognac dans chaque tasse.

– J'en ai mis à peine. J'ai toujours trouvé que c'était sacrilège de célébrer avec de l'eau.

Sophie approuva et, pendant qu'elle sirotait son café arrosé, elle vit Rachelle sortir une pipe, la bourrer et l'allumer sans une hésitation.

– C'est à mon âge qu'il faut commencer à fumer, lança-t-elle alors que l'odeur de la vanille se mêlait aux effluves printaniers. Je n'ai plus le temps de développer un cancer.

Elle lui fit un clin d'œil et tira sur sa pipe. Son regard se porta au loin, au-delà de la rivière et de la campagne, dans un lieu connu d'elle seule, mais où Sophie se sentit invitée. Elle se rappela les longs après-midi sur le banc devant le restaurant de Peppe, quand le temps s'arrêtait et que seuls les détails du quotidien devenaient importants. N'avait-elle pas elle aussi fumé pour des raisons semblables ? Sous ce soleil nouveau qui lui chauffait le visage, Sophie Parent eut l'impression de remonter lentement à la surface.

29.

La cérémonie du printemps fut suivie d'un autre rituel, plus fréquemment répété celui-là. Sophie, qui n'avait jamais vu de poules ailleurs qu'à la télévision, tomba presque à la renverse lorsque Rachelle l'entraîna derrière la maison jusque dans son appentis. Là, dans une demi-douzaine de cages et d'enclos, des poules de toutes les tailles et de toutes les couleurs piaillaient de bonheur en reconnaissant leur maîtresse. Sophie évalua leur nombre à une cinquantaine, sans compter les poussins installés dans une cage surélevée. Rachelle étudia ces petites boules de duvet qui s'ébattaient sur un lit de paille, bien au chaud sous leur lampe, en sécurité derrière un grillage serré.

– Je suis contente de savoir que je ne rêvais pas, déclara Sophie sans oser s'approcher des oiseaux. J'ai entendu un coq ce matin.

Rachelle avait ouvert la porte qui protégeait les poussins. Elle en sortit un oiselet si frêle par rapport aux autres qu'il en était attendrissant.

– Ce n'est pas mon coq que t'as entendu, c'est certain, précisa-t-elle en examinant le poussin qu'elle caressait avec douceur. Charlot, c'est le gros là-bas avec la crête et l'air farouche. Il a jamais chanté le matin de toute sa vie. L'après-midi, oui. Le soir, aussi. Mais le matin, jamais.

Elle s'avança vers le coq qui s'enfuit aussitôt en poussant un cri aigu.

– Je pense qu'il fait ça juste pour me contrarier, mais il perd son temps. Ce n'est pas un volatile de cette taille-là qui va me déranger. Mais viens voir par ici.

Rachelle parlait en continuant de caresser le poussin recroquevillé dans le creux de sa paume. Elle entraîna Sophie vers les nids, plongea sa main libre dans la paille, en retira un œuf rose, puis un vert, puis un brun tacheté de blanc, de même que six autres de tailles et de couleurs aussi variées que les premiers. Elle les tendait à Sophie au fur et à mesure.

– Merci, mes belles, merci, répétait Rachelle à l'intention de ses poules. Vous êtes bien fines à matin.

Lorsqu'elle eut terminé sa cueillette, elle reporta son attention sur le poussin qui semblait dormir dans sa main. Elle l'approcha de ses lèvres, lui murmura des mots inaudibles, l'embrassa et prit la tête de l'oiselet entre son pouce et son index. Lentement, elle la fit tourner, un tour, puis deux, puis un dernier. Horrifiée, Sophie entendit les os craquer et eut un mouvement de recul. Rachelle venait de tuer le poussin, et Sophie avait remarqué chaque détail : la douceur de sa voix, de ses caresses, sa détermination presque protectrice. Le seul mot qui lui vint à l'esprit fut « pourquoi ? ».

– Il était trop petit, trop fragile aussi. Les autres l'auraient picossé jusqu'à ce qu'il meure. Je préfère les tuer moi-même. C'est plus humain.

Elle déposa le cadavre de l'oiseau sur le comptoir adjacent à la porte, remplit tous les bols d'eau et de graines et jeta un regard approbateur sur les installations.

– Qu'est-ce que tu veux pour dîner ? demanda-t-elle. Des œufs ou des œufs ?

Elle rit de sa blague, mais s'aperçut rapidement que Sophie ne riait pas. Elle s'approcha d'elle et lui retira les œufs des mains.

– Ne t'en fais pas trop pour lui.

Elle pointa son menton en direction de l'oiselet inerte.

– Il ne pouvait pas survivre. La nature ne lui a donné ni la force ni la taille nécessaire pour affronter les autres.

Comme Sophie était toujours bouleversée, elle ajouta :

– Quand on élève des animaux, on sait d'avance qu'on va en perdre. La mort, ça fait partie de la vie. Il n'y a que les humains pour oublier ça.

Puis elle la poussa vers une porte latérale, et Sophie se retrouva dans la cuisine, juste derrière la chaise berçante.

– Je ne pensais pas que les poules pondaient autant, dit-elle, sa voix effaçant le bruit des os qui se brisaient et qu'elle entendait encore dans sa tête.

– Ah, elles ne pondent pas toutes ! s'exclama Rachelle, étrangement guillerette. Surtout l'hiver. Si la température baisse sous les moins vingt, tu ne trouveras pas un œuf dans le poulailler. C'est pour ça que je l'ai bâti attenant à la maison. Placé comme il est, le poêle chauffe presque autant la cuisine que l'appentis. Et puis je m'arrange pour que mes poules soient assez nombreuses. Ensemble, elles produisent pas mal de chaleur. Assez en tout cas pour être confortables dans un poulailler comme celui-là.

Après avoir retiré son manteau et ses bottes, elle déposa les œufs dans un plat sur le comptoir. Sophie aperçut alors, plongés dans de la glace, les œufs qui cuisaient pendant le déjeuner.

– Et vous allez faire quoi avec ceux-là ?

– Les manger, qu'est-ce que tu crois ? Ce midi, je les sers sur une croûte de pain accompagnés d'une sauce mornay. Avec de l'emmental et du bacon, c'est divin.

Sophie eut envie de dire qu'elle n'avait pas faim après ce qu'elle venait de voir, mais se retint pour ne pas froisser son hôtesse. Il lui semblait aussi qu'elles venaient tout juste de sortir de table.

– C'est tellement bon des œufs frais, poursuivait Rachelle en lavant avec précaution les œufs qu'elles venaient de cueillir.

Elle s'empara ensuite de ceux qui refroidissaient dans la glace, les transféra dans un bol sec et les rangea, en même temps que sa nouvelle récolte, dans le réfrigérateur.

– Irais-tu me chercher quelques bûches ? demanda-t-elle à Sophie en lui montrant l'espace vide près du poêle. On a passé tout ce que j'ai rentré hier soir.

Sophie acquiesça, trop heureuse de ressortir pour prendre l'air.

– Elles sont cordées de l'autre côté du poulailler, sous la bâche, ajouta Rachelle juste avant que la porte ne se referme.

Une fois dans la cour, Sophie respira à fond pour oublier ce qui s'était passé dans le poulailler. Son esprit s'attarda sur le chant des oiseaux dans les branches, sur le bruit des gouttes d'eau tombant des glaçons qui pendaient du toit. Malgré les chiens qui batifolaient à l'orée du bois, l'endroit revêtait un calme rare. Le soleil approchait de son zénith et ses rayons se faisaient puissants, presque chauds. Elle s'apprêtait à enfiler ses mitaines lorsqu'elle s'aperçut qu'il lui en manquait une. Derrière elle, la tête penchée vers l'avant comme pour un appel au jeu, Jack tenait la mitaine dans sa gueule. Sophie s'amusa de le voir aussi espiègle, mais quand elle se pencha pour essayer de récupérer son bien, le chien recula, lança sa prise dans les airs et la rattrapa au vol. Puis il s'avança encore pour la taquiner.

– Donne-la-moi, Jack ! ordonna-t-elle, une pointe d'autorité dans la voix.

Le chien s'approcha, mais refusa de lâcher sa prise. Parce qu'elle avait peur que les crocs déchirent le tissu, Sophie renonça à tirer. Ce fut alors que Rachelle apparut à la fenêtre et frappa quelques coups secs sur la vitre. Aussitôt, Jack laissa tomber la mitaine dans la neige avant de pousser un fort gémissement. « Je n'ai rien fait, je le jure ! » sembla-t-il dire avant de se coucher dans la neige. À la fenêtre, sa maîtresse esquissa un sourire victorieux.

Sophie exécuta quatre allers et retours entre la cuisine et la corde de bois. Lorsqu'elle déposa sa dernière brassée, la maison embaumait le bacon.

– Pendant que ça refroidit, annonça Rachelle, je vais monter arroser mes semis. Tu peux venir si tu veux.

Sans lui laisser le temps de répondre, elle se dirigea vers l'escalier. Sophie n'eut pas d'autre choix que de la suivre. Une fois à l'étage, elles se rendirent au bout du couloir, et Rachelle ouvrit ce que Sophie avait pris pour un placard. À l'intérieur se trouvaient trois petites serres placées côte à côte sur la même tablette et qui baignaient dans la lumière d'une lampe fluorescente. Rachelle retira les couvercles, attrapa la bouteille déposée sur le plancher et entreprit de vaporiser les pousses qu'on apercevait à peine.

– Ce sont mes légumes pour cet été. Je les pars moi-même. C'est comme pour mes poulets ; j'aime savoir ce que je mange.

– Vous mangez vos poules ? demanda Sophie en essayant de dissimuler un nouveau haut-le-cœur.

– Pas les poules, les coqs. Mais pas Charlot. Je ne me suis pas encore résolue à me défaire de celui-là. Il est peut-être mêlé, mais il fait bien son travail. On ne peut pas en dire autant de certains humains. Disons que je résiste encore à l'envie qui me prend parfois de lui tordre le cou, surtout quand il se met à chanter en plein cœur de la nuit. Une chance que mes voisins sont loin.

Elle parlait en même temps qu'elle arrosait chaque petit brin d'herbe qui poussait dans chaque petite case. Elle remit ensuite les couvercles, vérifia que la lampe était correctement branchée et referma le placard.

– Il y a là-dedans les meilleures tomates au monde. Et des aubergines si délicates qu'on dirait de la soie. Et des piments forts, des poivrons doux, des poireaux. Tous ces légumes que j'aime et qui doivent être partis à l'intérieur à cause de notre hiver. Mais bientôt, quand on verra enfin la terre, je vais commencer à semer des petits pois. C'est tellement bon des petits pois, tu ne trouves pas?

La fascination de cette femme pour la nourriture ne lassait pas de surprendre. On percevait toutefois autre chose sous cet intérêt. Les œufs, les poules, les légumes. Sophie n'avait jamais rencontré quelqu'un qui s'occupait à ce point de ce qu'elle mangeait. Elle voyait à tout, de la première pousse au premier poussin, avec le même soin, la même passion, et on sentait que c'était une question de respect.

– Et si on allait se choisir un bon livre pour lire un peu avant le dîner…

Encore une fois, sans attendre la réponse de Sophie, elle descendit l'escalier jusqu'au rez-de-chaussée et s'engouffra dans un salon qui occupait bien la moitié de la maison. Contrairement à bien des foyers nord-américains, ce n'était pas la télévision qui constituait le principal intérêt de cette pièce, mais la bibliothèque qui se dressait tout au fond, d'un mur à l'autre, du plancher jusqu'au plafond. Comme Sophie s'en approchait, Rachelle alluma la lampe. Les livres apparurent, exempts de toute poussière et riches de leurs reliures colorées. Il y en avait quelques centaines, rangés par auteur. Si Sophie reconnut certains d'entre eux, plusieurs lui étaient étrangers. Une irrégularité piqua sa curiosité. Alors que Rachelle possédait en moyenne deux ou trois titres du même écrivain, les B. Erskine occupaient presque toute une tablette. Intriguée, elle allongea le bras, attrapa le volume intitulé *Désert*, et entreprit de le feuilleter pour découvrir qu'il était écrit en anglais. Contrairement à ce qu'elle avait cru lire, le premier « e » du titre ne portait pas d'accent.

– Vous lisez l'anglais, Rachelle? s'enquit-elle en replaçant le livre à sa place.

– Dans un village comme le nôtre, tout le monde ou presque lit l'anglais.

Sophie désigna la tablette qui avait attiré son attention.

– Et vous aimez cet auteur-là ?

Parce qu'elle connaissait sa bibliothèque par cœur, Rachelle répondit sans même s'avancer pour vérifier de qui il s'agissait.

– Beaucoup.

Sophie s'était attendue à un commentaire sur l'écriture, sur les thèmes abordés ou sur un détail biographique, mais Rachelle n'ajouta rien. Il y eut entre elles un silence tendu qui força Sophie à changer de sujet.

– Avez-vous lu tous vos livres ?

– Pas encore. Le problème, c'est que j'en achète chaque fois que je mets les pieds dans une librairie. Le bon côté de l'affaire, c'est que j'en ai toujours quelques-uns en attente, ce qui m'assure de ne jamais tomber en panne de lecture.

Elle riait, et ses yeux couvaient la bibliothèque d'un œil affectueux.

– Quand on arrive à un certain âge, ma fille, on aime bien voir le monde à travers le regard des autres. Ça nous permet de confirmer ou d'infirmer certaines de nos conclusions.

Sophie approuva sans trop comprendre. Elle s'attarda encore un moment sur les livres avant de s'intéresser au reste du salon. Le mur extérieur était percé d'un foyer nettoyé, mais poussiéreux, comme s'il n'avait pas servi depuis longtemps. En plus d'un sofa recouvert de tapisserie et d'un fauteuil assorti, l'ameublement comprenait deux poufs, une table basse et quelques tables d'appoint. Et tout au fond, si minuscule qu'elle en paraissait ridicule, se dressait une télévision munie d'une antenne à l'ancienne. « On voit où sont ses priorités », songea Sophie.

Rachelle éteignit la lampe.

– On parle, on parle, mais le temps file. Allons dîner !

C'était plus un ordre qu'une invitation, et Sophie s'y plia de bon gré. Dehors, les trois chiens aboyaient en chœur. Pour eux aussi, c'était l'heure de manger.

30.

Pendant l'après-midi, les pieds chaussés de raquettes, Rachelle entreprit d'offrir à Sophie une visite guidée de son domaine. Elles sortirent dans la neige, les chiens sur les talons, et dépassèrent, pour commencer, la vieille grange qu'on apercevait quand on s'engageait dans l'entrée. Un panneau de bois, sculpté à la main, annonçait la Cascatelle.

– Comme pour Ti-Pit, ce n'est pas moi qui ai baptisé l'endroit. J'aime le nom, cependant. L'été, parfois dès le mois d'avril, on entend le grondement de la rivière aux Outardes jusque sur la galerie d'en avant.

Elles s'enfoncèrent dans le sous-bois et descendirent vers ce qui ressemblait à un marais gelé.

– C'est le confluent, expliqua Rachelle. Ici, la rivière aux Outardes se jette dans la rivière Châteauguay. Quand elle ne déborde pas, évidemment. Parce qu'en avril et en mai, en octobre aussi certaines années, cette rivière-là change de voie et coupe mon terrain de part en part, ce qui me coupe, moi, du reste du monde.

Elle émit un bruit de scie mécanique.

– Dix-huit acres coupées en deux dans l'espace d'une nuit. Il n'y a pas un ouvrier de la ville capable de battre ça. Les voisins sont déjà venus me chercher en chaloupe. Ils s'inquiétaient, les pauvres. Ils me croyaient peut-être noyée. Je lisais bien tranquillement sur la galerie quand ils sont arrivés. Tu aurais dû voir leur tête.

Elle rit doucement, se tut et poursuivit sa descente jusqu'au bord de l'eau. Autant elle avait beaucoup parlé depuis l'arrivée de Sophie, autant elle entrecoupait désormais ses phrases de longues pauses. Des silences très puissants, pendant lesquels Sophie ne pouvait s'empêcher de se demander ce qui préoccupait à ce point sa nouvelle amie. Car elles étaient des amies. Ni l'une ni l'autre n'en doutait à présent. Rachelle s'immobilisa sur la berge et lui fit signe de tendre l'oreille. Sophie obéit. La visite guidée prit alors des airs de contemplation. Si on n'entendait pas encore la cascade à cette saison, on remarquait néanmoins le remous qui se créait au confluent des deux rivières. On remarquait aussi le vent qui soufflait sur la campagne. Ses rafales se heurtaient à la rangée d'arbres plantés serrés pour former un mur entre la rive et la maison. On entendait les oiseaux, les pas des chiens dans la neige non loin derrière. Quelque part, un écureuil s'égosillait, furieux contre un ennemi invisible. Il vociférait encore lorsqu'un cri strident retentit, couvrant d'une voix éraillée ce silence tout relatif. Juchée à la cime d'un pin, une corneille s'élança et plana au-dessus de la rivière gelée. Sophie la suivit des yeux, émerveillée par la grâce de l'oiseau qui se posa derrière une poignée de roseaux figés dans la glace.

– Des fois, murmura Rachelle, l'été, quand la rivière coule et qu'on entend son clapotis apaisant, je me dis que si je croyais en Dieu, c'est ici que je viendrais pour sentir sa présence.

– Tu ne crois pas en Dieu ?

Sophie avait posé cette question spontanément. Elle avait toujours cru les personnes âgées pieuses et pratiquantes. La réponse la surprit.

– Je crois en la vie.

Rachelle avait prononcé ces mots sans quitter la corneille des yeux. Elle posa un doigt sur ses lèvres et désigna le sous-bois de l'autre côté. Ce qu'on aurait pu prendre à première vue pour un arbre mort était en fait un chevreuil immobile et alerte qui les fixait d'un œil attentif, prêt à détaler. Le visage de Sophie s'éclaircit, mais elle ne dit rien. L'animal les observait et, comme elles demeuraient aussi immobiles que des statues de bronze, il reprit ses activités, la tête penchée, broutant dans quelque buisson. Ailleurs, un lièvre bondit hors des fourrés pour explorer les environs.

– Il est difficile de rester terre à terre quand on vit entourée de tant de beauté, ajouta Rachelle, d'une voix si basse que Sophie se demanda si ce n'était pas l'écho de ses propres pensées.

Les trois chiens émergèrent tout à coup en aboyant, ce qui brisa la rumeur paisible des lieux. Sans prêter attention aux deux femmes, ils se précipitèrent sur la rivière gelée, dérapant et se bousculant à qui mieux mieux. Ils s'en allaient chasser le lièvre, mais ce dernier avait déjà disparu, imité par le chevreuil et la corneille. Rachelle éclata de rire et rappela ses chiens avant qu'ils ne s'aventurent trop près de l'embouchure.

– C'est ça, la vie : un fragile équilibre entre l'harmonie et le chaos.

Sophie acquiesça, troublée que Rachelle puisse apprécier de la même manière la beauté d'un paysage paisible et les débordements puérils des chiens. Mais Rachelle aimait les animaux, les arbres, l'eau, et tout ce qui se produisait lorsque ces différents éléments se rencontraient. Elle aimait la nature, son calme grouillant de vie, son ordre originel, non altéré par l'être humain. Peut-être aimait-elle même l'ordre inné, celui où l'humain s'intégrait, spectateur et participant, comme dans la scène qui venait de se dérouler sous leurs yeux ?

Rachelle n'ajouta aucune explication, n'offrit aucun détail pour justifier l'admiration qu'elle vouait à ce qui l'entourait. D'un sifflement, elle ordonna aux chiens de rentrer. Ils s'exécutèrent aussitôt, accompagnant leur obéissance d'une succession d'aboiements joyeux.

Elle suivit ses chiens d'un pas lent, mais leste, et Sophie se dit que Rachelle avait mis le doigt sur une grande vérité. Elle repensa à sa vie, à ces moments pendant lesquels elle s'était oubliée pour combler les besoins des autres, incapable justement de tolérer le chaos. Elle pensa à ces bouleversements qui la plongeaient dans la tourmente. Combien de fois avait-elle surnagé, consacrant toute son énergie à rétablir le calme, à imposer la sérénité ? Et voilà qu'une vieille dame lui annonçait qu'elle s'était battue pour rien. Il suffisait de trouver l'équilibre, de se positionner de manière à respirer le vent, à s'émerveiller devant la beauté de la neige, à apprécier l'exubérance des chiens, à accepter les aléas comme autant de manifestations de la vie. Il ne servait donc à rien de tout avoir et de tout réussir. Il fallait seulement trouver le juste milieu.

Le retour vers la maison se fit dans ce calme désormais familier, peuplé de présences discrètes. En atteignant la grange, Rachelle se tourna vers la route qu'on apercevait à presque un kilomètre de la maison.

– Quand la rivière aux Outardes sort de son lit, elle passe juste là.

Elle désigna une dépression du terrain. En suivant cette dépression de gauche à droite, on concevait aisément de quelle manière une inondation pouvait créer un second bras à la rivière. Un bras large d'une vingtaine de mètres qui devait effectivement couper la Cascatelle du reste du monde.

L'après-midi fut utilisé pour nettoyer le poulailler, fendre du bois, faire la lessive et préparer le souper. Et le soir venu, assises près du poêle, les deux femmes se plongèrent chacune dans ses pensées, le visage, le corps et le cœur au chaud. Sur les genoux de Rachelle, des aiguilles à tricoter retenaient un foulard qui attendait qu'on le termine. L'objet demeurait aussi immobile que le livre que Sophie tenait fermé entre ses mains.

La fatigue était telle qu'elle ne permettait pas de se concentrer. Sophie laissa donc son esprit divaguer, flotter sur des nuages de néant. Aucun souci, aucune urgence, aucune souffrance. Le corps épuisé par des tâches exigeantes, elle restait là, les yeux ouverts sur le vide, intéressée uniquement par le moment présent. Par la lenteur de sa respiration qui suivait le tic-tac de l'horloge. Par l'intensité du feu qui crépitait dans le poêle et dont les flammes éclaboussaient de leurs reflets l'émail des assiettes sur les murs et le verre des bouteilles sur le comptoir. Elle s'attarda aussi au grincement régulier et rassurant de la chaise berçante où Rachelle semblait assoupie. Elle écouta aussi les ronflements des chiens qui dormaient, roulés en boule, aux pieds de leur maîtresse. Tout dans cette maison évoquait une sérénité qui se révélait contagieuse. Elle s'infiltrait dans chaque pensée, par chaque pore de peau, à chaque inspiration. Elle se répandait loin, du bout des pieds au bout des doigts. Elle détendait chaque muscle du cou, du dos, des jambes. Elle permettait aux yeux de se fermer, à l'esprit de se reposer, de se laisser imprégner par la nuit dans ce qu'elle offrait de plus régénérateur. Et lorsque l'horloge sonna 23 heures, les deux femmes se redressèrent. D'un mutuel accord, elles montèrent à l'étage et se mirent au lit avec les chiens.

Dans cette maison de campagne, au confluent de deux rivières qui s'éveillaient après un long hiver de glace, le temps s'écoulait au rythme des saisons. Demain ne serait pas très différent d'aujourd'hui. Sophie le savait et s'endormit en anticipant des jours aussi pleins de minutes et de vie que l'avait été cette première journée à la Cascatelle.

31.

La neige fondait, dévoilant chaque jour de nouvelles branches mortes qu'il fallait ramasser. Le dégel provoqua des infiltrations dans le plafond, qu'on se hâta de colmater. Il créa des ravins dans lesquels les chiens s'empressèrent de creuser. Plusieurs fois par jour, Sophie attendait les bêtes sur le pas de la porte, une serviette à la main. Avec patience et fermeté, elle leur essuyait les pattes avant de les laisser entrer dans la maison pour qu'ils aillent se coucher près du poêle, leur fourrure malgré tout imbibée d'un mélange d'eau et de boue. Sophie apprit à fendre du bois, à ramasser les œufs sans effrayer les poules, et à nettoyer le poulailler. Elle participait à l'entretien du terrain, des animaux, de la maison, de la cuisine et s'intégrait avec une facilité déconcertante dans la routine de ses habitants.

Dès le deuxième jour, elle avait convenu avec Rachelle de s'occuper du souper et de la lessive. Après un examen approfondi du congélateur, du garde-manger et de la chambre froide, elle concocta pâtés et ragoûts, prépara des rôtis et apprit, sous la surveillance de Rachelle, à apprêter plusieurs légumes qui lui étaient jusque-là inconnus. Ainsi, topinambours, panais et betteraves jaunes trouvèrent leur chemin jusque dans les menus traditionnels.

Les tâches ainsi partagées, Sophie se sentait à l'aise de boire son café tranquillement devant la fenêtre de la cuisine et même de dormir un peu tard le matin. Elle passa aussi beaucoup de temps dans le salon à inspecter la bibliothèque pour se choisir un livre qu'elle emportait dans son lit le soir venu.

Tous les deux jours, parfois moins souvent, Rachelle quittait la maison quelques heures en prétendant aller travailler. Sophie ne la croyait pas une seconde parce que, à son avis, une femme de son âge était nécessairement à la retraite. Pour éviter de la contrarier, elle gardait pour elle ses opinions, mais commença tout de suite à apprécier ces moments de solitude. Elle en profitait pour se bercer et réfléchir, pour se promener sur le terrain et jouer avec les chiens. Pour penser à son avenir aussi. Un peu.

Sophie se leva un matin, pénétrée d'une énergie nouvelle. Elle habitait la Cascatelle depuis deux semaines à peine, mais il lui semblait qu'elle menait cette vie lente depuis une éternité. Après le déjeuner, alors qu'elle lavait la vaisselle et que Rachelle l'essuyait, elle annonça avoir pris une décision :

– Aujourd'hui, je vais commander mes cartes.

Cette phrase d'apparence anodine était en réalité lourde de sens. Elle signifiait que Sophie remontait enfin à la surface, qu'elle avait décidé de prendre sa vie en main et de retrouver son identité. Permis de conduire, carte d'assurance-maladie, carte de crédit, compte en banque. Tout était à refaire et, en même temps, tout était nouveau.

Au téléphone avec un commis de la Régie de l'assurance-maladie du Québec, elle déclara avoir déménagé et donna l'adresse de la Cascatelle ainsi que le numéro de téléphone de Rachelle. À la compagnie de carte de crédit, elle expliqua la perte de ses papiers, confirma ses derniers achats à Campeche, et ajouta que, même si la limite de crédit n'avait pas été dépassée, la carte avait effectivement été volée. Elle communiqua également avec le bureau des passeports, avec la Société d'assurance-automobile du Québec à qui elle donna aussi les mêmes coordonnées. Et finalement, elle communiqua avec sa banque pour les aviser de son changement d'adresse.

– Devons-nous aussi modifier l'adresse de monsieur Dumont ? s'enquit l'agent, avec sérieux.

– Non.

Même si Sophie ne s'était pas attendue à cette question, la réponse avait fusé, sur un ton décidé.

– Pour le moment, Luc Dumont habite encore dans la maison de Longueuil, précisa-t-elle sans donner plus de détails.

Cet agent avait tout ce qu'il fallait pour tirer ses conclusions. Sophie était partie. Point. Il n'y avait rien d'autre à dire là-dessus.

Quelques jours plus tard, ce fut au tour de Rachelle de surprendre Sophie. L'avant-midi était à peine entamé, les œufs venaient tout juste d'être ramassés, et le poulailler, nettoyé. La vieille femme l'informa qu'elle devait se rendre en ville.

– Quand je dis en ville, tu comprends que je ne parle pas de Montréal. Ici, à Ormstown, on a tout ce qu'il faut. Pharmacie, quincaillerie, épicerie, banque. Alouette ! Si tu veux, je peux te faire visiter. Et puis on est aussi bien d'en profiter parce qu'ils nous annoncent de la pluie pour les prochains jours. Qui sait ce qui nous attend ?

D'un haussement de sourcils entendu, elle lui rappela les caprices des deux rivières. Une vingtaine de minutes plus tard, elle entraînait Sophie vers la grange, dévoilant un véhicule à quatre roues motrices égratigné et maculé de boue.

Déjà, le sol était mou, et les pneus peinèrent à remonter la pente qui séparait la Cascatelle du chemin municipal. En cas d'inondation, elles seraient prisonnières, Sophie en était désormais convaincue.

– Si ça ne te fait rien, on va commencer notre petite virée en allant saluer une de mes amies qui revient tout juste de Floride. Elle habite juste à côté.

Les pneus s'enfoncèrent, tournèrent dans le vide, éclaboussèrent de boue tous les arbres alentour avant que le 4x4 réussisse à s'engager enfin sur l'asphalte déneigé. Sophie découvrit alors, exactement comme chez Rachelle, une campagne intemporelle. Des maisons de briques dont la cheminée fumait joyeusement, des granges de planches à la peinture écaillée, des étables et leur inévitable amoncellement de fumier. Des vaches, des oiseaux, quelques chevaux et même deux chevreuils qui broutaient près d'une clôture. Et au loin, de chaque côté, un boisé linéaire servant de brisevent. Partout la vie s'épanouissait comme elle l'avait fait depuis cent ans. Si ça n'avait été des antennes, des tracteurs, des camions et des voitures garées dans les entrées, on se serait cru remonté dans le temps. Pendant plusieurs minutes, la route défila, sinueuse, entre les fermes et au milieu de champs déserts, mais encore blancs, malgré le beau temps. Parce que la chaussée était souvent couverte de boue, les pneus dérapaient dans les courbes, ce qui ne semblait pas le moins du monde inquiéter Rachelle. Lorsqu'elle atteignit une ligne droite, elle accéléra. La route la grisait autant qu'elle grisait Mike.

Le soleil brillait dans un ciel sans nuage, et ses rayons réchauffaient le tableau de bord. Stimulée par cet avant-goût de l'été, Rachelle conduisait bien au-dessus de la limite permise. Et même si elle admirait le paysage, Sophie se rendait compte que les minutes passaient. « Juste à côté », avait dit Rachelle en quittant la Cascatelle. Pff!

– Connais-tu l'expression « *It's a country mile* » ? demanda Rachelle après un bref coup d'œil dans sa direction.

Sophie secoua la tête.

– Ça veut dire qu'on franchit un mille plus facilement, et plus fréquemment, à la campagne qu'à la ville. Disons qu'on perçoit les distances autrement.

L'expression prit tout son sens cet avant-midi-là. Après un premier arrêt pour « échanger des graines », aux dires de Rachelle, un autre pour faire le plein à un endroit où « le prix du gaz est moins cher qu'ailleurs », un troisième pour acheter de la laine d'une productrice locale et un quatrième pour, effectivement, rendre visite à l'amie qui revenait de Floride, il s'était écoulé deux heures. Elles avaient viraillé dans la campagne, suivant les rangs au gré de leur intérêt ou de leur inspiration. Ajoutant des commentaires à ses explications, la vieille femme parla d'une personne, puis d'une autre, puis d'une autre encore. Sophie écoutait d'une oreille distraite les détails supposément croustillants de la vie des gens du coin.

– Ici, c'est la maison du maire. Et la troisième maison dans ce rang-là, à droite, c'est la maison du directeur de l'école. Le pauvre, sa femme est partie avec le plombier l'an passé. Tu vois sa cour, elle se rend jusqu'à la route, là-bas. Il voudrait bien la subdiviser pour vendre les terrains, mais ce n'est pas permis à cause du zonage.

Elle continua ainsi, de racontars en rumeurs, jamais rien de bien méchant, mais tout pour prouver à Sophie qu'elle connaissait ses voisins, même les plus éloignés.

De temps en temps, Sophie apercevait, au-delà des champs, une voiture roulant dans la même direction ou en sens contraire, mais toujours en parallèle. Toutes ces petites routes se suivaient ou s'entrecoupaient à angle droit. La campagne était ainsi divisée en un quadrillé plus ou moins régulier dans lequel il devait être aisé de se repérer, quand on connaissait les environs. Ce jour-là, Rachelle entraîna Sophie de part et d'autre de la rivière Châteauguay à travers des villages aux noms peu familiers. Rockburn, Herdman, Athelstan, Huntingdon, Dewittville. Quelle satisfaction de voir enfin apparaître Ormstown sur un panneau! Sophie commençait à penser qu'elles étaient perdues.

Rachelle s'engagea dans la première rue et recommença aussitôt ses explications:

– Voici l'hôpital Barrie Memorial, et là, c'est l'hospice.

Elle avait prononcé ce dernier mot avec un mépris évident, et Sophie ne put réprimer à temps son sourire quand elle réalisa que l'hospice en question n'était qu'une résidence pour personnes âgées.

– Ris tant que tu veux, ronchonna Rachelle en accélérant. Ton tour viendra bien assez vite.

Sophie cessa de sourire et s'excusa.

– Ça ne fait rien, railla Rachelle en lui pinçant une cuisse. Je ne suis pas si vieille que ça.

Elle ne dit pas son âge, et Sophie se garda bien de poser la question. Peu de temps après, Rachelle stationna son 4x4 sur la rue Principale.

– J'ai une course à faire, dit-elle en éteignant le moteur. Ce ne sera pas long.

Sophie s'apprêtait à dire qu'elle attendrait dans la voiture lorsqu'une enseigne attira son attention. Le restaurant Station Ormstown annonçait un spécial café-pâtisserie en après-midi.

– Je vais t'attendre au café, dit-elle, un doigt levé vers l'enseigne.

Pourquoi était-elle passée tout à coup au tutoiement? Elle n'en avait aucune idée, mais se rendit bien compte que ce rapprochement avait plu à Rachelle qui lui fit un clin d'œil complice avant de sortir pour traverser la rue. « Une autre étape de franchie », songea Sophie en la regardant s'éloigner.

Un quart d'heure plus tard, elle était assise à la meilleure table, tout près de la grande vitrine par laquelle elle pouvait voir les passants et contempler les édifices qui constituaient le centre d'Ormstown. De chaque côté de la rue, les bâtiments les plus anciens exhibaient leur façade de briques au charme victorien. Avec l'église, les grandes maisons à balustrade, à pignons, à lucarnes et avec les frises blanches qui ornaient plusieurs toits, nul doute qu'en hiver, lorsqu'il neigeait doucement, on devait se croire dans un conte de Dickens. Mais en ce début d'avril, que ce fût sur les trottoirs ou dans les rues, la neige avait complètement disparu, et les derniers glaçons qui pendaient aux corniches fondaient au soleil.

Sophie commanda un café et un morceau du « meilleur gâteau aux carottes que vous aurez mangé de votre vie ». C'était en tout cas ce qu'avait déclaré le propriétaire en lui coupant une portion. L'homme d'une trentaine d'années s'activait derrière le comptoir pendant que sa femme vidait des caisses et montait sur un escabeau pour remplir le présentoir qui longeait le mur du fond.

Lorsque Rachelle franchit la porte, Sophie perçut tout de suite un changement dans son humeur. D'habitude si calme, la vieille femme fulminait. Elle referma bruyamment derrière elle, la bouche pleine de jurons.

– Je prendrai un café, Dale ! lança-t-elle au propriétaire avant de se diriger vers Sophie. Ah, celui-là ! J'aurais dû m'y attendre. En tout cas, il va en couler de l'eau dans la Châteauguay avant que je remette les pieds dans son bureau ! Si seulement...

Elle continuait de ronchonner tout en s'empêtrant dans son manteau qu'elle n'arrivait pas à retirer. Sophie se leva pour l'aider, mais Rachelle la repoussa.

– Je ne suis pas une enfant ! Si on me laissait tranquille aussi...

Sophie se rassit en silence, soudain incapable de terminer sa pâtisserie. Lorsqu'elle réussit à enlever son manteau, Rachelle perçut son malaise. Elle se calma aussitôt.

– Je m'excuse.

Puis, s'assoyant enfin, elle s'expliqua :

– C'est ce maudit docteur Burns. S'il se mêlait de ses affaires, le monde s'en porterait mieux.

– Le docteur Burns veut juste votre bien, déclara le propriétaire en lui apportant son café accompagné d'un morceau de gâteau.

– Je t'ai juste commandé un café, Dale, râla encore Rachelle. Et si je veux ton opinion concernant les intentions de mon médecin, je te le demanderai.

Dale s'éloigna, l'air renfrogné, précisant néanmoins que le morceau de gâteau était un cadeau de la maison. Ce à quoi Rachelle répliqua d'un « Merci » tonitruant avant de plonger sa fourchette dans le glaçage. Puis, avant même d'y goûter, et alors que personne ne s'y attendait, elle éclata de rire.

– S'il me suffit d'entrer dans ton restaurant en sacrant pour me faire payer la traite, je pense que je vais me faire un plaisir de me trouver d'autres rendez-vous désagréables.

– Vous pourriez essayer le dentiste McKay, lança la femme de Dale, du haut de son escabeau. Vous avez sûrement un plombage ou deux à faire remplacer.

Ce à quoi Dale ajouta :

– Suzy et moi, on ferait n'importe quoi pour vous mettre de bonne humeur, Miss Campagna...

Il laissa sa phrase en suspens, mais, en entendant les derniers mots, Rachelle esquissa un sourire flatté.

– Ce garçon a le tour avec les vieilles dames. M'appeler mademoiselle à mon âge, voyons donc !

Sophie poussa un soupir de soulagement, ravie de voir que la tension était retombée. Elle avala les deux dernières bouchées de son gâteau et observa Rachelle qui savourait le sien. Sur le visage de la vieille femme, la contrariété avait cédé la place à du contentement. Sophie se demanda si l'incident dont elle avait été témoin n'avait pas été, finalement, qu'une mise en scène.

Ce fut bientôt l'heure du dîner, et les clients commencèrent à entrer. Suzy avait abandonné ses étagères pour s'occuper de la caisse pendant que son mari remplissait les assiettes. Sophie les observait et leur enviait leur complicité. Luc et elle n'avaient jamais développé ce genre de relation. Certes, il y avait eu de l'affection entre eux, surtout au début, mais jamais elle n'avait ressenti pour lui – ni lui pour elle, elle en était certaine – cette admiration mutuelle qu'elle percevait chez Suzy et Dale.

– Vous connaissez les proprios ? demanda-t-elle, en revenant à Rachelle.

– Évidemment. Je leur ai enseigné.

– Vous enseigniez ?

– Oui. À l'école secondaire du village. C'est là que je vais l'après-midi deux fois par semaine. Il me semble que je t'ai dit que je travaillais.

– Oui, mais je ne pensais pas que…

Sophie hésita quant au choix des mots. La curiosité la tenaillait. Elle s'apprêtait à demander à Rachelle quel âge elle avait, mais se ravisa au dernier moment. S'il fallait qu'une question déplacée ravive sa mauvaise humeur de tout à l'heure, elle s'en serait voulue. Elle accueillit donc comme une bénédiction l'arrivée d'une jeune femme qui s'avança vers elles en poussant de ses deux mains une adolescente craintive.

– Bonjour, madame Campagna, dit la femme. Je vous présente ma fille, Jess.

Rachelle leva un sourcil avant de poser les yeux sur l'enfant à qui elle sourit.

– Bonjour, Jess, dit-elle. Bonjour, Johanne.

– Je me demandais..., poursuivit la mère, une note d'inquiétude dans la voix. Allez-vous enseigner le français l'automne prochain ?

La réponse de Rachelle ne laissa pas de place à l'interprétation.

– Certainement !

Puis, devant la surprise de la femme, elle précisa :

– Mais je ne peux pas te promettre que cette belle fille-là sera dans ma classe. Depuis quelques années, je prends juste un groupe.

La femme parut rassurée, et Sophie se demanda ce qui la rassurait le plus, la possibilité que sa fille soit dans la classe de Rachelle ou la possibilité qu'elle n'y soit pas.

– Tu connais vraiment beaucoup de monde, lâcha-t-elle lorsque la mère et la fille se furent installées à l'autre bout du restaurant.

– C'est normal ; je leur ai enseigné.

– Tu as enseigné à la mère ?

Elle regretta aussitôt sa question. Rachelle était assez âgée pour avoir enseigné à Johanne. Et à bien y penser, Sophie se dit qu'elle-même aurait pu, à la limite, lui avoir enseigné. En secondaire v, par exemple, une quinzaine d'années plus tôt. Rachelle avait sans doute fait le même calcul, car elle saisit la balle au bond, jugeant sans doute qu'il était temps de mettre les choses au clair.

– Non seulement j'ai enseigné à Johanne, mais j'ai enseigné à la mère de Johanne. Et à son père aussi.

Elle désigna les propriétaires du restaurant.

– Comme j'ai enseigné à Dale et aux parents de Dale, poursuivit-elle. Et si le docteur Burns me laisse tranquille, j'enseignerai peut-être au fils de Dale, s'il se décide un jour à en avoir un. Il n'y a que la mère de Suzy qui n'a pas été dans ma classe. Elle vient de Montréal et était déjà mariée quand elle est arrivée dans le coin. N'est-ce pas Suzy ?

Près de la caisse, la jeune femme approuva d'un hochement de tête sans cesser de s'occuper de son client. C'est Dale qui répliqua :

– Les enfants, ça ne sera pas pour tout de suite, Miss Campagna. Avec le restaurant, on n'a pas encore eu le temps d'y penser.

Rachelle secoua la tête d'un air entendu.

– Pas le temps d'y penser. Il fut une époque où les enfants, c'était la première chose à laquelle on pensait quand on se mariait.

– Si je me souviens bien, on y pensait même quand on ne se mariait pas.

Cette phrase, prononcée depuis l'entrée, provoqua un silence immédiat. Toutes les têtes se tournèrent vers Rachelle dans un mélange de curiosité et d'appréhension. Sophie vit les épaules de son amie se tendre, ses yeux se plisser et la colère affleurer comme une source à la surface d'un terrain boueux. Rachelle pivota sur sa chaise et se figea à son tour en reconnaissant celui qui, de toute évidence, plaisantait à ses dépens. Debout près de la porte, un homme l'observait avec intérêt. Il avait au moins soixante-dix ans, et ce qui brillait dans ses yeux brillait habituellement dans le regard des hommes bien plus jeunes.

– Peter McDonald ! s'écria-t-elle.

Son visage s'était illuminé d'un large sourire, ce qui effaça toute trace de colère chez elle et toute trace de tension dans le restaurant.

– À une autre époque, je t'aurais écorché vif pour avoir dit ça.

– À une autre époque, je n'aurais jamais dit ça, répliqua l'homme en s'avançant.

– C'est bien vrai ! Mais viens donc t'asseoir avec nous que je te présente Sophie. Sophie, voici Peter McDonald, mon voisin et ami, fermier et déneigeur à ses heures.

Les choses revinrent à la normale, et chacun retourna à son dîner. C'est tout juste si Dale et Suzy leur jetèrent un regard en coin, mi-soulagés, mi-inquiets. Sophie avait perçu toutes les variations dans les émotions des clients. Pourquoi diable accordait-on autant d'intérêt aux humeurs d'une vieille dame ? Était-ce donc à dire que tous ces gens la craignaient ?

32.

Le poulailler sentait fort à cause de l'humidité, mais aussi à cause de ce sang que Sophie imaginait répandu sur le sol. Elle imaginait aussi l'odeur de la mort, celle qu'on donne d'un coup de couteau. Les poulets, eux, ne semblaient pas s'inquiéter. Ils picoraient dans les copeaux comme si aucun danger ne les menaçait. Comme s'ils avaient la vie devant eux. Peut-être avaient-ils l'habitude de voir disparaître un des leurs de temps en temps…

Rachelle avait décidé qu'on mangerait de la volaille ce soir-là.

– On élève les poules pour les œufs et les coqs pour la casserole, avait-elle déclaré en finissant de déjeuner.

Sophie avait failli s'étouffer. Elle allait manger de la viande fraîche. Trop fraîche, même, à son goût. L'idée de tuer pour manger l'avait horrifiée, et elle l'était toujours, un quart d'heure plus tard, debout dans le poulailler. Habitués aux visites quotidiennes, les poulets s'étaient approchés dès que le grillage avait été ouvert. Rachelle était partie à la recherche de celui qui servirait de souper.

– Mais oui, mes petits, avait-elle murmuré. Je suis privilégiée de pouvoir vous côtoyer.

Le coq avait été choisi parmi les plus vieux, ce qui, dans son cas, était relativement jeune. Moins d'un an. Peut-être tout juste six mois. Il gisait maintenant au milieu de la pièce, attaché par les pattes à une corde descendue du plafond. Il ne se débattait pas. Tout au plus jetait-il autour de lui des regards intrigués. Rachelle l'avait caressé longuement, comme elle l'avait fait avec le poussin quelques semaines plus tôt. Elle lui avait parlé avec douceur, lui avait expliqué qu'elle le mangerait pour souper, qu'elle l'apprêterait avec du romarin, des oignons et de l'huile d'olive. En d'autres mots, elle lui racontait de quelle manière elle comptait lui faire honneur, et l'animal semblait comprendre qu'il allait mourir pour une bonne cause. Parce que Rachelle avait placé la brouette juste sous lui, il penchait la tête de côté pour étudier ce curieux instrument.

Debout dans un coin, Sophie demeurait coite. Lorsqu'elle la vit s'approcher du coq, un long couteau dans les mains, elle sut que l'heure était venue. Quelle ne fut pas sa surprise quand Rachelle le lui tendit!

– Tu lui entres la lame dans le bec et tu perces le palais.

– Quoi?

Sophie ne s'attendait pas à devoir sacrifier elle-même la bête. Elle recula plus encore et s'adossa au mur. Rachelle secoua la tête.

– Quand tu manges du poulet, tu ne te demandes jamais d'où il vient?

Sophie avala un filet de salive qui se coinça dans sa gorge. L'image de l'oiseau ne lui venait jamais à l'esprit quand elle achetait des poitrines de poulet à l'épicerie. De peur d'avoir l'air idiote, elle orienta la conversation dans une autre direction.

– Je n'ai jamais mangé un animal que je connaissais.

Rachelle poussa un grognement impatient.

– Ma fille, si tu veux manger chez moi, il faut que tu saches d'où vient ta nourriture. Comment veux-tu en apprécier la valeur autrement?

– Par le prix.

Sophie se doutait que cette réponse n'était pas celle qu'attendait Rachelle, mais ces mots traduisaient son système de valeur. Son ancien, du moins.

– La vie, ça n'a pas de prix, répliqua Rachelle. Ça fait partie d'un cycle.

Sophie absorba ce dernier argument avant de baisser les yeux, mal à l'aise de sa bêtise. Rachelle avait raison : acheter des poitrines ne la rendait pas moins responsable de la mort des poulets. Tout comme refuser de voir un crime n'avait jamais constitué une absolution pour personne. Rachelle reprit le coq dans ses mains et recommença à lui murmurer des mots doux en le caressant. L'oiseau la regardait. On aurait dit qu'il l'écoutait, qu'il comprenait. Le charme fut brisé quand elle se tourna encore une fois vers Sophie.

– Que tu en sois consciente ou non, un animal meurt chaque fois que tu manges de la viande. C'est la moindre des choses que tu lui montres du respect.

Sophie sut qu'elle ne s'en tirerait pas et que jamais Rachelle ne lui pardonnerait ce genre de défaillance. Elle s'empara donc de l'arme et s'avança. La vieille femme étirait maintenant le cou du coq pour le forcer à ouvrir le bec.

– Pousse bien vers le bas, dit-elle lorsque Sophie enfonça la lame. Il faut percer le palais d'un bon coup, sinon tu vas le faire souffrir.

Cette dernière phrase eut un effet immédiat. Réprimant le dégoût qui l'étranglait, Sophie referma sa main libre sur celle de Rachelle, y prit appui et pesa sur la lame. Elle sentit la peau céder sous la pression et fut parcourue d'un frisson. Elle vit le sang perler puis s'écouler en filet dans la brouette. Le coq n'eut pas un cri, pas un battement d'ailes. On aurait dit qu'il trouvait cette position naturelle, qu'il en avait l'habitude, ce qui ne pouvait évidemment être le cas. Il s'endormit au bout de quelques minutes, sa petite tête affichant un air étrangement serein. Sous lui, la brouette contenait à peine deux cents millilitres de sang.

– Va chercher l'eau, souffla Rachelle en le détachant.

Juste avant de sortir, Sophie l'avait vue mettre de l'eau à bouillir sur la cuisinière. Elle en comprenait maintenant la raison. Elle s'élança vers la cuisine et en revint avec le chaudron. Rachelle y plongea l'oiseau. Lorsqu'elle le ressortit, les plumes se détachaient déjà. Elle le rattacha à sa corde pour le déplumer à deux mains et désigna de nouveau le couteau que Sophie avait posé sur le comptoir.

– Maintenant, tu lui tranches le cou.

Cette fois, Sophie ne protesta pas. Elle demanda seulement qu'on lui indique l'endroit où il fallait couper. Elle posa la lame et sentit la chair se fendre puis les os se briser. Il fallut ensuite entailler l'abdomen pour éviscérer. Sophie suivit les instructions, enfonça sa main dans la carcasse tiède et fit glisser les boyaux à l'extérieur de la poitrine. Ils tombèrent dans la brouette en produisant un froissement humide et désagréable. Une odeur fétide emplit le poulailler, couvrant celle du fumier.

– Va prendre l'air, ordonna Rachelle. Tu reviendras quand tu te sentiras mieux.

Avait-elle vu le visage de Sophie devenir livide ? Avait-elle perçu le tremblement de sa main et remarqué la sueur qui perlait sur son front ? Sophie sortit puisqu'elle en avait eu la permission. La nausée qui s'était emparée d'elle à la vue des viscères se dissipa aussitôt. Lorsqu'elle rentra, Rachelle avait terminé. Dans la brouette gisaient le cœur, les poumons, le foie et deux petits œufs blancs de la grosseur de pacanes.

– Les testicules, dit simplement Rachelle qui avait suivi son regard. Comment tu te sens ?

– Mieux.

– Bien. La prochaine fois, c'est toi qui choisiras le coq et qui lui expliqueras ce qui l'attend.

Sophie hocha la tête. Comme pour le reste, elle s'y ferait.

33.

Les chemins étaient boueux, le lendemain, quand le 4x4 prit la route en direction de Franklin où se trouvait la lavanderaie de monsieur Librex. Malgré la grisaille, Sophie jubilait à l'idée d'acheter des fleurs de lavande pour ses tiroirs. Elle avait pris goût à l'odeur et à la sérénité qui l'envahissait chaque fois qu'elle humait ce parfum. Il lui restait un peu d'argent, juste assez probablement. Et Rachelle avait promis de lui faciliter l'entrée à l'école secondaire où elle travaillait.

– On a toujours besoin de suppléantes, avait-elle dit en déposant le curriculum vitae de Sophie sur une pile de cahiers d'élèves.

Comme d'habitude, Rachelle conduisait vite, fendant les flaques d'eau, créant des sillons dans la vase, éclaboussant ce qui restait des bancs de neige. À voir les nuages sombres qui s'amassaient au nord-ouest, il devenait évident que toute cette neige aurait fondu le lendemain. Le surlendemain au plus tard.

Le Lavandou ne payait pas de mine en ce début d'avril. Les plants s'étendaient en rangs espacés et quadrillaient un champ de boue. On n'apercevait pas l'ombre d'un feuillage. Le meilleur était à venir, leur assura monsieur Librex en leur faisant visiter ses installations.

– Sauf quelques-uns, ce ne sont pas mes plants d'origine, expliqua-t-il quand Sophie lui demanda comment la lavande avait pu survivre à l'hiver québécois. J'en ai perdu

90 % la première année. Après, je me suis adapté au climat et j'ai exigé la même chose des plants. J'ai sélectionné les meilleurs chaque automne. Après dix-huit années de travail, c'est comme si j'avais créé une nouvelle variété.

Il parlait en lui tendant des flacons et des savons. Sophie l'écoutait et se pliait à ses caprices, goûtant quand il fallait goûter, humant quand il fallait humer. Elle admirait aussi les tableaux, œuvres de l'horticulteur, qui décoraient les murs. L'homme se répandait en explications, en anecdotes, en souvenirs. Il parlait d'art et de jardinage avec le même intérêt, la passion imprégnant chacun de ses mots, chacun de ses gestes. Il s'élança tout à coup dans une description du climat, balançant des chiffres et des codes qui parurent mystérieux à l'oreille de Sophie. Zone de rusticité 5 B. Peu de neige, beaucoup de vent. Idéal pour bien des cultures, mais pas pour la lavande. Tout était contre lui, disait-il, et il fallait être un fou pour s'obstiner à la cultiver dans pareilles conditions.

– Vous devez revenir entre le 15 juin et le 15 juillet, leur lança-t-il lorsque Sophie paya ses sachets. Les plants seront en fleurs. C'est de toute beauté !

Sophie acquiesça, le salua et rejoignit Rachelle dans le 4x4.

– Quel homme inspirant ! s'exclama-t-elle en refermant la portière.

– Tu aurais dû voir son acharnement. Personne ne pensait qu'il réussirait, mais si quelqu'un pouvait arriver à cultiver de la lavande dans ce coin de pays, c'était bien lui. Sa terre, il l'aime d'amour. Et ses plants, c'est sa vie.

En prononçant ces mots, elle salua de la main son ami et embraya. Sophie jeta un dernier coup d'œil aux champs encore sombres et imagina l'été, les rangs bleus odorants tels qu'on en trouvait en Provence. Elle se promit de revenir, ne serait-ce que pour écouter encore cet homme amoureux de sa terre.

La silhouette de monsieur Librex qui rétrécissait au loin se superposa dans son esprit à l'image qu'elle gardait de sa vie d'avant. Quel contraste ! Elle se rappela le vide qui l'avait habitée pendant toutes ces années et sentit affluer en elle l'impuissance, la frustration, le manque. Mais, par-dessus tout, il y avait l'horrible sensation d'être encore en train de passer à côté de sa vie. Le souvenir de la haie de cèdres lui revint. Elle imagina celle de l'horticulteur, bouillonnante d'activités et de projets, des branches hirsutes courant dans tous les sens, touffues et vivantes. La passion habitait cet homme au moins autant qu'elle habitait Rachelle, et elle leur donnait une énergie que Sophie n'avait jamais connue.

Sur le chemin du retour, Sophie se referma, plongée dans ses pensées, se demandant quelles avaient été ses passions d'autrefois. En avait-elle au moins éprouvé une ? Elle se creusa la tête pendant une bonne partie du trajet. La première idée qui lui vint n'était pas vraiment une passion. Il s'agissait plutôt d'un certain intérêt pour les voyages et, en cela, elle pouvait dire qu'elle avait été servie au cours des derniers mois. Mais une femme ne pouvait pas passer sa vie à voyager. Il devait y avoir autre chose. Sophie chercha, mais ne trouva rien.

Elle allait abandonner son introspection lorsqu'elle aperçut, planté près d'une boîte aux lettres, un panneau signalant une maison à vendre. Malgré la vitesse du 4x4, ses yeux cherchèrent la maison et la trouvèrent sur les hauteurs à quelques centaines de mètres du chemin. Tout en briques, elle n'était peut-être pas aussi ancienne que celle de Rachelle, mais elle n'était vraiment pas toute jeune. Elle paraissait plus grande cependant, avec ses deux étages complets et sa vaste galerie qui courait sur toute la façade. Derrière comme devant, les champs s'étendaient, parsemés de plaques de neige. La maison disparut derrière une grange qui se dressait en bordure de la route. La grange dépassée, Sophie s'empressa de relever les détails de la propriété. Une maison flanquée d'un garage de planches blanches et une grange immense et rouge. Des arbres matures qu'on imaginait créant une ombre bienfaisante en été. Puis l'ensemble s'effaça derrière une nouvelle rangée d'arbres.

Rachelle ne remarqua pas l'émoi qui s'empara de Sophie à ce moment-là. Elle continua de regarder droit devant et s'engagea dans la courbe suivante en direction de chez elle. Assise sur le siège d'à côté, le cou tordu dans l'espoir d'apercevoir encore le rouge de la brique ou celui de la grange, Sophie comprit qu'elle venait de trouver sa passion. Et elle en rêvait déjà.

Dès son réveil, le lendemain, elle interrogea Rachelle. Savait-elle combien on demandait pour la maison à vendre, plus loin dans le rang, celle avec la grosse grange en avant? Rachelle s'esclaffa.

– Ah, ça! C'est une histoire tellement abracadabrante que plus personne n'en sait rien.

– Mais elle est toujours à vendre?

Rachelle venait de faire sortir les chiens. Elle versait maintenant de l'eau dans la cafetière. Un sourire ourla ses lèvres.

– Elle t'intéresse?

– Peut-être...

Sophie avait choisi de se montrer prudente. Elle ne savait même pas si elle avait les moyens d'acheter une maison. Même en récupérant sa part dans la maison de Longueuil, elle ne serait pas riche. Ce qu'elle savait, cependant, c'est que cette maison et cette grange lui étaient tombées dans l'œil. Cela, elle ne réussit pas à le cacher à Rachelle.

– Le propriétaire s'appelle Adélard Bilodeau. Il vit à l'hospice. Il est malade et il paraît qu'il n'en a plus pour longtemps.

Sophie leva un sourcil, perplexe. Cela fit rire Rachelle qui reprit :

– À en croire Max, son fils, il n'en a plus pour longtemps depuis presque dix ans !

Elle rit encore.

– C'est Max, justement, qui s'occupe de la maison. Au début, il a essayé de la vendre, mais il demandait un prix exorbitant et y tenait mordicus. Son attitude a découragé les premiers acheteurs. Au bout d'un an, il n'y a plus eu d'acheteur, et la maison a été laissée à l'abandon.

– Mais elle est encore habitable, n'est-ce pas ?

Il y avait presque un accent de panique dans la voix de Sophie, et le sourire de Rachelle se fit narquois.

– As-tu envie d'aller la visiter ?

Elle détachait déjà son tablier.

– Quand ? Maintenant ?

– Bien sûr.

– Mais on n'est même pas habillées !

Sophie désignait le pyjama prêté par Rachelle, un deux-pièces de flanelle qui lui donnait un air négligé.

– Avec ton manteau, ça ne paraîtra pas. Et puis, même si quelqu'un s'en apercevait, ça dérangerait personne.

Elle versa du café dans deux tasses, en tendit une à Sophie et se dirigea vers la porte.

– Viens-tu ou bien est-ce que j'y vais seule ?

Sophie secoua la tête, mais enfila ses bottes en tenant fermement sa tasse. Elles grimpèrent dans le véhicule qui démarra en trombe. Assise sur le siège du passager, Sophie n'eut pas le temps d'attacher sa ceinture de sécurité que le 4x4 descendait déjà dans le sentier. Elle fut ballottée dans tous les sens et renversa son café lorsque, en rejoignant la route, Rachelle tourna à droite sans même avoir freiné.

– Ce n'est pas grave pour le pyjama. Je t'en donnerai un autre. J'en ai plein.

Rachelle conduisait avec fébrilité, une main sur le volant, l'autre tenant sa tasse. Elle but une gorgée, changea la tasse de main pour attraper le levier de vitesse pendant que son pied gauche s'enfonçait sur la pédale d'embrayage. Sophie s'aperçut qu'elle ne tenait plus le volant qui, pourtant, gardait la même position, comme contrôlé par une main invisible. Le changement de vitesse effectué, le 4x4 fut secoué de spasmes et repartit de plus belle. Sophie vit la grange apparaître dans un détour. Le bâtiment grandit jusqu'à se trouver à sa gauche, plus énorme encore que dans ses souvenirs. Rachelle vira dans l'entrée et se stationna tout au fond du terrain, devant le garage, à une dizaine de mètres de la maison.

L'endroit avait vraiment l'air à l'abandon. Quelques fenêtres du rez-de-chaussée avaient été barricadées avec des planches, et le terrain était jonché de branches mortes, de morceaux de bois arrachés par le vent et d'autres débris non identifiables. Rachelle se dirigea vers l'arrière.

– Viens ! ordonna-t-elle. C'est débarré.

– Comment ?

Sophie la suivit et fut plus stupéfaite que jamais lorsque Rachelle s'engouffra dans ce qui devait être, à l'époque, la cuisine d'été. Non seulement cette première porte n'était pas verrouillée, mais la seconde ne l'était pas davantage, si bien que Sophie se retrouva en quelques secondes debout au milieu de la vraie cuisine.

– Tu es certaine que ça ne dérange pas ? murmura-t-elle, comme si elle craignait que quelqu'un entende.

– Qui veux-tu que ça dérange ? Le vieux est à l'hospice et son fils, à Montréal.

Sophie sentit le besoin d'insister.

– Tu ne trouves pas qu'on est un peu… disons, entrées par effraction ?

– Pas du tout. On n'a rien défoncé; ce n'était même pas barré.

Elles se trouvaient au milieu d'une très grande cuisine cernée de comptoirs et d'armoires. Malgré les planches, le soleil entrait par une fenêtre située au-dessus de l'évier. Deux autres fenêtres s'ouvraient sur la cour et offraient, entre les interstices, une vue magnifique sur les arbres, la grange et le champ de l'autre côté du chemin. Rachelle prit la main de Sophie et l'entraîna dans la pièce suivante.

– Voici la salle à manger, dit-elle avant de l'entraîner plus loin encore. Là, le salon. Et la petite pièce, au fond, a dû un jour servir de chambre à coucher. Allons en haut!

Sans attendre, elle s'engagea dans un escalier dont la rampe, en bois sombre, trahissait la richesse des premiers occupants. L'étage s'ouvrait sur un espace vaste divisé en deux par une balustrade. Sophie imagina dans un coin un fauteuil, une bibliothèque, un secrétaire. Avec la lumière qui entrait par la fenêtre, c'était l'endroit rêvé pour lire pendant les longues journées d'hiver. Le reste de l'étage s'avéra aussi spacieux que le rez-de-chaussée. Rachelle lui montra les trois chambres à droite de l'escalier.

– De ce côté, c'était la résidence des maîtres, expliqua-t-elle en l'attirant vers une porte latérale. La servante vivait de l'autre côté.

Sophie découvrit un deuxième escalier, plus étroit que le premier. Au fond, elle aperçut une autre chambre et une salle de bain.

– Je te laisse regarder, décida Rachelle avant de redescendre. Je retourne inspecter la cuisine en t'attendant. Surtout, prends ton temps.

Elle avait déjà disparu quand Sophie trouva la présence d'esprit de la remercier. Dire qu'elle était sous le choc aurait été un euphémisme. En demandant le prix de la maison, elle ne s'attendait pas à visiter les lieux aussi rapidement. Elle n'en était pas moins subjuguée. Dans chacune des pièces, elle découvrit un plafond mansardé et percé de lucarnes. Partout, les planchers de bois exhibaient la même teinte sombre que les boiseries, les deux escaliers et la salle de bain. Dans trois des quatre chambres, un mobilier ancien – lits, commodes et chaises – trahissait avec nostalgie l'époque pas si lointaine où des gens habitaient cette maison.

Sophie s'avança dans une des chambres, ouvrit la fenêtre et laissa l'air frais s'engouffrer dans la pièce. Elle jeta un coup d'œil sur les meubles, refusa de s'asseoir sur le matelas sans doute plein de mites, et choisit plutôt une chaise droite. Elle y posa les fesses avec précaution, inspira et goûta l'odeur typique des vieilles maisons mêlée au parfum de la campagne qui s'éveillait. Elle absorbait tout. Du papier peint aux couleurs délavées qui recouvrait les murs, jusqu'au plancher qui craquait au moindre mouvement. Dehors, une corneille croassait. D'autres oiseaux chantaient. Un chien aboyait aussi. La maison était vide, mais Sophie eut l'impression qu'elle n'attendait qu'elle pour laisser la vie s'épanouir en ses murs.

Elle en oublia la présence de Rachelle tout autant que la tasse qu'elle tenait dans ses mains. Lorsqu'elle prit une gorgée du café qui restait, le liquide avait refroidi, mais elle l'imagina chaud et réconfortant. Elle se vit aller et venir dans le couloir et dans les chambres, évitant de se heurter la tête sur le plafond pentu. Elle se vit, jetant un regard affectueux par la fenêtre pour admirer le paysage et se demanda s'il était possible d'avoir un coup de foudre pour une maison.

Elle redescendit au bout d'une quinzaine de minutes, toujours pénétrée du charme des boiseries, des odeurs et de la quiétude qui régnait en ces lieux.

– Et puis ? demanda Rachelle. Est-ce que ça te plaît ?

Sophie acquiesça d'un sourire.

– Le fils en demande combien ?

Cette question exprimait la seule ombre au tableau. Rachelle jeta un œil sur les murs, sur l'évier et sur les fenêtres placardées.

– À l'origine, il en voulait 150 000 $. Mais c'était il y a dix ans. Comme la maison a été négligée, je suis prête à parier que ça jouera en ta faveur.

Sophie se mordit la lèvre, inquiète. Ce montant, c'était celui qu'elle et Luc avaient payé pour la maison de Longueuil. La propriété avait certes pris de la valeur avec les années, mais il ne fallait quand même pas exagérer. S'ils en obtenaient deux cent mille dollars, Sophie se considérerait chanceuse.

34.

Ce nouveau rêve donna à Sophie le courage nécessaire pour faire face à la réalité. Dès le lendemain de cette visite illicite, elle loua une voiture au garagiste du village et se rendit à Longueuil. Elle avait besoin d'une excuse solide, et la nouvelle maison était le prétexte idéal. Le geste qu'elle s'apprêtait à poser n'allait pas être facile. Revoir Luc, les filles. Les filles… Elle sentit sa gorge se nouer en s'engageant sur l'autoroute. Comment Roxane et Anouk prendraient-elles ce retour qui n'en était pas un ?

En ce dimanche d'avril, les routes étaient peu achalandées. Sophie ne mit qu'une heure pour rejoindre son ancien quartier, qui lui déplut autant qu'avant. Elle se gara dans la rue, devant la maison, et dut inspirer longuement et plusieurs fois pour se donner du cœur au ventre. Elle allait les affronter avec calme. Surtout, pas de larmes ni de cris. Elle souhaitait que tout se déroule dans l'harmonie, mais ne se leurrait pas. Elle avait compris la philosophie de Rachelle. L'important, c'était l'équilibre.

Lorsque Luc ouvrit la porte, il demeura bouche bée, une main sur la poignée, l'autre appuyée au chambranle.

– Tu as bien choisi ta journée pour ressusciter, ronchonna-t-il en lui ouvrant le passage.

Sophie ne comprit pas tout de suite l'allusion. Mais en repérant les chocolats sur la table du salon, elle sourit. Par quelle étrange coïncidence réapparaissait-elle justement le jour de Pâques ? Elle s'avança dans la pièce après avoir abandonné ses bottes maculées de boue sur le tapis de l'entrée. Luc avait déjà appelé les filles, et Sophie les entendit monter du sous-sol.

Roxane et Anouk s'immobilisèrent en l'apercevant. Ce fut Anouk qui réagit la première.

– Maman ! s'écria-t-elle, avant de lui sauter au cou.

Roxane ne dit rien, mais n'en rejoignit pas moins sa sœur. Sophie serra ses enfants contre elle, émue. Quand donc avait eu lieu leur dernière manifestation d'affection ? Au bout d'un moment, Luc s'éclaircit la gorge.

– J'allais me faire un café. En veux-tu ?

Sophie hocha la tête sans relâcher son étreinte. Elle n'avait pas imaginé son retour marqué par de telles effusions. Dans son cou, Anouk pleurait, et Roxane riait de son rire nerveux habituel.

– Tu es revenue, répétait-elle sans arrêt, comme si elle ne le croyait pas encore.

Sophie les repoussa gentiment pour retirer son manteau. Ce fut Roxane qui s'en empara pour le suspendre pendant qu'Anouk entraînait sa mère dans la cuisine. À part la montagne de vaisselle sale qui trônait dans l'évier, rien n'avait changé dans la pièce. Sophie s'assit sur un tabouret près du comptoir et admira ses filles encore une fois. Comme elles lui avaient manqué !

– On est tellement contentes que tu sois revenue ! s'exclama Anouk en se blottissant contre elle.

– Oui, on va enfin pouvoir reprendre notre vie.

Ces derniers mots prononcés par Roxane frappèrent Sophie comme un coup de fouet. Elle repoussa encore une fois Anouk, regarda ses filles dans les yeux et, repensant à sa future maison, elle déclara :

– Je ne reviens pas. Je suis juste passée vous voir.

Roxane se rembrunit, Anouk afficha une mine déconfite. Luc exprima leur désarroi – et le sien – par une question :

– Comment ça, tu ne reviens pas?

La tension venait de monter d'un cran. Sophie se redressa, refusant de céder à la peur.

– Je suis venue te demander de vendre la maison. Je m'en vais vivre à la campagne.

– À la campagne! s'écria Roxane, la voix étranglée de dégoût.

Anouk ne dit rien, mais recula pour aller se placer à côté de son père. Sophie ne se laissa pas démonter par ce rejet. Elle inspira, pensa à son nouveau rêve et se lança comme un acrobate se lance dans le vide. Sans filet.

– Je me suis trouvé une maison à Ormstown et j'ai besoin d'argent pour déposer une offre d'achat.

Cette fois, la colère de Luc inonda la cuisine.

– Ma crisse!

Ce fut ses seuls mots, mais Sophie n'avait pas besoin d'en entendre davantage. Elle tira un bout de papier de son sac à main. Elle y avait inscrit avant de partir le numéro de téléphone de Rachelle. Sans y jeter un œil, elle le déposa sur le comptoir et tourna les talons.

– Si tu veux me rejoindre…

Elle retraversa la maison sans faire de bruit. Rendue près de la porte, elle enfila ses bottes et son manteau avec l'assurance de ceux qui se savent dans leur droit. Elle n'avait pas besoin de regarder autour d'elle pour savoir que les filles ne l'avaient pas suivie. Elles avaient déjà fait leur choix, et Sophie l'accepta. Juste avant d'ouvrir cependant, elle se retourna. Sa voix ne se brisa pas une seule fois quand elle prononça les phrases qu'elle avait maintes fois répétées depuis la veille:

– Je veux la moitié de sa valeur marchande. Alors, soit tu m'achètes ma part, soit on vend la maison.

Sur ce, elle quitta les lieux.

Quand elle repensa à sa journée, allongée dans son lit à l'étage de la maison de Rachelle, Sophie fut impressionnée par son courage. Pendant sa visite à Longueuil, elle avait gardé son calme, avait fait sa déclaration sans broncher et avait tenu son bout, même devant le rejet que traduisait l'attitude d'Anouk et de Roxane. Certes, elle avait eu de la peine en les voyant se ranger aux côtés de leur père sans même avoir écouté son explication. C'étaient ses filles, et elle les aimait, malgré tout ce qu'elles étaient devenues. Dans la voiture, Sophie s'était raisonnée; la froideur d'Anouk et de Roxane était l'une des forces en équilibre entre l'harmonie et le chaos. Elle devait donc l'accepter et espérer que leur relation subirait un réchauffement qui, sans être essentiel, serait bénéfique. C'est ainsi qu'elle avait repris la route, le cœur lourd, mais quand même empli de fierté. Elle était toujours libre.

Après le souper, quand Luc l'avait appelée pour l'informer de son intention d'obtenir la garde de leurs filles, Sophie n'avait pas protesté. Il s'était peut-être attendu à ce qu'elle argumente, le supplie et renonce enfin à son projet, mais elle n'en avait rien fait. Elle avait simplement déclaré qu'elle voulait le bonheur de Roxane et d'Anouk, ajoutant que si elles préféraient habiter chez leur père, elle ne s'y opposerait pas. Luc avait alors essayé de susciter sa pitié, prétendant ne pas arriver à joindre les deux bouts sans Sophie, allant même jusqu'à soutenir qu'elle lui manquait, qu'elle manquait aux filles aussi. Sophie avait senti son cœur se serrer, mais n'avait pas cédé. Après des mois d'introspection et d'analyse de sa vie d'avant, elle était désormais capable de reconnaître les tactiques de manipulation. Ainsi, les mots étaient venus spontanément, comme si elle avait passé des mois à les répéter. Elle les lança d'un coup, sans respirer. Si Luc trouvait difficile de payer seul cette maison, il n'avait qu'à la vendre ou à se chercher une autre blonde.

Elle tremblait en reprenant son souffle, toujours surprise de son aplomb. En affirmant qu'elle n'était plus et ne serait jamais plus une femme dont on abuse, Sophie venait d'affirmer que la situation avait changé entre eux. Furieux, Luc manifesta son exaspération d'une manière plus soutenue, menaçant même de lui imposer une pension alimentaire tellement élevée que Sophie se retrouverait à la rue dans moins d'un an. Au lieu de perdre son temps à expliquer qu'elle prévoyait payer une pension alimentaire dès qu'elle se serait trouvé un emploi, Sophie lui avait raccroché au nez. Décidément, elle commençait à aimer cet avantage de la communication téléphonique.

Les yeux grands ouverts au milieu de la nuit, elle sourit à ce souvenir, mais appréhenda un peu le tournant que venait de prendre sa vie. Désormais, il n'y avait plus moyen de retourner en arrière. Le trait était tiré. Sa vie d'avant, finie. Elle se sentit d'emblée plus légère. Plus jamais elle n'accepterait qu'on lui manque de respect. En partant comme elle l'avait fait à la veille des fêtes, elle avait amorcé une transformation qui ne pouvait que culminer avec une affirmation totale de soi et une parfaite indépendance. La vente de la maison de Longueuil était la seconde étape; l'achat de la maison de campagne serait la troisième.

Avant de revenir à Ormstown, elle s'était arrêtée dans un café Internet. Elle y avait consulté les rubriques des agents immobiliers et découvert avec stupéfaction que plusieurs maisons de son quartier se vendaient le double du prix qu'elle et Luc avaient payé. Si tout se passait bien, Sophie allait mettre la main sur environ cent cinquante mille dollars, de quoi lui permettre d'aller au bout de son projet.

La prochaine étape, donc, consistait à soumettre l'offre d'achat que, sans perdre de temps, Rachelle avait préparée. Elle avait obtenu toutes les informations concernant la propriété des Bilodeau. Comme elle l'avait anticipé, en l'absence d'acheteur, le prix demandé avait baissé. Rachelle prétendait toutefois qu'il fallait offrir encore moins. Sophie pensait recourir à une hypothèque pendant quelques mois, le temps de vendre la maison de Longueuil et d'effectuer le transfert de fonds. Ensuite, il resterait suffisamment d'argent pour repartir à neuf. Repartir à neuf…

Elle s'étira, s'enroula dans les couvertures et glissa ses orteils sous le corps chaud de Jack. Le chien laissait des poils partout, sentait fort et ronflait la nuit, mais Sophie commençait à trouver sa présence réconfortante. Quand un puissant coup de tonnerre secoua la maison, elle le vit ouvrir les yeux comme pour s'assurer qu'il n'était pas seul. Puis il se roula en boule et se rendormit. Dehors, la pluie commença à tomber, et les arbres furent secoués par l'orage. Les branches les plus proches effleuraient la vitre dans un crissement irrégulier. Le tonnerre retentit de nouveau, suivi d'un éclair qui illumina la chambre. Sophie eut le temps d'apercevoir les murs et l'étagère de coin. Elle se demanda de quoi aurait l'air sa chambre, là-bas, dans la nouvelle maison. Puis, les yeux fixant l'obscurité, elle commença à imaginer le reste de sa vie à la campagne.

Rachelle avait déjà soumis son CV à la secrétaire de l'école. Si sa candidature était retenue, Sophie pourrait faire quelques jours de suppléance par semaine, ce qui lui donnerait suffisamment d'argent pour payer l'épicerie, l'électricité et la pension alimentaire. Pour le reste, rien ne pressait. D'ailleurs, si jamais elle décidait de ne pas s'acheter une montagne de vêtements et de ne plus s'abonner au téléphone, ni à la télévision, ni à Internet, la terre ne cesserait pas de tourner. N'avait-elle pas survécu – et bien vécu ! – plus de deux mois sans ces moyens de communication et avec, pour toutes possessions, les vêtements qu'elle avait sur le dos ? Elle jugea que c'était là un bien faible prix à payer pour acquérir sa liberté.

Rassurée à l'idée qu'on pouvait vivre différemment des autres, Sophie s'endormit, le visage détendu, les pieds au chaud dans la fourrure du chien.

35.

– Vous êtes complètement folle, madame Campagna !

Ainsi s'exprimait Bilodeau fils, debout dans la cuisine de la maison de son père, furieux de découvrir sur l'offre d'achat le montant offert par Sophie. Comme tout le monde, il avait été l'élève de Rachelle et, comme tout le monde, il n'aurait jamais osé l'appeler « la sorcière » en sa présence. Il savait, parce que tout le monde le savait, que Rachelle connaissait son surnom. On disait même qu'elle l'appréciait. Si Max Bilodeau avait plusieurs qualités, il ne possédait toutefois pas le cran nécessaire pour affronter une vieille femme sur un terrain aussi glissant. Il avait appris avec les années à lui manquer de respect, mais sans franchir les limites gravées dans sa mémoire. Il était donc capable de la traiter de folle au milieu d'une conversation parce que cela n'impliquait rien de concret. Il en aurait été autrement avec le mot sorcière.

Dehors, la pluie tombait dru, et la cuisine baignait dans un demi-jour inquiétant. Cette maigre lumière, associée au regard dur que Rachelle portait sur la maison, l'indisposait. Max Bilodeau aurait même parié cent dollars que ces yeux gris qu'on apercevait à travers deux minces fentes brillaient de l'intérieur. Mais cela, il ne l'aurait jamais admis. Il préférait s'en tenir aux choses sur lesquelles il avait encore de l'emprise. Comme la vente de cette maudite maison.

– J'en demandais 150 000 $ quand je l'ai mise à vendre.

Cette réaction, si elle troubla Sophie, laissa Rachelle indifférente. C'est tout juste si elle haussa un sourcil.

– J'ai parlé à votre père avant-hier, déclara-t-elle. Il m'a dit en vouloir 110 000 $ à cause de l'état d'abandon dans lequel elle se trouve maintenant. Il y a cinq ans, Hydro-Québec a débranché l'électricité tellement l'endroit était devenu dangereux.

Max jeta un coup d'œil aux fenêtres barricadées, au papier peint qui se décollait, aux crottes de souris sur le plancher. Il termina par le plafonnier auquel il avait autrefois retiré les ampoules pour les utiliser chez lui, à Montréal. Il soupira, contraint de donner raison à Rachelle.

– Va pour 110 000 $. Mais vous m'en offrez 20 000 $ de moins.

Rachelle demeura de marbre.

– Avez-vous déjà acheté une maison, Max ?

Il ne daigna pas répondre. L'idée ne lui était jamais venue à l'esprit de se fixer quelque part. Il allait d'appartement en appartement, changeant de quartier au gré de ses humeurs. Ce qui l'intéressait, c'était l'aventure. C'était aussi de vendre cette maison qui lui était comme un boulet aux pieds depuis dix ans. Il chercha encore un argument pour orienter la vente à son avantage et sentit une vague de fierté le submerger lorsque l'idée jaillit dans son esprit.

– D'accord. 90 000 $, c'est le prix de la maison. Mais il y a la grange, aussi. Elle vient avec. Savez-vous combien ça coûterait pour en construire une neuve aujourd'hui ? Celle-là, même dans cet état-là, vaut au moins 30 000 $. Vous pensez bien que je ne vais pas vous la laisser pour des *peanuts*.

Il tressaillit quand il vit Rachelle s'avancer vers la fenêtre. Elle étira le cou pour regarder entre deux des planches qui protégeaient la vitre.

– 30 000 $? répéta-t-elle.

Elle avait exagéré chaque syllabe pour mettre en évidence le ridicule de cette évaluation. Max en fut vexé même s'il admettait que la grange ne payait pas de mine. Elle était grande, certes, mais aussi ancienne que la maison. Sa structure penchait sur un côté et risquait de s'effondrer à tout moment. Trente mille dollars pour un édifice dangereux, c'était trop cher payé, il le savait bien. Quand il vit Sophie ouvrir la bouche pour la première fois, il imagina qu'elle allait renoncer. Ou peut-être voulait-elle simplement contester son évaluation, elle aussi ? Quoi qu'elle s'apprêtât à dire, la sorcière l'en empêcha.

– On t'offre 100 000 $, Max, déclara-t-elle en dardant son regard sur lui.

Il tressaillit encore une fois, n'ayant jamais imaginé que Rachelle passerait du « vous » au « tu ». Cela lui rappela des souvenirs qu'il chassa aussitôt. Il en resta néanmoins un malaise impossible à dissiper. Debout près de la fenêtre, ses yeux toujours fixés sur lui, la sorcière s'expliquait d'un ton qui n'admettait pas de réplique :

– C'est 100 000 $ pour la maison, la grange, le garage et le terrain. Pas une cenne de plus.

Sur ce, elle prit la main de Sophie et se dirigea vers la porte. Juste avant d'en franchir le seuil, elle lui lança de sa voix de maîtresse d'école :

– Cette jeune femme habite avec moi à la Cascatelle. Tu sais donc où nous trouver.

En entendant ces mots, l'homme blêmit. Sophie s'en aperçut, mais n'eut pas le loisir de lui demander ce qui l'affectait à ce point. Déjà, Rachelle l'entraînait en courant vers le 4x4. Tous les bruits étaient étouffés à cause de l'orage, et il lui fallut attendre que les portières soient refermées avant de l'interroger.

– Qu'est-ce qui se passe ? demanda-t-elle au moment où le moteur démarrait. On aurait dit que…

– Pas tout de suite. Il nous regarde par la fenêtre.

Sophie fut tentée de lever les yeux, mais n'en fit rien. Le regard complice de Rachelle suffit à la retenir.

– Maintenant, fais semblant d'être en colère contre lui.

Elle embraya pour reculer.

– Montre-toi insultée, désigne la grange, n'importe quoi, mais exprime-toi.

Amusée par la mise en scène, Sophie s'élança dans une tirade loufoque, montrant tantôt la grange, tantôt le garage, puis enfin la maison. Elle cessa de jouer le jeu quand elle aperçut Max Bilodeau debout sur la galerie. Il leur faisait de grands gestes pour qu'elles reviennent.

– Ça y est ! déclara Rachelle, une note de satisfaction dans la voix. Mais surtout, ne te montre pas trop contente. Il pourrait encore changer d'idée.

Un quart d'heure plus tard, alors qu'elles reprenaient la route de la Cascatelle, Rachelle et Sophie exultaient. La victoire avait été totale. L'ennemi, battu à plate couture.

– Comment as-tu su qu'il accepterait 100 000 $? demanda Sophie tandis qu'elles s'engageaient dans le chemin menant à la maison.

Rachelle ne répondit pas. Le 4x4 venait d'atteindre le fond de la coulée, et les roues patinaient. D'un même geste, les deux femmes jetèrent un regard inquiet en direction de la rivière sur leur gauche. Malgré la glace qui figeait encore la surface, l'eau grugeait la berge, créant des criques nouvelles. Rachelle réussit à sortir du ravin et stationna son véhicule le plus haut et le plus loin possible des cours d'eau. Puis elle sortit, Sophie sur les talons, et toutes deux trouvèrent refuge sous le toit de la galerie, aussi trempées que si elles étaient restées immobiles sous la pluie.

– J'espère que tu n'avais pas de rendez-vous important cette semaine…, commença Rachelle en déverrouillant la porte.

Les trois chiens se ruèrent à l'extérieur, sautillant d'abord autour de Rachelle avant de s'élancer vers le boisé.

– …Parce qu'on va bientôt être coupées du monde.

– Déjà ?

Sophie regarda les chiens qui fouillaient les buissons et l'eau qui s'avançait profondément dans la coulée. Bien que la glace lui parût menaçante, elle ne ressentait pas d'inquiétude à l'idée d'être isolée à la Cascatelle. L'endroit était tellement confortable.

– Je n'ai pas d'autre rendez-vous que celui qu'on prendra chez le notaire.

Rachelle rappela les chiens, mit de l'eau à chauffer et, quelques minutes plus tard, elle et Sophie s'installaient à leurs places habituelles, de part et d'autre du poêle. Elles reprirent alors la conversation qu'un soubresaut de la nature avait interrompue.

– Max est endetté par-dessus la tête, déclara Rachelle avec un sourire en coin. Tout le monde est au courant dans le village. Il ne pouvait pas laisser passer une si grosse rentrée d'argent. Suffisait de le cuisiner un peu.

Sophie sourit à son tour. Son rêve venait de prendre une dimension concrète. Puis elle se rappela le malaise qu'elle avait perçu chez Max Bilodeau.

– Pendant un moment, quand on était dans la cuisine, j'ai eu comme l'impression qu'il avait peur.

Rachelle éclata de son rire cristallin, les doigts crispés sur les accotoirs. Elle se berçait, les épaules au chaud sous son châle sombre, sa longue chevelure blanche créant une auréole autour de sa tête.

– Évidemment qu'il a peur, railla-t-elle en portant sa tasse à ses lèvres. Évidemment…

Comme Rachelle l'avait prédit, la rivière aux Outardes sortit de son lit cette nuit-là. La Cascatelle devint une île où il aurait été impensable de se rendre autrement qu'en chaloupe. Personne n'osa rompre la quiétude dans laquelle l'inondation plongea le domaine. Le téléphone fonctionnait, l'électricité n'avait pas été coupée, et Rachelle possédait encore des réserves pour plusieurs mois. Entre les corvées quotidiennes, les heures de conversation à deux et celles de lecture solitaire, les jours s'écoulèrent sans que Sophie souffrît de l'isolement qui leur était imposé.

36.

Un soir, alors que les deux femmes venaient de se mettre au lit, une sirène retentit. Le bruit était tellement soudain et rare que Sophie sursauta. Était-ce une ambulance ou un camion de pompier ? Elle n'aurait su le dire, mais le véhicule était passé au sud et se dirigeait vers l'ouest. Sophie se redressa, l'oreille à l'affût. Le silence était revenu. Elle entendit cependant le plancher craquer dans la chambre de Rachelle. Elle s'enveloppa dans son châle et la rejoignit, le grincement du bois sous ses pieds informant son amie de sa venue aussi efficacement que l'aurait fait le son de sa voix.

La chambre de Rachelle possédait l'unique fenêtre donnant sur le sud. On y apercevait donc le chemin qui venait du village et longeait la rivière aux Outardes sur plusieurs kilomètres. Malgré la pluie, et parce que les arbres étaient encore sans feuilles à cette saison, Sophie aperçut le feu qui s'élevait dans le ciel comme un geyser incandescent. Son cœur cessa de battre.

– Ma maison ! s'exclama-t-elle en refaisant mentalement le trajet qu'elle connaissait par cœur.

Pendant un long moment, les deux femmes étudièrent la nuit, tentant chacune d'évaluer la distance qui les séparait de l'incendie. Puis Rachelle trancha :

– Ta future maison est en briques. Je ne pense pas qu'elle brûlerait aussi facilement. Je dirais plutôt que c'est la grange.

– La grange... ?

Le mot s'étrangla dans la gorge de Sophie tandis qu'elle imaginait les flammes ravager l'immense bâtiment, teintant la neige de rouge et d'ocre avant de la couvrir de cendres.

– Pourvu que le feu ne s'attaque pas ensuite à la maison, murmura-t-elle, les mains soudain glacées.

D'un geste maternel, Rachelle la serra contre elle.

– Pas de danger, ma fille. Il pleut depuis des jours. Pour que le feu prenne dans la grange, il a fallu une étincelle puissante. Ou plusieurs étincelles d'affilée.

Elle se tut. À la lueur de l'incendie, Sophie voyait son visage raviné et sérieux. Elle ne comprit pas les raisons de l'euphorie qui transforma soudain ses traits. Elle ne réagit pas non plus quand elle entendit son rire éclater dans la chambre.

– Max a dû faire réinstaller l'électricité, s'exclama Rachelle. Il a oublié qu'avec les années, les rats avaient eu le temps de ronger les fils. Ça aura mis le feu en moins de deux.

Elle riait tellement que des larmes perlaient aux coins de ses yeux.

– Pauvre gars ! Il n'aura pas le choix de baisser encore son prix maintenant qu'il n'y a plus de grange.

Elle se pencha plus avant vers la fenêtre.

– Je parie qu'il n'était pas assuré, murmura-t-elle.

Au loin, le feu venait de se transformer en brasier.

37.

Un malheur a parfois des conséquences heureuses. L'inondation qui isola Rachelle et Sophie sur une île au confluent de la rivière des Outardes et de la Châteauguay devint un alibi irrécusable, ce qui constitua un atout de taille dans leur situation.

À l'aube, le lendemain de l'incendie, les habitants d'Ormstown tiraient déjà leurs conclusions : la sorcière s'était vengée de la cupidité dont avait fait preuve Max Bilodeau. Sa rencontre avec Sophie dans la maison qu'il avait laissée à l'abandon, les négociations qui avaient suivi, tout cela avait depuis longtemps fui le foyer pour personnes âgées où Max avait dû rendre des comptes à son père. La rumeur s'était par la suite répandue comme la peste à travers le village, chacun prenant le parti de celui qui semblait le plus fort. Aussi bien dire que tout le monde prenait pour Rachelle. La nouvelle de l'incendie se répandit par le même canal et à la même vitesse. Si chacun connaissait les dettes de Max Bilodeau, chacun connaissait également les pouvoirs attribués à Rachelle Campagna. Personne ne trouva étrange qu'une grange brûle parce qu'elle se trouvait en travers de son chemin. Personne, et surtout pas Max Bilodeau.

C'est pourquoi il se rendit au poste de police dans l'intention de porter des accusations.

– La sorcière ne voulait pas payer pour la grange. Je suis certain que c'est elle qui a mis le feu.

– La sorcière était prisonnière de son île depuis deux semaines, répondit le policier responsable de consigner sa plainte. Sa pensionnaire aussi.

Max ne trouva pas d'autre argument. Devant son air dépité, le policier jugea bon d'ajouter :

-On fera quand même une enquête.

Il en aurait fallu davantage pour rassurer un homme comme Max. S'il était convaincu, comme bon nombre de ses concitoyens, que Rachelle Campagna avait quelque chose à voir avec l'incendie, il savait très bien qu'elle n'aurait jamais laissé de trace de son passage. Et si, la nuit, il lui arrivait de l'imaginer dans le ciel, assise sur un balai, il savait très bien aussi que les forces qu'elle contrôlait étaient plus subtiles.

Il ne fut même pas surpris quand, quelques jours plus tard, le notaire l'informa qu'il devait reconsidérer le prix de vente de sa propriété. Les forces de l'enfer étaient contre lui, il l'avait déjà compris. La rencontre eut lieu dans une de ces maisons de style victorien qui bordaient la rue Principale. La pluie avait cessé, et les pompiers étaient venus chercher Rachelle et Sophie en chaloupe pour leur permettre de se rendre à leur rendez-vous. Ce désagrément fut peut-être à l'origine de l'irritabilité que Max perçut chez Rachelle dès son arrivée. Elle se montra intraitable.

– La grange valait au moins 30 000 $, argua-t-elle devant le notaire. C'est monsieur Bilodeau lui-même qui nous l'a assuré. Et ça coûtera beaucoup plus cher pour en construire une nouvelle.

Max devint à ce point livide que le notaire dut appeler sa secrétaire pour qu'elle lui apporte un verre d'eau. Forcé de négocier, Bilodeau fils n'eut pas le choix de céder du terrain. La nouvelle offre fut signée et acceptée à vingt mille dollars de moins que la précédente. On fixa la prise de possession au 1er mai.

La banque n'hésita pas un instant à prêter l'argent, mais Sophie dut insister pour prendre un arrangement spécifiant qu'elle allait rembourser son prêt dès que son autre maison serait vendue. La prudence exigeait aussi qu'elle emprunte un peu plus que le montant de l'achat, histoire d'avoir la latitude nécessaire pour s'installer. Cette précaution s'avéra d'autant plus judicieuse que les assurances lui réservaient une surprise. L'enquête ayant prouvé que les rats étaient effectivement à l'origine de l'incendie, on exigea que Sophie fasse examiner par des professionnels l'ensemble des installations électriques. Ce contretemps et ces coûts supplémentaires furent toutefois bénéfiques puisqu'on trouva plusieurs irrégularités dans les branchements. À la fin, Sophie pouvait dormir sur ses deux oreilles : elle emménagerait dans un bâtiment sécuritaire.

Au fil des jours, la rivière aux Outardes regagna sagement son lit, et la pluie céda le pas au soleil. La terre s'était définitivement réveillée. Les pousses vertes s'épanouissaient sur les branches. Les oiseaux revenaient du sud. Le vent soufflait sur la campagne des odeurs de ferme et de nature humide. Partout, la neige avait fait place à la végétation. Quand elle ouvrait la fenêtre de sa chambre le matin, après avoir flatté le chien, Sophie ne pouvait oublier où elle se trouvait. Elle nettoyait le poulailler comme si elle accomplissait un rite sacré. Elle cueillait les œufs avec le respect des prêtres célébrant la messe. La vie, dans tout ce qu'elle avait de plus beau et de plus lent, pénétrait chaque pore de sa peau. Elle avait déniché dans le hangar de la Cascatelle une vieille bicyclette qu'elle avait rafistolée de son mieux et qu'un garagiste du village avait bien voulu graisser adéquatement. Le cadre était démodé, mais quelqu'un avait eu l'idée autrefois de fixer au guidon un panier en osier. À partir de ce moment-là, Sophie put aller au village par ses propres moyens et rapporter les provisions qu'elle achetait pour varier le menu. Mais surtout, elle put se rendre tous les jours devant les débris calcinés de la grange, s'asseoir en bordure de la route et admirer sa future maison et ses futurs arbres : un saule pleureur, un tilleul, un pin et plusieurs érables, tous d'une cinquantaine d'années au moins. Elle plissait les yeux, éblouie par la force du soleil, et laissait libre cours à sa joie. Tout cela était tellement beau !

38.

Sophie avait donné rendez-vous à Luc dans un restaurant de la Rive-Sud, un endroit public où elle savait qu'il n'oserait pas se laisser aller à l'insulter haut et fort. C'était une journée froide. L'air sentait la mer, elle s'en était aperçue en arrivant à Longueuil. L'odeur lui rappelait son voyage à Cancún et lui donna le courage de franchir une autre étape: celle de la séparation des biens.

Ils s'étaient commandé chacun un café. Comme Luc évitait son regard, Sophie lui tendit la feuille sur laquelle elle avait préparé la liste des meubles et des objets qu'elle voulait conserver.

– Je pense que ça correspond environ à la moitié de ce qu'on a, précisa-t-elle en étudiant son visage à mesure qu'il prenait connaissance de ses demandes. Si tu veux, tu peux me racheter ce qui t'intéresse ou me l'échanger contre autre chose.

Luc lisait sans rien dire, sans non plus lui prêter attention. Il ouvrit tout à coup son manteau, en sortit un stylo et commença à annoter la liste. Sophie se pencha pour essayer de déchiffrer ce qu'il écrivait, mais Luc prit la parole avant qu'elle y soit parvenue.

– Tout ce que j'ai encerclé, c'est moi qui l'ai payé, alors ça m'appartient, déclara-t-il en lui redonnant la feuille.

Sophie lut à son tour, les mains crispées sur le papier. Le frigo, la cuisinière, les meubles, tout ce qui constituait un bien de valeur avait été encerclé. Ne restaient que la vaisselle, les draps, les serviettes, les livres et les disques. Des biens qu'elle avait effectivement payés elle-même. Il lui fallut un moment pour maîtriser l'humiliation qui la gagnait et pour trouver ses arguments.

– On avait pris une entente, lui rappela-t-elle. Je payais ce qui concernait les filles, le linge et l'école, en plus de l'épicerie, pendant que toi, tu t'occupais du reste.

Il hocha la tête pour approuver, mais ne dit rien.

– Ça veut dire que pendant vingt ans, tu as mangé à mes frais et que j'ai aussi élevé les filles à mes frais.

– Ça, c'est toi qui le dis.

Sophie blêmit.

– Luc, j'ai investi autant que toi dans notre ménage.

– Prouve-le !

Il y avait tellement de mépris dans sa voix que Sophie demeura bouche bée. Puis elle déchiffra le dialogue sous-jacent à leur discussion. Il niait leur entente et ne lui donnerait rien. Autrement dit, elle allait perdre tout ce qu'elle avait accumulé en vingt ans. Luc poussa l'arrogance un peu plus loin.

– J'ai gardé les factures, Sophie. Mon nom et mon numéro de carte de crédit sont inscrits dessus. Ces affaires-là m'appartiennent.

– Mais...

Elle arrivait à peine à articuler.

– J'ai fait l'épicerie, dit-elle enfin. J'ai habillé les filles et payé la garderie et les cours de natation, et...

– Prouve-le ! répéta-t-il sur le même ton que précédemment.

Sophie secoua la tête, prise de panique.

– Tu sais bien que je n'ai pas ces factures-là, voyons donc ! Qui est-ce qui garde ses factures d'épicerie pendant vingt ans ?

Devant le regard impassible de Luc, elle perdit patience.

– Ne sois pas ridicule, Luc. Ce n'est pas parce que tu payais les meubles qu'ils t'appartiennent. On vivait à deux.

Elle s'énervait, mais lui demeurait de marbre. Elle dut se rendre à l'évidence : il lui faudrait aller en cour.

– Au Québec, déclara-t-elle, il existe des lois pour gérer la séparation des couples et protéger l'un contre la cupidité de l'autre. On verra bien si le juge va te laisser garder tout ce qu'on a acquis ensemble.

Luc ne se laissa pas impressionner.

– La loi du patrimoine familial s'applique juste aux gens mariés, Sophie. Tu peux bien essayer d'aller chercher ce que tu veux, tu n'auras rien. Je vais présenter toutes mes factures, et il n'y a pas un juge qui va te donner gain de cause.

Il la regardait droit dans les yeux. Sophie se demanda s'il bluffait. Puis elle essaya d'imaginer de quoi pourrait avoir l'air une séparation légale et quel serait le coût des avocats. Elle n'eut pas le temps de tirer ses conclusions. La voix de Luc se fit glaciale.

– Tu n'auras rien d'autre que tes disques, tes livres pis ton linge. Pis comme ils sont déjà dans le coffre de l'auto, tu as juste à venir avec moi. Je vais te les donner tout de suite. Ça nous évitera d'aller au palais de justice pour si peu.

Sophie ne trouva rien à dire pour se défendre. Si elle n'avait pas prévu cette réaction de Luc, lui, au contraire, avait bien anticipé la sienne.

Elle utilisa le chemin du retour pour réfléchir à ce qui venait de lui arriver. L'assurance de Luc l'avait tellement secouée qu'elle s'était emparée de ses affaires et avait fui comme une gamine effarouchée. Mais à mesure qu'elle s'éloignait de Longueuil et se rapprochait de son nouveau milieu de vie, son esprit redevint lucide. Elle envisagea la possibilité de s'entêter et de prendre un avocat. Un juge serait sensible à son histoire, il croirait à leur entente initiale. Mais dépouiller

Luc revenait à dépouiller les filles par la bande, ce que Sophie voulait absolument éviter. Elle ne leur en voulait pas d'avoir choisi de vivre avec leur père et, en tant qu'enseignante, mais surtout en tant que parent responsable, elle savait que les enfants avaient besoin de stabilité. Ce besoin s'avérait plus important encore après une séparation. Elle renonça donc, devinant que, de toute façon, les frais juridiques encourus par un procès dépasseraient de beaucoup la valeur des biens qu'elle aurait pu espérer récupérer.

39.

Le 1er mai au matin, Sophie et Rachelle se rendirent chez le notaire. Elles en revinrent une heure plus tard, à temps pour recevoir la livraison de deux matelas commandés quelques jours plus tôt. Les livreurs récupérèrent, non sans sourciller, les vieux matelas de monsieur Bilodeau. Après leur départ, les deux femmes délestèrent le 4x4 de sa cargaison de vêtements et de livres, et Rachelle alla examiner le contenu du garage.

Debout dans la cuisine, Sophie reconnut que le courage lui manquait devant le ménage qui s'imposait. Les planchers, les murs, les comptoirs, sans compter la salle de bain, tout devait être nettoyé. Pire, s'il faisait chaud à l'extérieur, c'était une réelle touffeur qui régnait dans la maison. Inutile de s'entêter. Et puis il lui semblait approprié de commencer par célébrer. Elle retourna dans le 4x4 et en extirpa la glacière qu'elle avait laissée sur le siège arrière. À l'intérieur, se trouvait la bouteille de champagne achetée la veille.

– Rachelle ! s'écria-t-elle en direction du garage. Arrête de fouiller et viens trinquer avec moi.

– J'arrive..., mais viens donc m'aider avant !

La voix de la vieille femme lui parvenait, étouffée par l'effort. Sophie la rejoignit et découvrit, disposées devant la porte, deux chaises berçantes en bois, probablement aussi anciennes que la maison. Dans le fond du garage, Rachelle marmonnait, soulevant des nuages de poussière.

– Me semblait aussi que le vieux Bilodeau n'avait rien vendu avant de s'en aller… Me semblait aussi…

Elle respira tellement de poussière qu'elle se mit à tousser et dut abandonner ses fouilles. Elle vint alors retrouver Sophie en s'essuyant les mains sur sa salopette. Son visage rayonnait.

– Je me souvenais de l'avoir vu se bercer sur galerie en été, commença-t-elle en époussetant les chaises.

Puis elle montra du doigt le fond du garage.

– C'est à croire que ceux qui sont venus vider la maison quand Adélard est entré à l'hospice ont entreposé toutes ses affaires ici.

Elle toussa encore une fois, se moucha et reprit :

– Mais on dirait qu'ils ont oublié de le dire à son fils. Il y a plein de meubles là-dedans. De la vaisselle aussi, et des ustensiles de cuisine, des outils, des bibelots. C'est un vrai coffre au trésor. Tu es chanceuse que le feu se soit contenté de la grange.

Sophie se rappela l'intensité du brasier et frémit. S'il avait fallu que le feu s'étende au garage…

– Tu as bien fait de laisser tes anciennes affaires à ton ex, poursuivit Rachelle. Les boîtes du fond contiennent tout ce qu'il faut pour cuisiner. Et je ne sais pas si le frigidaire qu'on aperçoit derrière le divan fonctionne encore, mais ça vaut la peine de le brancher pour l'essayer. Le poêle, là-bas, je suis certaine qu'il marche. Il est vieux, mais elles ne sont pas tuables, ces machines-là.

Sophie ne jugea pas bon de préciser que si elle avait laissé « ses anciennes affaires à son ex », c'est qu'elle y avait été forcée. Elle s'avança néanmoins, inspecta ce que Rachelle considérait comme un trésor. Outre les électroménagers, elle découvrit un sofa dont les coussins avaient sans doute été dévorés par les mites depuis longtemps. Elle aperçut aussi une table de salle à manger, des chaises assorties en bois ouvragé et une autre chaise berçante, plus petite que les deux autres. Même si rien de ce qu'elle voyait n'avait une grande valeur monétaire, chacun de ces objets constituait effectivement un trésor pour Sophie. Ils lui donnaient l'impression de repartir à neuf.

Elle établit ses quartiers dans l'une des chambres de l'étage. La pièce était spacieuse, le papier peint, joli, et la lucarne se trouvait sur la façade, offrant, le jour, une vue sur le saule pleureur, sur la route et sur la rangée d'arbres brise-vent qui se dessinait à l'horizon. On apercevait également les ruines de la grange, mais Sophie préféra ne pas s'y attarder. Au coucher du soleil, le ciel se colora d'ocre, de rouge et de violet, une scène beaucoup plus poétique que les débris calcinés qui constituaient l'avant-plan.

Le placard nettoyé reçut les vêtements, et les autres meubles furent dépoussiérés. Recouvert du matelas et des draps neufs, le lit de monsieur Bilodeau devint irrésistible. Sophie s'y allongea, épuisée et persuadée de sombrer aussitôt dans un sommeil profond. Quelle ne fut pas sa surprise de constater que, bien que la nuit fût tombée depuis longtemps, elle transpirait toujours comme en plein soleil à midi ! La chaleur du jour était montée jusqu'à l'étage où elle s'était trouvée prisonnière du toit mansardé et des fenêtres closes. Sophie avait eu beau les ouvrir toutes grandes, la chaleur continuait de stagner dans les chambres.

Même immobile, couchée au-dessus des draps, elle n'arriva pas à fermer l'œil. Il devait être minuit, peut-être même plus tard. Difficile d'évaluer l'heure quand on ne possède ni montre ni horloge et encore moins de réveille-matin. Dehors, le ciel était piqueté d'étoiles. La brise s'engouffrait par la lucarne, tiède, chargée d'humidité et du parfum de la terre qui séchait. Les grillons avaient entamé un concert. Les branches du gros pin geignaient doucement. Rien pour troubler la quiétude champêtre.

Sophie se serait peut-être endormie tant cette tranquillité l'avait imprégnée, mais quand le premier cri retentit, il la glaça d'effroi. En tant que fille de la ville, elle n'avait, pour toute connaissance de la vie sauvage, que l'information apprise à la télévision. En entendant ce cri, elle fut persuadée qu'il s'agissait d'un loup et l'imagina hurlant à la lune, comme elle en avait vu maintes fois dans les films. Il y eut un second, puis un troisième cri, et ce fut comme si une meute entière s'était mise à hurler en chœur. Sophie n'osa plus respirer, paniquée à l'idée que des bêtes féroces puissent rôder autour de sa maison. Elle avait toujours pensé que les loups vivaient en bandes dans le nord, au cœur de la forêt boréale. Pas dans la campagne, à moins d'une heure de Montréal. Quel choc ce fut pour elle, et pour sa confiance en elle, d'entendre ces hurlements qui semblaient se rapprocher!

Plus le temps passait, plus la fatigue la gagnait et, avec elle, l'angoisse s'intensifiait. La nature prit des proportions démesurées. Chaque chuchotement devint un cri, chaque grincement, une plainte à donner la chair de poule. Lorsqu'un barbeau heurta la moustiquaire en produisant son bourdonnement frénétique, Sophie paniqua. Elle se rua sur la fenêtre et frappa la moustiquaire pour faire fuir l'insecte qui, affolé, finit par s'en aller. Elle réalisa trop tard qu'elle venait de défoncer son unique protection contre une invasion de maringouins et autres bestioles détestables.

C'est à ce moment que le vent se leva. Un vent puissant qui venait de l'est et qui fit plier les branches du saule et du tilleul comme de simples ficelles. Le ciel se voila, les étoiles disparurent et la pluie se mit à tomber, aussi violente que les bourrasques. Sophie se dépêcha de courir dans toutes les pièces pour fermer les fenêtres. Elle ne put toutefois se résoudre à fermer celle de sa chambre tant la chaleur l'étouffait encore. Elle se trouvait devant la lucarne à regarder la nature se déchaîner quand le tonnerre retentit. La maison et tout ce qui s'y trouvait furent secoués comme si la terre avait tremblé. Un éclair zébra le ciel au-dessus des ruines de la grange. Il fut suivi d'un autre coup de tonnerre, et d'un autre éclair. Craignant que la foudre pénètre dans la maison, Sophie se résigna à fermer la fenêtre. Mais les bruits de l'orage lui parvenaient toujours, bien qu'atténués. Les murs grinçaient, le toit grinçait, et les lucarnes geignaient comme si elles allaient être arrachées. Même la cheminée de briques semblait sur le point de s'effondrer sous la poussée du vent. Réfugiée sous les draps, Sophie avait envie de pleurer. En achetant cette maison, elle n'avait pas pensé qu'elle s'apprêtait à vivre seule à la campagne, à près de huit cents mètres de son plus proche voisin. Malgré toutes les aventures qu'elle avait vécues dans les derniers mois, tous les progrès qu'elle avait accomplis et toute l'assurance qu'elle avait gagnée avec l'expérience, il lui était impossible d'oublier ses peurs. Des peurs nées d'une conscience aiguë de la solitude et des dangers afférents, réels ou imaginaires.

40.

Le soleil commençait tout juste à sécher l'asphalte, le lendemain matin, quand le 4x4 de Rachelle vira dans l'entrée. Sophie versa du café dans deux tasses et sortit sur la galerie pour accueillir son amie. Les premiers mots qui lui sortirent de la bouche n'eurent pourtant rien d'accueillant.

– Connais-tu quelqu'un qui a un chien à donner? demanda-t-elle dès que Rachelle eut refermé la portière.

La vieille femme plissa les yeux, éblouie par le soleil, et accepta la tasse qu'on lui tendait.

– Bonjour, Sophie, lança-t-elle, ignorant délibérément la question. Tu as mal dormi?

Comme à son habitude, Rachelle avait vite fait de tirer ses conclusions. Sophie poussa un soupir exaspéré.

– Il me faut un chien comme Jack.

Devant le sourire malicieux de Rachelle, elle s'expliqua. Elle n'éprouvait d'ailleurs aucune honte à raconter sa nuit. Car la honte, ce sentiment qui autrefois la terrifiait, s'était évanouie quelque part dans la poussière du désert, entre la crasse d'une chambre infestée de vermine et la maladresse d'un espagnol naissant. Et puis n'était-elle pas, dans le fond, une fille de la ville qui voulait vivre à la campagne? En tant que telle, n'avait-elle pas droit à certains accommodements?

– Il me faut un chien parce que je ne réussirai jamais à dormir seule dans cette maison. Il y a trop de bruits épeurants.

Puisque ce dernier commentaire n'avait pas su persuader Rachelle du sérieux de l'affaire, elle entra dans les détails. Tout y passa. Les grillons, les loups, le barbeau, l'orage, le vent qui tentait d'arracher la toiture. Elle parlait autant avec ses mots qu'avec ses mains, mimant son geste de désespoir lorsqu'elle avait dû fermer la fenêtre à cause de la pluie. Lorsqu'elle se tut, elle était hors d'haleine.

– Tout d'abord, ce sont les coyotes que tu as entendus, la corrigea Rachelle en se dirigeant vers les chaises berçantes. Des loups, il n'y en a pas dans le coin. Ensuite...

Elle invita Sophie à la rejoindre et commença à démystifier la vie bruyante de la campagne. Elle parla de l'âge de la maison, de sa voix, du chant d'amour des insectes et des animaux, de la danse des arbres qui ploient dans l'orage et de l'énergie de l'orage lui-même. Elle parlait d'expérience, de vécu, de connu et elle parlait avec affection. Elle reprit ainsi moment par moment la nuit horrible de Sophie et réussit à convertir l'effrayant en beauté.

Le soleil montait derrière la maison, raccourcissant les ombres sur la pelouse mouillée. Les deux femmes se berçaient sur la galerie, une tasse de café à la main. La brise tiède soufflait du sud. Les cigales venaient d'entamer leur chant quotidien. Dans les arbres tout près, des oiseaux piaillaient. Au loin, un chien aboyait. Et au milieu de ces manifestations de vie, la chaise de Rachelle grinçait à un rythme régulier et plaisant. Sophie poussa un long soupir d'aise, consciente que son esprit revenait à l'équilibre. Elle oublia sa peur de la nuit et fut de nouveau convaincue d'avoir trouvé l'endroit de ses rêves. Elle continua à se bercer, à écouter la vie qui l'entourait, à respirer comme elle avait souvent vu Rachelle le faire, avec une lenteur extrême.

– Il y a le curé, dit Rachelle après un moment de silence.

Sa voix se mêlait aux bruits de la campagne sans les atténuer.

– Il est à l'hospice depuis un an, et son chien se fait garder chez l'un et chez l'autre. Je suis convaincue qu'il serait content qu'on lui trouve un foyer permanent.

– C'est un vieux chien ?

Sophie aimait bien l'idée d'un chien qui savait déjà demander la porte.

– Peut-être trois ou quatre ans, je me souviens plus. C'est un bon chien. Calme et bien élevé. En tout cas, il l'était quand il vivait avec le curé.

Sophie approuva, rassurée. Elle aurait bientôt de la compagnie. Elle reprit donc son rêve là où elle l'avait laissé la veille, juste avant que les cris des coyotes ne s'élèvent dans la nuit. Il redevint facile d'imaginer les semaines à venir et les années qui suivraient. Et même si elle ne connaissait rien aux chiens, elle apprendrait. Comme pour le reste.

41.

Elle lavait depuis 6 heures du matin, plongeant les mains dans un seau d'eau savonneuse, frottant les murs, les comptoirs, les armoires, essuyant chaque tablette et laissant les portes grandes ouvertes afin que chaque surface sèche parfaitement. La cuisine, le salon, la salle à manger et la cage d'escalier. L'ensemble du rez-de-chaussée embaumait le détergent à l'odeur de pin qu'un courant d'air portait jusque dans la cour.

Sophie n'avait pas encore commencé à rapporter les boîtes et les meubles du garage, car là aussi il faudrait d'abord tout nettoyer. Ensuite, elle devrait choisir une place pour les assiettes, une autre pour les tasses et les verres, une troisième pour les bols. Dans quel tiroir iraient les ustensiles ? Les serviettes ? Les linges à vaisselle ? Quelle armoire serait la plus pratique pour ranger la nourriture ? Les produits de nettoyage ? Sophie avait l'impression de remonter vingt ans en arrière. Elle se rappelait ses premiers appartements, et le plaisir de faire son nid remontait à la surface. À l'époque, chaque déménagement lui donnait l'occasion de repartir à neuf. Cette vieille maison de briques produisait chez elle le même effet. Sophie se laissa aller au bonheur de recommencer, d'aménager son foyer, de s'acclimater à un autre style de vie.

Elle avait remonté ses cheveux dans ce qui pouvait ressembler de loin à un chignon et avait revêtu une camisole de même que la salopette en jean de Rachelle dont elle avait roulé les ourlets jusqu'aux genoux. Pieds nus et assise par terre, elle s'échinait maintenant sur le coin le plus sale de la cuisine : l'ancien – et le futur – emplacement de la cuisinière. La sueur perlait sur son visage, dégoulinait dans son dos et entre ses seins. Le temps n'avait pas fraîchi. Le mercure montait d'ailleurs au-dessus de 28 °C tous les jours depuis presque une semaine. Mai commençait à peine, mais on se serait cru en juillet.

Lorsqu'elle entendit un moteur gronder dans la cour, Sophie sourit, mais n'abandonna pas son torchon. Elle continua de frotter, le dos à la porte, un peu ankylosée à force d'être accroupie. Rachelle connaissait les aires de la maison. Elle stationnerait devant le garage, longerait la façade, entrerait en coup de vent et viendrait se servir un café. Les deux femmes avaient déjà leur rituel.

Les pas qui résonnèrent tout à coup sur la galerie semblèrent plus lourds qu'à l'habitude. Sophie imagina son amie, des bottes aux pieds, et s'amusa de cette image. Quelle idée de porter des bottes par cette chaleur ! Elle se retourna au moment où quelqu'un frappait. La silhouette d'un homme se découpait en contre-jour sur le grillage de la moustiquaire. De toute évidence, l'individu ne voyait pas à l'intérieur, car il s'avança et plaça ses mains en visière.

– Est-ce qu'il y a quelqu'un ? demanda-t-il d'une voix grave et teintée d'un accent anglais.

Sophie ne se trouvait pas présentable dans ses vêtements sales et usés, qui sentaient la sueur à plein nez. Elle pensa un moment à se cacher, mais se ravisa. Ce serait vraiment trop bête de laisser poireauter son premier visiteur. Elle se leva et se planta devant la porte sans l'ouvrir.

– Bonjour, dit-elle. Qu'est-ce que je peux faire pour vous ?

Le visage de l'homme s'illumina. Il ne la voyait pas, mais il était heureux d'entendre sa voix. Sophie lui donnait entre vingt et vingt-cinq ans. C'était difficile à dire avec la casquette qui cachait ses cheveux. Il paraissait costaud, portait un T-shirt et un jean déchiré aux genoux et avait dans les pieds une paire de bottes de travailleurs.

– Je suis Jonathan Stride. J'ai vu votre annonce.

La veille, Sophie avait laissé un mot sur le babillard de l'épicerie. Elle cherchait un véhicule usagé, pas trop cher et en bonne condition. Elle n'avait pas donné son adresse, seulement le numéro de téléphone de Rachelle.

– Comment avez-vous fait pour me trouver ?

– J'ai appelé, et c'est la sorcière qui m'a dit où…

Il s'interrompit, comme s'il venait de s'apercevoir qu'il avait fait une gaffe. Debout derrière la porte moustiquaire, Sophie avait pouffé de rire. C'était la première fois qu'elle entendait quelqu'un appeler Rachelle « la sorcière », et ce surnom ne la surprenait pas. Il y avait quelque chose de magique chez cette femme, une présence ou un pouvoir qui la mettait parfois mal à l'aise, mais qui, la plupart du temps, la fascinait. Jonathan Stride avait d'ailleurs prononcé ce mot non avec la peur des enfants crédules, mais avec le respect qu'on vouait jadis à sa maîtresse d'école. Conscient de son impair, il se reprit :

– C'est madame Campagna qui m'a dit où vous habitiez. Mon pick-up est à vendre.

Un pick-up ? Sophie attrapa ses sandales et sortit sur la galerie avec l'intention d'expliquer à son visiteur qu'elle cherchait une petite voiture. Une fois dehors, cependant, elle remarqua son sourire en coin. C'était un sourire espiègle et timide à la fois. Le sourire d'un homme pas encore convaincu de son charme. Elle en fut distraite au point d'oublier ce qu'elle s'apprêtait à lui dire. Elle oublia également l'état pitoyable de ses vêtements. Jonathan Stride venait de lui rappeler, malgré lui et presque avec violence, qu'elle était une femme. Elle sentit la brûlure délicieuse entre ses cuisses et, pendant un moment, n'arriva pas à détourner les yeux. Sans la moustiquaire devant lui, il était vraiment beau. Les cheveux noirs, coupés courts, le menton rasé, mais déjà foncé ici et là. Un *five O'clock shadow* qui lui allait si bien que Sophie en oublia aussi qu'elle ne voulait pas de camionnette.

– Vous en demandez combien ?

Il hésita, osa un montant, mais accepta l'offre de Sophie sans négocier.

– Il est en excellente condition, précisa-t-il en ouvrant le capot.

Sophie y jeta un œil distrait. Elle ne connaissait rien à la mécanique. Elle pouvait tout juste distinguer un moteur propre d'un moteur sale et avait assez de jugement pour savoir que ni l'un ni l'autre n'était garant d'un moteur en bonne condition.

– Si vous avez des problèmes avec, vous avez juste à venir me voir. Je suis votre voisin.

Il leva un doigt en direction de la maison qu'on apercevait à l'ouest, derrière les épis de maïs naissants.

Il lui souriait toujours, exposant des dents immaculées et parfaitement bien rangées. Comme Sophie continuait de le fixer, il ajouta, un peu gêné :

– La terre est à mon père. Après, elle sera à moi.

Il bomba fièrement le torse et regarda le champ qui s'étendait de l'autre côté du chemin. Son attitude pleine de candeur rappela à Sophie que ce jeune homme aurait pu être son élève il n'y a pas si longtemps. Ce constat interrompit le flux d'hormones qui inondait son corps, et elle retrouva du coup l'ensemble de ses facultés intellectuelles. Elle détourna les yeux et se concentra sur la camionnette. La carrosserie bleu foncé était un peu rouillée autour des ailes, mais la cabine offrait suffisamment d'espace pour loger trois personnes. Sophie avait-elle besoin de savoir autre chose ?

Jonathan Stride lui tendit les clés.

– Je vous le laisse. Essayez-le. S'il vous convient encore demain, on ira ensemble à la caisse populaire de Huntingdon pour faire le changement de plaque.

Toujours avec son sourire en coin, il la salua et commença à s'éloigner. Sophie le suivit des yeux un moment avant de contourner la camionnette, intriguée. C'était un peu gros comme véhicule, et ça consommait sans doute beaucoup trop pour ses moyens. Mais un quatre roues motrices pouvait s'avérer pratique à la campagne. Convaincue finalement d'avoir fait une bonne affaire, elle ouvrit la portière, côté conducteur. Elle fut à ce point bouleversée en apercevant l'immense levier de vitesse qu'elle en échappa les clés. La camionnette ne possédait pas de transmission automatique.

– Attendez ! s'écria-t-elle.

Jonathan venait juste d'atteindre la route. Il se retourna, et Sophie lui fit signe de revenir.

– Je ne peux pas l'acheter.

– Qu'est-ce qui se passe ? Il ne démarre pas ?

Il affichait un air soucieux en s'emparant des clés qu'elle lui tendait.

– Le problème, ce n'est pas le pick-up. C'est moi. Je n'ai jamais appris à conduire une voiture manuelle.

Elle était un peu gênée de faire cette confession. Nul doute qu'à la campagne, tout le monde devait conduire toutes sortes de véhicules. Sa première nuit dans la maison lui revint en mémoire, et Sophie se sentit de nouveau comme une fille de ville. Devant elle, Jonathan Stride ne disait rien. Il l'étudiait, visiblement amusé. Puis il lui redonna les clés.

– Je vais vous montrer.

Sophie eut beau protester, il s'avança et la poussa doucement jusqu'à ce qu'elle grimpe sur le siège du conducteur.

– Je ne sais pas quoi faire, gémit-elle lorsqu'il lui ordonna de démarrer.

– Il faut peser sur la pédale d'embrayage, au fond, à gauche. Ensuite, vous tournez la clé. Surtout, gardez le pied sur l'embrayage.

Sophie s'exécuta, et le moteur gronda. Elle lui donna de l'essence, il gronda plus fort encore. Jonathan avait contourné la camionnette et s'installait sur le siège du passager.

– Maintenant, dit-il, vous embrayez en première.

Sophie allait se pencher au-dessus du levier de vitesse pour lire les numéros quand Jonathan attrapa sa main.

– La première est en avant à gauche.

Sa main était chaude et ferme et elle guida la sienne dans la direction mentionnée.

– La deuxième est en bas, à gauche.

Il illustrait ses propos en agitant le levier de vitesse. Il lui montra la troisième, la quatrième, la cinquième, puis désigna la marche arrière.

– Est-ce que vous sentez les encoches ?

Sophie hocha la tête, incapable de prononcer un mot. La présence de cet homme l'intimidait. Il était trop proche, trop beau, trop gentil. Elle aurait aimé qu'il descende maintenant et qu'il la laisse seule avec ses sensations. Mais il poursuivit :

– Il n'y a qu'une position possible pour chaque vitesse. Vous ne pouvez pas vous tromper. Maintenant, attachez-vous, on va faire un tour.

Sophie ne réagit pas. Elle le vit qui bouclait sa ceinture de sécurité et ajustait les rétroviseurs. Puis il se tourna vers elle, l'air impatient.

– Allez-y ! ordonna-t-il. Embrayez !

Elle protesta encore une fois, mais ça ne servit à rien. Jonathan reprit sa main, la poussa à gauche, tout au fond.

– Relâchez la pédale d'embrayage, maintenant. Tout doucement… et donnez-lui du gaz.

Sophie s'exécuta, mais le moteur s'éteignit.

– Ce n'est pas grave. On recommence. Appuyez sur l'embrayage…

Ils recommencèrent la manœuvre et, guidée tant par les paroles que par les gestes de Jonathan, Sophie réussit à se rendre sur le chemin d'Ormstown. Elle l'écoutait, essayant d'oublier sa présence et sa main sur la sienne pour se concentrer sur les instructions qu'il lui donnait. On étouffait dans la camionnette, mais cette chaleur n'était pas exclusivement le fait du soleil. Ils avaient baissé les vitres, le ventilateur fonctionnait à plein régime. Rien, cependant, ne réussit à rafraîchir ni l'air ni l'atmosphère.

Le moteur cala au premier arrêt. Sophie redémarra, embraya et reprit la route. Elle était extrêmement consciente de ce corps à côté du sien, de son odeur, de la sienne aussi, mais la tension qui s'était d'abord imposée entre eux allait en s'amoindrissant. Une demi-heure plus tard, elle revenait vers sa nouvelle maison, forte d'une nouvelle compétence. Elle vira dans la cour et se gara devant le garage sans le moindre soubresaut. La leçon était terminée.

– Bravo ! lança Jonathan, applaudissant pour la taquiner. Tu viens de passer ton permis.

Il riait, et Sophie se laissa entraîner à rire avec lui. Ils étaient passés au tutoiement avec une aisance sans doute typique de la campagne. Sophie sut d'emblée qu'elle venait de s'en faire un ami. L'effet qu'il avait produit sur elle au début s'était dissipé avec le temps, lui laissant l'esprit clair et apte à poursuivre une conversation intelligente. Elle le remercia de la patience avec laquelle il l'avait instruite.

– De rien, dit-il en descendant. Pour le pick-up, penses-y. Si tu le veux encore demain, on ira à Huntingdon.

Il referma la portière et s'en alla de nouveau. Sophie le suivit des yeux dans le rétroviseur. Parce qu'elle savait qu'il ne pouvait pas la voir, elle le regarda fixement jusqu'à ce que sa silhouette gracile s'imprègne sur sa rétine. Il descendit la cour, tourna à gauche sur le chemin qu'il longea jusqu'à la maison de ses parents. D'accord, il était trop jeune pour elle, mais quel plaisir d'avoir un voisin de cet acabit !

42.

Le soleil descendait doucement derrière le tilleul. Parce qu'elle avait terminé le nettoyage de la cuisine, Sophie se berçait sur la galerie, une tasse de thé à la main, un livre sur les genoux. Elle ne lisait pas, préférant étudier la lumière, les ombres, les bruits et les odeurs de son nouvel environnement. Quand Rachelle tourna dans l'entrée au volant de son 4x4, Sophie posa sa tasse et la regarda se stationner à côté du pick-up. Elle l'avait attendue toute la journée et n'était pas mécontente de la voir maintenant contourner la camionnette pour l'examiner d'un œil expert.

– Bonjour ! lança-t-elle en la rejoignant.

– Comme ça, le fils Stride est passé te voir.

– Jonathan, précisa Sophie qui trouvait étrange cette habitude d'identifier les gens selon le nom de leurs parents.

– Jonathan…, répéta Rachelle, une pointe d'ironie dans la voix. Pas laid, le garçon, n'est-ce pas ?

Sophie acquiesça d'un sourire. Rachelle n'avait pas besoin de précisions.

– Il fait cet effet-là à toutes les femmes du coin.

– Il a été dans ta classe ?

– Évidemment. Ils ont tous été dans ma classe.

– Et il était aussi…

– … beau ? Oh, oui ! Mais j'étais déjà vieille. Ça me dérangeait pas mal moins qu'avant, ces affaires-là.

Elle rit de ce rire qu'elle utilisait pour se moquer d'elle-même, et Sophie dut en faire autant. Elles étaient toutes deux arrivées à la même conclusion : qu'y avait-il d'autre à dire au sujet de ce jeune homme ?

– Comme ça, tu lui as acheté son camion..., commença Rachelle.

–On va s'occuper des papiers demain après-midi.

– Bien. Il me semble en bonne condition, mais si ce n'est pas le cas, la maison du vendeur n'est pas bien loin. C'est l'avantage quand on achète de quelqu'un du village.

Sophie approuva, s'en fut dans la maison et en revint avec de la bière. Les deux femmes s'installèrent dans leurs chaises respectives pour se bercer en regardant le soleil se coucher derrière la maison du père Stride. Le ciel avait commencé à se colorer. Les hirondelles exécutaient leur vol périlleux, et les corneilles plongeaient du haut des arbres pour planer au-dessus des champs. Rachelle rompit ce moment de sérénité en désignant les restes de la grange qui gisaient en équilibre précaire.

– Et tu vas faire quoi avec ça ?

Sophie suivit son regard.

– Aucune idée.

La vieille se redressa, posa sa bouteille vide sur le rebord de la fenêtre et se dirigea de son pas souple vers les décombres. Elle n'osa pas s'avancer entre les madriers effondrés. Elle en fit plutôt le tour, s'arrêtant de temps en temps pour tâter du pied la dalle de ciment qui constituait jusqu'à récemment le plancher de la grange. Puis elle leva les yeux, balayant du regard l'ensemble de la campagne, d'est en ouest. Un sourire naquit sur ses lèvres, et elle fit signe à Sophie de la rejoindre.

– Tu pourrais faire un jardin.

Sophie secoua la tête.

– Je ne connais rien au jardinage. C'est tout juste si je sais ramasser les feuilles à l'automne. Je n'ai jamais réussi à maintenir en vie une plante d'intérieur, et s'il y avait des arbres sur notre terrain de Longueuil, c'est parce qu'ils étaient là avant mon arrivée. Je n'ai jamais osé m'en approcher de peur de les faire mourir. La seule fois où je m'en suis occupée…

Elle ne termina pas sa phrase, car elle eut un pincement au cœur en repensant à cette journée de décembre et à cette haie de cèdres qui avait changé le cours de sa vie. Le visage de Rachelle exprimait de la compassion.

– Tu ne sais pas ce que tu manques, ma fille, déclara-t-elle. Si tu veux, je peux te montrer.

Comme Sophie hésitait encore, elle insista :

– Tu as choisi de vivre à la campagne, alors il faut que tu acceptes les usages de la campagne. Le premier consiste à posséder un véhicule capable de rouler sur un chemin enneigé. C'est réglé ou presque. Le second, c'est de profiter de la terre qu'on a sous les pieds. Tu ne vas tout de même pas recouvrir de gazon un emplacement capable de produire assez de légumes pour te nourrir pendant toute une année ?

Devant un tel argument, Sophie n'eut d'autre choix que de céder. Ravie, la vieille femme commença à élaborer les étapes dans la préparation d'un potager :

– Le timing est parfait. Avec ta permission, je vais demander à Peter McDonald de t'envoyer son fils. Kevin est moins beau que le fils Stride, mais il est bon de ses mains. Il pourra retirer tous ces bouts de bois calcinés. Ensuite, il faudra casser la dalle de ciment, enlever les morceaux et faire venir cinq ou six camions de terre, peut-être plus. Si Kevin ne traîne pas, et je vais m'assurer qu'il ne traînera pas, tu seras prête à semer dans deux semaines. Ce sera encore le temps pour les pois.

Elle entreprit alors de dresser avec elle un calendrier des semences et des récoltes. Sophie, complètement dépassée, l'écoutait parler de fèves, de courges, de courgettes.

– Et après la première pleine lune de juin, on transplantera une partie de mes tomates, de mes poivrons et de mes aubergines. Je te donnerai même ma recette de ratatouille. La meilleure que tu auras jamais mangée.

Elle regarda encore une fois en direction du soleil qui avait atteint la ligne d'horizon.

– As-tu remarqué que cette partie de ton terrain est en plein soleil toute la journée ? C'est même mieux que chez moi où la forêt jette de l'ombre sur les bords. Toi, tu auras facilement douze heures d'ensoleillement. Je vois déjà ça d'ici : un beau grand jardin qui produira des légumes que tu mettras en conserve et qui te nourriront tout l'hiver.

Cette partie du projet était tellement concrète que Sophie n'eut pas de difficulté à l'imaginer. Rachelle continua :

– Ensuite, si tu veux, tu pourras bâtir une clôture pour empêcher les chevreuils de venir manger tes légumes. Et ensuite...

Cette fois, Sophie l'interrompit :

– Tu vas un peu vite, Rachelle. Je n'ai pas encore fait de suppléance, je n'ai pas branché le téléphone, je n'ai pas fini de laver la maison et les meubles, et je me suis à peine installée. Et puis j'ai eu beau emprunter un peu plus d'argent que nécessaire, j'en ai juste assez pour payer le pick-up. Alors un projet aussi gros que ce jardin...

Elle haussa les épaules, un peu découragée devant tout ce qui lui restait à accomplir pour se sentir enfin chez elle. La fatigue du jour commençait à faire effet, et Sophie fut incapable de retenir le soupir qui monta de sa poitrine.

– Si seulement Luc pouvait vendre la maison de Longueuil, il me semble que je respirerais mieux.

Elle se tourna vers Rachelle, juste à temps pour voir son regard se rétrécir et ses yeux devenir deux minces fentes grises. Les rayons du soleil leur parvenaient maintenant à l'horizontale, et Sophie eut l'impression qu'ils se concentraient pour plonger directement dans les iris de la vieille femme.

– Ne t'inquiète pas, ma fille, déclara Rachelle d'une voix assurée. Ça devrait s'arranger bientôt.

Le chien emménagea chez Sophie dès le lendemain. Rachelle l'avait ramené de chez une paroissienne bien contente de s'en débarrasser. Dès qu'elle éteignit le moteur du 4x4, il bondit par la fenêtre ouverte, courut trois fois autour de la maison avec l'énergie d'une bête traquée.

Ce n'est pas tant son énergie qui troubla Sophie lorsqu'il passa près d'elle, mais son apparence. Ce chien était laid. Le museau retroussé, les oreilles très longues, le poil ras et les pattes courtes. Il bondissait toutefois au-dessus des buissons comme s'il s'agissait de petits cailloux. Il était gros, mais pas gras, et il se dégageait de lui autant de grâce que d'agilité.

– Le curé l'a baptisé Bobino, précisa Rachelle avant d'appeler le chien par son nom.

L'animal ne réagit pas. Il continua plutôt d'inspecter le moindre recoin du terrain, du garage à la galerie. Puis il entreprit d'uriner sur chacun des arbres, de l'avant jusqu'à l'arrière de la maison.

– Bobino ? répéta Sophie, incrédule. Je dirais plutôt Cyrano. Pauvre petit. La nature l'a tellement peu gâté qu'il doit être heureux de ne pas être un homme.

Elle jeta sur le chien un regard où se mêlaient pitié et émerveillement.

– Cyrano, répéta Rachelle en insistant sur la dernière syllabe. Ça sonne presque pareil. Je parie qu'il ne fera pas la différence.

Elle appela le chien d'une voix autoritaire, utilisant le nom que Sophie venait de lui donner. Elle le vit aussitôt changer de direction et se précipiter pour les rejoindre.

– Ben, voilà ! s'écria Rachelle, satisfaite de la réaction du chien. C'est à croire qu'il aurait fallu l'appeler Cyrano dès le début.

Sophie s'agenouilla sur la pelouse pour caresser le chien en répétant son nom. Rachelle leur sourit, retourna au 4x4 et en revint avec un sac de biscuits. Dès qu'il aperçut ses gâteries, le chien s'assit bien droit et leva une patte.

– On dirait qu'il aime ça, conclut Sophie en ouvrant le sac.

– C'est sa marque préférée, selon le curé. Je t'ai aussi acheté une poche de moulée pour commencer. Et je t'ai rapporté ses bols et son lit. Comme ça, il se sentira tout de suite chez lui.

Pendant que Rachelle déposait son fardeau sur la galerie, Sophie continuait de jouer avec son nouveau compagnon. Elle s'étonna de constater que Cyrano connaissait beaucoup de mots. « Assis », « couché », « donne la patte », « reste », « va chercher » étaient pour lui des commandements familiers. Elle ne fut pas certaine cependant si c'était le mot « biscuit » qu'il reconnaissait ou l'odeur de la friandise. Elle en fut quand même ravie.

– Bon, je vous laisse, s'exclama Rachelle en revenant vers eux. Ne lésine pas sur les gâteries, surtout au début. Un chien, c'est comme un homme. Ça s'apprivoise par le ventre.

Sur ces mots, elle se hissa dans son 4x4.

– J'allais oublier ! s'écria-t-elle, assise derrière le volant. La prochaine fois que tu iras au village, arrête à la Cascatelle que je te présente Germain.

Sans donner davantage d'explications, elle s'en alla. Sophie se demandait qui pouvait bien être ce Germain, mais elle n'eut pas le loisir de s'interroger bien longtemps. Cyrano s'était élancé derrière le véhicule. Elle le rattrapa, le retint par son collier pendant quelques instants. Lorsqu'elle le relâcha, il ne courut pas en direction de la route comme elle l'avait craint. Il préféra tourner autour d'elle avec l'intention évidente de mettre la patte sur une autre gâterie.

Et quand elle entra dans la maison un quart d'heure plus tard, Cyrano la suivit sans même qu'elle ait eu besoin de l'appeler. Il n'en fallait pas davantage pour convaincre Sophie qu'elle venait d'adopter le parfait compagnon.

Elle découvrit, dès ce soir-là, que Cyrano n'était pas aussi parfait qu'elle l'avait cru. Contrairement à Rachelle qui considérait qu'un animal, quel qu'il soit, avait les mêmes droits que les humains, Sophie estimait qu'un chien n'avait pas sa place dans un lit, surtout si c'était elle qui devait faire la lessive. Elle en fut d'autant plus convaincue lorsqu'elle s'aperçut que Cyrano avait un problème salivaire. Il bavait en permanence, mouillant le plancher sur lequel il marchait, les meubles qu'il frôlait, et le pantalon de Sophie dès qu'il s'en approchait. Elle avait donc placé son coussin dans un coin de sa chambre et lui avait ordonné de s'y coucher. Ce à quoi il s'était plié, non sans pousser un profond soupir qu'on aurait pu prendre pour de la résignation.

Mais quand elle s'éveilla au milieu de la nuit, Cyrano dormait à côté d'elle, étendu de tout son long comme si le lit lui appartenait. Elle étira le bras pour vérifier que c'était bel et bien sa tête qu'elle sentait près de la sienne, et sa main effleura le liquide visqueux qui couvrait une partie de son oreiller. Elle en grimaça de dégoût.

Sophie ne connaissait pas grand-chose aux chiens, mais elle savait qu'elle devait lui montrer tout de suite qui des deux était le maître. Elle savait aussi que cela ne pouvait pas attendre au petit matin, même si elle mourait de fatigue. Attendre signifiait perdre la partie. Elle poussa le chien avec ses deux mains. Il résista tellement qu'elle dut s'aider de ses pieds. Elle réussit à le convaincre de descendre et, fière d'elle-même, se rendit à la salle de bain où se trouvait la lingerie nouvellement aménagée. Lorsqu'elle en revint avec une taie d'oreiller propre, Cyrano avait repris sa place dans le lit. Sophie le poussa de nouveau, lui expliqua à voix haute les raisons pour lesquelles il devait dormir sur le plancher. Il redescendit. Satisfaite, Sophie remplaça la taie d'oreiller, se coucha sur le côté et s'apprêtait à se rendormir quand elle sentit le chien remonter dans le lit et se lover dans son dos.

– Non ! Tu dors par terre.

Elle avait crié, preuve que sa patience s'usait. Elle poussa encore le chien qui descendit… pour remonter deux minutes plus tard. Cette fois, il se roula en boule au pied du lit. Sophie soupira. Cyrano proposait un compromis. Que faire ? S'entêter ou céder ? Elle décida qu'il serait malsain de commencer une si belle amitié par une querelle et ferma les yeux. Elle acceptait ses conditions. Il lui faudrait laver les couvertures plus souvent, mais au moins, un chien de cette taille la tiendrait au chaud les nuits d'hiver.

43.

Un bruit à peine audible attira l'attention de Cyrano quand, quelques jours plus tard, Sophie éteignit le moteur de sa camionnette dans la cour de la Cascatelle. Les oreilles dressées, un filet de bave coulant de chaque côté de sa gueule, le chien passa le museau par la vitre à demi baissée et bondit pour essayer de sortir.

– Reste, Cyrano ! ordonna Sophie en étudiant les lieux, la main droite sous le collier.

L'endroit semblait désert. Il était pourtant presque midi, et jamais Rachelle ne sautait un repas. Elle était peut-être sortie… Sophie pensa à s'en retourner quand elle entendit à son tour les couinements qui énervaient le chien. Ce dernier se mit à gémir et à sautiller, s'excitant d'une manière démesurée sur le siège du passager. Intriguée, Sophie ouvrit la portière. Elle réalisa trop tard son erreur, car Cyrano réussit à se faufiler. Elle le rappela en vain ; il avait disparu dans le hangar et aboyait maintenant comme un déchaîné.

Sophie leva les yeux au ciel en apercevant l'intérieur de la camionnette. Tout ce qui se trouvait du côté du passager était couvert de bave. Le siège, la porte, la vitre, le tableau de bord, le pare-brise. Si au moins il écoutait ! Quelle idée elle avait eu de demander un chien ! Et comment diable Rachelle était-elle arrivée à la conclusion qu'une personne comme Sophie pouvait s'entendre avec un chien comme Cyrano ? Il était intelligent, certes, mais un chien trop intelligent pouvait s'avérer une malédiction pour son maître. Cyrano observait Sophie à longueur de journée et anticipait chacun de ses gestes. Quand elle voulait sortir, il se glissait devant elle pour franchir la porte en premier, la faisant inévitablement trébucher. Quand elle s'engageait dans l'escalier, il bondissait pour la précéder à l'étage. Et quand elle s'installait pour manger, il s'allongeait sous la table et mouillait le plancher en gémissant pour l'attendrir. Sophie ignorait quelle éducation avait reçue ce chien, mais les résultats étaient catastrophiques. Comment arriverait-elle à lui faire perdre ces mauvaises habitudes ?

Elle se dirigea vers le hangar, bien décidée à réprimander Cyrano pour son mauvais comportement. Elle le trouva debout, les pattes appuyées sur une construction de madriers fixés au mur. À l'intérieur de cet enclos improvisé se trouvait un porcelet rose et à peine poilu. Ignorant la menace que comportait la présence du chien, l'animal avança son groin pour se faire flatter dès qu'elle lui tendit la main.

– Bonjour ! s'écria Rachelle en apparaissant derrière elle. Je vois que Germain et toi avez déjà fait connaissance.

Elle avait roulé les manches de sa chemise, et sa salopette était trempée comme si Rachelle venait de marcher sous l'averse. Or, il ne pleuvait pas. En fait, le soleil dardait ses rayons presque à la verticale dans un ciel exempt de nuage. Rachelle s'approcha, força le chien à baisser les pattes et entreprit de gratter le cou du porc en lui parlant avec affection. Germain, c'était donc ce porcelet de quelques semaines.

– Je vais le faire abattre à l'automne, expliqua Rachelle sans interrompre ses caresses.

Sophie lui sourit avec bienveillance. Qu'une personne donne un nom aux bêtes qui la nourrissent dépassait l'entendement. Pour les coqs, oiseaux qui lui paraissaient peu intelligents, ça passait encore. Mais avec ce porc si mignon…

– Si tu veux, on partagera la viande. J'en ai toujours trop.

Sophie ne sut que répondre. L'idée de manger Germain ne l'enchantait pas du tout, mais elle sentait qu'il y avait quelque chose de sacré à se nourrir d'un animal qu'on a élevé à cette fin et dont on a pris soin pendant des mois. De plus, quand on savait avec quelle attention Rachelle s'occupait de ses poules, on ne pouvait pas douter de la qualité de la viande que ce cochon produirait.

– Luc a téléphoné ce matin, continua Rachelle. Il voudrait que tu le rappelles.

Sophie grimaça. Elle n'avait pas plus envie de parler avec Luc qu'elle avait envie de retourner au Mexique. Il lui fallait cependant affronter cette épreuve si elle voulait avoir sa part de maison. Elle pria pour qu'il ne lui prépare pas une autre mauvaise surprise.

– J'ai laissé le téléphone sur la table de la cuisine. Fais attention en ouvrant la porte. Je viens de laver les chiens.

Elle désigna sa salopette.

– J'aimerais mieux qu'ils sèchent un peu avant d'aller se rouler dans le sous-bois. Je n'ai pas envie de recommencer demain matin.

Sophie soupira, mais ses appréhensions n'avaient rien à voir avec la toilette des chiens.

– Je reviens dans deux minutes, dit-elle en se dirigeant à contrecœur vers la maison.

Luc décrocha à la première sonnerie. Sa voix était enjouée, ce qui étonna Sophie.

– La banque a accepté de me faire un prêt. Si ça te va, on passe chez le notaire la semaine prochaine.

Si ça lui allait ? C'était la meilleure nouvelle qu'elle avait reçue de lui depuis longtemps. Elle prit en note le lieu, la date et l'heure du rendez-vous, et demanda à parler à ses filles.

– Anouk est sortie, annonça Luc, mais Roxane regarde la télé au sous-sol. Je vais te la chercher.

Il fallut un moment avant que Roxane décroche le combiné. Sophie l'entendit regimber, argumenter, puis finalement monter l'escalier en faisant un maximum de bruit.

– Quoi ? s'écria-t-elle avec toute l'arrogance dont elle était capable.

Sophie fut stupéfaite de tant d'hostilité. Lorsqu'elle se reprit, sa voix n'avait pas autant d'assurance qu'elle l'aurait voulu.

– J'aimerais venir vous chercher en fin de semaine.

– Pour quoi faire ?

– Pour vous voir et vous montrer où j'habite.

– Je sais déjà où tu habites. C'est en campagne, et j'haïs la campagne.

Sophie avait espéré davantage de coopération. Peut-être Anouk se serait-elle montrée moins méprisante, mais puisqu'elle était absente, il fallait essayer de convaincre Roxane du bien-fondé de cette visite.

– J'aimerais vous parler, vous montrer ma nouvelle maison. Peut-être que vous pourriez aimer ça.

– Je t'ai dit que je haïssais la campagne. Pis Anouk aussi.

– Roxane !

Sophie avait levé le ton. Elle s'en voulut un peu sur le coup, car, au bout du fil, sa fille s'était tue. Lorsqu'elle parla enfin, ce fut d'une voix plus douce, ce qui surprit Sophie, mais la persuada qu'elle avait bien fait de s'imposer.

– Quand est-ce que tu viens nous chercher ?

Elles se fixèrent rendez-vous pour le samedi matin suivant, et Sophie raccrocha. Elle arrivait à peine à croire qu'elle était parvenue aussi facilement à une entente, tant avec Luc qu'avec Roxane. Lorsqu'elle revint vers le hangar, Cyrano avait rejoint Germain dans son enclos et s'était couché tout contre lui, comme pour le protéger ou le réchauffer.

– Un chien qui dort avec un cochon ! s'exclama Rachelle. Voilà qui est surprenant, n'est-ce pas ?

Sophie était bien d'accord et reconnut une forme d'affection dans l'attitude de Cyrano, surtout quand il commença à lécher la tête du porcelet. Comment pourrait-elle le gronder maintenant ? Pour le meilleur ou pour le pire, Cyrano venait de mériter une seconde chance.

44.

Lorsque le camion de Kevin McDonald vira devant la maison à 8 heures par un matin brumeux, Sophie était encore en pyjama. Elle se rua à l'étage, s'habilla en vitesse, attacha le mieux possible ses cheveux et redescendit pour le rejoindre. Il s'était stationné devant le garage et était en train d'inspecter les ruines.

– Je peux vous débarrasser du bois pour pas cher, dit-il après s'être présenté. Mais en ce qui concerne la dalle de ciment, ce ne sera pas une mince affaire. Il va falloir la casser en morceaux.

Sophie écouta l'ensemble de ses explications en l'étudiant à la dérobée. C'était un homme au milieu de la trentaine. Comme Rachelle le lui avait dit, Kevin McDonald était moins beau que Jonathan Stride. Il n'en était pas moins costaud. Des cheveux roux dépassaient de sa casquette, et il les repoussait à tout moment en se grattant la nuque. Il possédait des mains immenses avec lesquelles il soulevait les madriers pour les examiner. Il parlait avec cet accent anglais que Sophie avait perçu chez de nombreux habitants d'Ormstown. Après avoir convenu d'un prix, elle lui demanda s'il voulait une avance.

– Euh…, hésita-t-il. Je préférerais que vous me payiez à la fin.

À voir l'ombre qui était passée sur son visage, Sophie comprit que lui aussi avait été dans la classe de Rachelle. La vieille femme lui avait sans doute donné des instructions et, comme tous les autres, il avait l'intention de les suivre à la lettre. Car, comme tous les autres, il la craignait.

Les ouvriers furent à l'œuvre dès le lendemain. En moins de deux jours, tous les débris avaient été enlevés et, le troisième matin, une pelle mécanique commença à briser la dalle de ciment. Une fine bruine tombait sur la région, imbibant les outils et la machinerie autant que les hommes. Les oiseaux avaient disparu, les grillons restaient muets. Même le chien était silencieux.

Pour éviter un accident, Sophie tenait Cyrano attaché depuis le début des travaux. Il passait sa journée assis, à fixer les ouvriers, jappant uniquement pour annoncer que l'un d'eux s'avançait trop près de la maison.

Ce matin-là, Sophie s'était installée à l'abri de la pluie sur la galerie. Elle avait rapporté du garage une demi-douzaine de boîtes et était occupée à examiner leur contenu. Elle vidait et empilait la vaisselle qu'elle voulait garder dans un coin et, dans un autre, celle qu'elle allait donner. Lorsque le premier rat apparut dans son champ de vision, elle poussa un hurlement si aigu que le chien recula contre la porte, surpris et inquiet, avant de s'agiter lui aussi en jappant et en tirant sur sa corde. Les rats affluaient, si nombreux qu'on ne pouvait pas les compter. Ils couraient dans toutes les directions, s'enfuyant dans les champs, traversant le chemin ou, comme celui que Sophie avait aperçu, se réfugiant sous la galerie. Même Kevin McDonald, qui maniait la pelle mécanique, semblait horrifié.

Sophie n'osait plus bouger. La seule chose qui la rassurait, c'était de voir que la corde de Cyrano tenait le coup. Elle ne connaissait peut-être pas grand-chose de la vie à la campagne, mais elle savait les rats porteurs de maladies. Cyrano avait-il reçu ses vaccins ? Attaché au poteau, il tirait fort, essayant de mordre tout ce qui passait près de lui. Sa mâchoire claquait, menaçante, mais les rats poursuivaient leur course. Ils le contournaient en évitant ses crocs de justesse. Aucun ne l'attaquait, tous ne pensaient qu'à fuir. Lorsque le gros de la vague fut passé, Kevin vint rejoindre Sophie sur la galerie.

– Vous avez vu ça ?!!!

Il semblait plus bouleversé qu'elle. Il retira sa casquette et se passa une main dans les cheveux en secouant la tête.

– J'en ai jamais vu autant.

Sophie continuait de surveiller le chien.

– Moi non plus. Je ne comprends pas ce qu'ils faisaient sous le plancher. La grange est à l'abandon depuis dix ans, ils devaient avoir faim.

– Pas tant que ça. Hier, quand j'ai enlevé les débris, j'ai trouvé des morceaux de nylon de la même couleur que les sacs de grain. Je parie que Max Bilodeau a oublié de vider la grange quand il a mis son père à l'hospice. C'est un gars de la ville depuis tellement longtemps.

– Qu'est-ce que je vais faire avec ceux qui sont sous la galerie ?

Sophie ignorait comment procéder pour s'en débarrasser, mais elle espérait qu'un gars de la campagne, comme Kevin McDonald, saurait y faire.

Elle ne se trompait pas.

– Surtout, n'ouvrez pas la porte. Je vais inspecter vos fondations. On va commencer par s'assurer qu'ils n'entreront pas dans la maison. Et détachez le chien. Il va les chasser jusque dans le champ.

– Jusque dans le champ…

Sophie avait répété ces mots avec appréhension. Elle revoyait les courses de Cyrano. Il aimait foncer entre les épis de maïs pour ressortir une cinquantaine de mètres plus loin. Serait-il en danger dorénavant? Kevin la rassura à demi:

– En campagne, il y a des rats partout. Votre chien va les chasser. Et puis…

Il sortit un téléphone cellulaire de sa poche et s'éloigna un moment. Lorsqu'il revint, il avait l'air fier de lui.

– Ma femme s'en vient vous porter un chat. Il y a trois mois, notre chatte a eu une portée. Les enfants voulaient qu'on garde les bébés, mais je les avais avertis: si je leur trouve un foyer, je les donne. Ben, voilà le premier à être adopté. Vous allez voir comme ça fait du beau travail, un chat. Vous n'aurez plus une souris dans la maison.

Des souris… Cette fois, Sophie n'avait pas répété. Elle savait que Kevin McDonald la trouverait ridicule si elle lui avouait qu'elle n'avait pas pensé que sa maison pouvait abriter des souris. Elle avait pourtant vu des crottes lors de sa première visite, mais il y avait des mois de cela, et elle avait depuis longtemps effacé ce détail de sa mémoire.

Pendant qu'il inspectait les fondations, elle détacha Cyrano qui bondit sous la galerie. Il allait et venait, et Sophie ne voyait que son ombre passer entre les planches. Quinze minutes plus tard, une voiture s'arrêtait devant la maison. Une belle jeune femme en descendit. Elle était aussi rousse que Kevin, et son ventre laissait deviner une naissance prochaine. Elle s'avança vers Sophie, indifférente à la bruine.

– Voici le plus gros de la portée, dit-elle en lui présentant un chat tigré. Vous ferez attention si vous le laissez entrer dans la maison. Il n'est pas dégriffé. C'est mieux de leur laisser leurs défenses si vous voulez qu'il chasse.

Elle parlait d'une voix douce et n'avait pas cet accent si familier dans le village.

– Vous devez être l'amie de madame Campagna, ajouta-t-elle enfin.

De la même manière que Rachelle identifiait les gens selon leur relation familiale, cette femme l'avait identifiée en la mettant en rapport avec Rachelle. Cette façon de classer les gens amusait Sophie, mais elle crut bon quand même de se présenter.

– Je m'appelle Sophie.

– Je suis Marie-Jeanne, la femme de Kevin. Bienvenue à Ormstown.

Il y avait de la douceur dans sa voix, mais Sophie y perçut en plus de la chaleur, un accueil semblable à celui que lui avait réservé Rachelle. Elle lui offrit une poignée de main assurée.

– Tout le monde parle de vous au village, poursuivit Marie-Jeanne.

Elle avait fait cette déclaration avec fierté, comme s'il lui plaisait de lui annoncer la nouvelle.

– On parle de moi en bien, j'espère.

L'autre rit, s'avança vers la galerie et déposa le chat sur le sol avant de reculer.

– Évidemment.

Elle lui fit un clin d'œil entendu avant de conclure :

– Personne ne penserait du mal d'une amie de la sorcière.

Dès qu'il aperçut le chat, Cyrano abandonna sa course aux rats pour venir à sa rencontre. Le chat le vit s'approcher et se braqua aussitôt. Comme Cyrano continuait de s'intéresser à lui, il écarta les babines et poussa un feulement si menaçant qu'on vit le chien reculer et retourner à ses rongeurs sans plus lui adresser un regard.

– Voilà ! déclara Marie-Jeanne. Ils viennent de faire connaissance et sont amis.

Sophie n'avait rien manqué du spectacle et n'était guère convaincue qu'une amitié était née entre ces deux bêtes-là. Elle-même n'éprouvait pas d'attirance particulière pour les chats, mais elle se rappela qu'elle n'affectionnait pas non plus les chiens avant d'arriver chez Rachelle. Elle devait admettre cependant qu'elle était impressionnée par l'aplomb avec lequel ce chaton avait repoussé Cyrano. Quelle ne fut pas sa stupéfaction lorsqu'elle le vit bondir en direction d'un rat au moins aussi gros que lui! Pendant le reste de l'après-midi, elle le regarda chasser les rongeurs jusque dans le champ de maïs. Il accomplissait son travail avec autant de détermination que le chien. Sophie dut se rendre à l'évidence: ce chat, pour petit qu'il était, se révélait être un prédateur efficace. Il semblait d'ailleurs n'avoir peur de rien, et surtout pas de Cyrano qui, lui, se tenait à distance.

Lorsqu'elle lui ouvrit la porte ce soir-là pour l'inviter à entrer, elle espérait qu'il irait inspecter chaque recoin de la cave. Elle avait déjà décidé qu'il s'appellerait D'Artagnan.

45.

Le vendredi suivant, Sophie se rendit à la boucherie de Saint-Louis-de-Gonzague acheter des steaks pour le souper du lendemain soir. Elle avait hâte de revoir ses filles et avait choisi la viande la plus épaisse et la plus tendre. En revenant vers Ormstown, elle s'arrêta dans un marché pour se procurer des fleurs, de la laitue et ce qu'il fallait pour préparer une salade de fruits frais. Elle fit un autre arrêt à l'épicerie du village et un dernier dans une boutique de cadeaux de la rue principale où elle mit la main sur des rideaux de dentelle et de jolis pains de savon à la lavande pour ses filles. Le siège du passager était couvert de sacs, de paquets, de filets en tout genre, et la cabine embaumait le mélange de parfums floraux et fruités. Le soleil avait effectué un retour ce matin-là. Une vraie journée d'été! À la radio, on prévoyait une fin de semaine idéale pour le BBQ et c'était exactement le plan de Sophie. Une belle journée à la campagne, un BBQ pour souper, une soirée sur la galerie à regarder les étoiles, à placoter.

Elle avait travaillé fort pour aménager une chambre où elle espérait que ses filles se plairaient. Elle avait resserré les montants du vieux lit de monsieur Bilodeau et recouvert le nouveau matelas de draps couleur lilas. Dans une des boîtes du garage, elle avait déniché une courtepointe à l'ancienne emballée dans du papier de soie, et deux coussins assortis. En arrivant, Sophie déposerait les pains de savon à la lavande dans un panier en osier, sur la commode, à côté d'une pile de serviettes violettes et d'un vase de fleurs coupées. Il ne lui resterait qu'à habiller la fenêtre de dentelles, et la chambre serait prête. Plus tard, quand elle aurait du temps, elle enlèverait le vieux papier peint et le remplacerait par un nouveau aux mêmes teintes de mauve, de bleu et de crème.

Mais avant tout, il fallait emprunter le BBQ de Rachelle. Elle partit donc à la Cascatelle où elle se gara près du hangar. Elle n'avait pas mis pied à terre que Jack, Sophie et Ti-Pit accoururent pour la saluer et quémander des caresses.

– Bonjour, mes beaux! leur dit-elle en distribuant des marques d'affection. Ben, non! Cyrano n'est pas avec moi aujourd'hui.

Comme Jack et Sophie lorgnaient déjà en direction des steaks, Sophie ferma la portière, ramassa un ballon qui traînait près de la maison et s'écria:

– Allez jouer, maintenant!

Elle lança le jouet, et les trois chiens foncèrent vers le sous-bois en suivant sa trajectoire. Sophie aperçut enfin Rachelle qui se tenait debout sur la galerie, le corps bien droit, un air grave sur le visage.

– Qu'est-ce qui se passe?

Elle accourut et prit les mains de la vieille femme dans les siennes. Elle devinait qu'une mauvaise nouvelle l'avait ébranlée. Elle ne se trompait pas: Luc venait de téléphoner.

– Il fait dire de ne pas te déplacer pour rien demain matin. Tes filles ne veulent pas te voir.

Un coup de poignard au cœur n'aurait pas fait plus mal. Sophie s'assit dans l'escalier, incapable de respirer. Ses yeux s'emplirent de larmes. Comme elle souffrait tout à coup! Et comme elle aurait voulu mourir à ce moment précis! Elle laissa la douleur l'envahir, silencieuse au milieu du brouhaha qui entourait si bien Rachelle. Le coq chanta. Le porc couina. Les chiens aboyèrent et les poules caquetèrent. Dans le boisé, les oiseaux piaillaient et, plus loin, les eaux de la rivière aux

Outardes bruissaient contre les rochers. Le soleil dardait de ses rayons la surface de la rivière Châteauguay, rendait éblouissante la blancheur du hangar et la tresse de Rachelle. Pourtant, plus rien n'existait dans l'esprit de Sophie que ce rejet catégorique de ses filles.

– Laisse-leur le temps de s'habituer, souffla Rachelle en s'assoyant près d'elle. Laisse-leur le temps de s'ennuyer de toi, de t'imaginer dans ta nouvelle maison, dans ta nouvelle vie.

– Je savais qu'elles m'en voudraient, sanglota Sophie. Je l'ai toujours su. Je n'aurais jamais dû partir.

– C'est vrai qu'elles t'en veulent, mais il faut t'assumer.

Rachelle ne dit rien d'autre pour la réconforter. Elle la laissa plutôt à sa peine, dévala les dernières marches et s'en alla s'occuper de Germain. Les chiens abandonnèrent leurs jeux et suivirent leur maîtresse qui disparaissait dans l'ombre du hangar. Sophie se sentit tout à coup plus seule que jamais. La douleur avait fait place à de la consternation. Elle bondit sur la galerie, s'engouffra dans la maison et appela Luc.

– Je veux leur parler ! dit-elle dès qu'il décrocha le combiné.

– Je peux bien les appeler si tu veux, mais ça ne servira à rien. Elles ne veulent ni te voir ni te parler.

– Passe-les-moi !

Luc soupira bruyamment avant de déposer le combiné. Elle l'entendit appeler Roxane et Anouk depuis la cage d'escalier. Il y eut presque une minute de silence, puis sa voix résonna de nouveau.

– Elles ne veulent pas monter. Écoute, Sophie, tu nous as abandonnés. Tu pensais quand même pas qu'on t'aimerait après ça.

La douleur rejaillit dans la poitrine de Sophie.

– Je suis partie trois mois, pas trois ans.

– On a dû se débrouiller sans toi pendant ce temps-là.

– Ce sont encore mes filles, Luc !

– Oui, c'est vrai. Mais peut-être qu'elles n'ont plus besoin de leur mère maintenant qu'elles ont appris à vivre sans.

Il raccrocha si vite que Sophie n'eut pas l'occasion de répliquer. Elle demeura debout dans la cuisine de Rachelle, un pieu dans le cœur, des larmes sur les joues, mais le germe de la détermination se répandait déjà dans son esprit. Elle avait toujours su qu'en partant, elle risquait de perdre l'affection de ses proches. Elle devait donc s'assumer, comme l'avait si bien dit Rachelle.

Elle sécha ses larmes, s'endurcit le cœur et sortit offrir son visage au soleil. Elle aimait sa nouvelle vie et pour rien au monde elle ne retournerait à son esclavage d'antan, même si cela lui coûtait l'affection de ses enfants.

46.

La compagnie de téléphone venait de terminer le branchement de la ligne après dix années d'interruption. Sophie en profita pour appeler la commission scolaire afin de donner ses nouvelles coordonnées.

– On voulait justement vous appeler, dit la secrétaire après avoir pris en note le numéro de téléphone. J'aurais besoin de vous trois jours cette semaine.

Sophie accepta le contrat et raccrocha, le cœur gonflé d'orgueil. Elle venait enfin de mettre le pied dans le système. À partir d'aujourd'hui, elle allait travailler. Certes, ce n'était pas un poste permanent, mais, de toute façon, elle avait décidé qu'elle n'enseignerait plus à temps plein. Quelques jours par semaine lui apporteraient juste assez d'argent pour ses besoins et pour la pension alimentaire qu'elle entendait verser afin que ses filles ne manquent de rien.

C'est peut-être grâce à cette amélioration de sa situation qu'elle se décida, ce jour-là, à affronter son autre démon. Elle s'assura que Cyrano et D'Artagnan étaient bien à l'intérieur de la maison et avaient suffisamment d'eau dans leurs bols. Puis elle attrapa son sac à main et sortit. Elle n'avait plus d'excuse pour repousser le moment de se mesurer à sa mère. Elle grimpa dans son pick-up, contourna le camion des ouvriers qui travaillaient toujours pour retirer les morceaux de ciment, et fila vers l'autoroute.

Elle arriva chez sa mère une heure et demie plus tard. En se stationnant devant la maison, elle aperçut du coin de l'œil le rideau qu'on venait d'écarter pour le replacer aussitôt. Elle inspira, retrouva son courage et se rendit à la porte en se répétant qu'elle n'avait plus rien à craindre maintenant qu'elle n'avait plus rien à perdre. Elle frappa comme elle en avait toujours eu l'habitude.

– Bonjour, maman, dit-elle lorsque le visage de sa mère apparut dans l'entrebâillement. Je suis venue prendre de tes nouvelles.

La porte ne s'ouvrit pas davantage, mais le corps d'une femme furieuse se dressa dans l'ouverture. Le silence qui suivit semblait ne jamais vouloir s'estomper. Sophie se sentit obligée de parler.

– Je suis venue te voir, maman.

Sa mère prit quelques secondes avant de répondre. Son regard demeurait plissé, scrutateur.

– Ça fait un mois que tu es revenue. Ça fait un mois que je t'attends.

– Je sais… Je n'avais pas encore d'auto.

C'était une excuse de lâche, mais Sophie n'arrivait pas à supporter le mépris qu'elle lisait dans l'attitude de sa mère.

– Tu aurais pu m'appeler.

– C'est vrai… J'aurais dû.

Elle n'osa pas lui avouer qu'elle venait tout juste de s'abonner au téléphone. Il y a des limites à la lâcheté.

– Je voulais savoir comment tu allais, comment s'est passée ton opération.

La réponse fusa, comme si elle avait été longuement préparée.

– Mon état t'a laissée indifférente pendant des mois, je ne vois pas pourquoi ça t'intéresserait maintenant.

– Mais, maman, j'avais besoin de…

Sophie était toujours sur le perron, face à une porte entrebâillée. Elle savait que l'affrontement devenait inévitable. Elle serra les poings en se promettant de ne pas se défiler.

– Je n'ai rien d'autre à te dire, poursuivit sa mère, toujours aussi durement. On en a déjà parlé, et je ne me trompais pas. Il n'y a aucune place pour ta mère dans ta vie, alors on va prendre chacune notre chemin.

Elle avait parlé d'une voix tranchante, mais restait là, debout entre la porte et le chambranle. Elle attendait, et Sophie comprit que si elle voulait renouer avec sa mère, elle devait s'expliquer et faire amende honorable. Il était évident que sa mère voulait la forcer à reprendre sa place. Pour atteindre ce but, elle était prête à se montrer cruelle, comme en ce moment. Sophie sentit monter en elle une vague de colère. C'était toujours la même tactique. Y en avait-il jamais eu d'autres ? On l'écrasait, on la repoussait dans ses derniers retranchements pour la forcer à plier, à s'abaisser. N'avait-on rien compris aux raisons de son départ quatre mois plus tôt ? Croyait-on vraiment qu'elle reviendrait en rampant ?

Elle regarda sa mère et sentit toute la distance qui les séparait désormais. Elle retint les mots de hargne qui lui vinrent à l'esprit. Elle n'utiliserait pas la tactique maternelle ; elle n'était pas de cette trempe-là. À la place, elle tourna les talons et s'en alla. Si elle avait survécu au rejet de ses filles, elle pouvait survivre à tout, y compris au mépris de sa mère. Elle jurait encore entre ses dents lorsqu'elle s'engagea sur l'autoroute, les yeux trop brillants. Puis, soudain, elle se sentit très lucide. Ces gens qu'elle avait tant aimés, elle les laisserait revenir dans sa vie à ses conditions, pas aux leurs. Son voyage avait fait d'elle une femme différente, une femme qui savait ce qu'elle voulait et ce qu'elle ne voulait pas. Dorénavant, Sophie Parent serait traitée en égale, et sa haie de cèdres serait fournie, pleine de promesses.

47.

À sa première visite au centre de jardin, Sophie faillit renoncer au projet de potager suggéré par Rachelle. Elle sillonna les rangées où s'alignaient des plants au feuillage luxuriant, des fleurs au parfum délicieux, des herbes odorantes. Tant de couleurs et de variétés l'éblouissaient et l'angoissaient à la fois. Serait-elle capable de les maintenir en vie ? De temps en temps, elle se penchait, examinait les plants et lisait les étiquettes. Il n'y avait pas meilleure manière de prendre conscience de son ignorance. Car si elle avait fini par céder aux arguments de Rachelle, là, debout au milieu de toute cette végétation, Sophie commençait à se dire qu'elle avait eu tort. Ciel ! Elle n'arrivait même pas à distinguer les légumes des autres plantes. Que signifiaient les termes « annuelle » et « vivace » ? Et ce nombre de jours indiqué sur l'étiquette ? Après avoir parcouru l'ensemble du centre de jardin, elle était arrivée à la conclusion qu'un potager serait une tâche trop lourde pour elle. Dans le fond, elle n'avait peut-être pas envie de cultiver ses propres légumes. Elle devait peut-être se contenter des rénovations qu'elle envisageait pour la maison. N'avait-elle pas déjà de quoi se tenir occupée pendant plusieurs mois ?

Elle s'apprêtait à partir, quand une femme s'approcha et lui demanda si elle pouvait l'aider. Sophie aurait probablement refusé si elle n'avait perçu l'étincelle dans son regard. La nouvelle venue avait des cheveux courts, des ongles noirs de terre et affichait un sourire de petite fille espiègle. Elle continua d'avancer vers Sophie, l'air ravi, comme si elle humait le parfum des fleurs à chaque respiration. Ses yeux balayaient le centre de jardin, couvant les plants comme s'il s'agissait de ses propres enfants. Elle se pencha vers l'un d'eux, caressa une feuille, vérifia l'humidité de la terre et soupira de contentement. Il se dégageait de cette femme un bonheur à l'état brut, et Sophie n'eut qu'une envie : l'imiter.

– Je voudrais faire un jardin, mais je ne connais rien aux plantes. Rien du tout.

L'autre sourit comme si on venait de lui faire un cadeau.

– Quelle belle idée ! Il n'y a rien de mieux pour bien manger, et pour le plaisir aussi. Et pour relaxer. C'est intéressant de faire pousser nous-mêmes nos légumes, de les voir grossir et de les cueillir à maturité. Ils sont tellement meilleurs que ceux qu'on achète à l'épicerie.

Elle poursuivit en lui posant des questions sur le type de sol de son futur potager. Devant l'air confus de Sophie, elle enchaîna sur l'ensoleillement du terrain. Sophie ressentit une certaine fierté à répéter les paroles de Rachelle. Son instinct lui disait qu'un ensoleillement de douze heures par jour n'était pas fréquent, que c'était même exceptionnel. L'exclamation qui ponctua la réaction de la jeune femme lui confirma la chose.

– Et qu'est-ce que vous voulez cultiver sur ce beau terrain ?

Sophie haussa les sourcils. Elle n'y avait pas encore pensé.

– Dans ce cas, il faudrait peut-être commencer par vous instruire sur le jardinage.

Elle l'entraîna devant un présentoir rempli de livres dont les images étaient aussi colorées que celles des livres de recettes. La femme consulta les index et tourna les pages à la recherche de détails précis. Puis elle déposa un livre dans les mains de Sophie.

– Celui-ci vous aidera à élaborer votre potager, à choisir ce que vous voulez cultiver et à prévoir le bon emplacement.

Scrutant le présentoir d'un œil de connaisseur, elle en attrapa un second.

– Et celui-là est excellent pour tout savoir sur les soins à apporter aux plants.

En se dirigeant avec Sophie vers la caisse, elle ajouta :

– Faites une liste de ce que vous voulez semer et dessinez votre potager. Ensuite, revenez me voir. Je vous aiderai à choisir les plants. Je m'appelle Stéphanie.

Sophie la remercia, paya les livres et retourna chez elle. Elle n'était toujours pas convaincue de ses capacités, mais elle savait au moins par où commencer.

C'est ainsi que chaque soir, pendant la durée des travaux pour enlever les restes de la grange, Sophie se mit à l'étude. Quelle ne fut pas sa surprise de découvrir qu'elle possédait davantage de connaissances que ce qu'elle pensait ! Le jardinage était une affaire d'organisation et de gestion, de soins réguliers et de planification à court, à moyen et à long terme. C'étaient là des compétences qu'elle avait acquises et perfectionnées au fil de ses années d'enseignement. Un potager, c'était aussi une question de temps et, depuis qu'elle avait acheté cette maison, du temps, Sophie en avait à revendre.

Elle étudia les sortes de sol et comprit qu'elle ne pouvait déterminer seule en quoi consisterait sa terre à jardin puisqu'elle l'avait commandée à Peter McDonald. Elle résolut de lui en glisser un mot et se concentra sur les familles de végétaux, leurs caractéristiques, leurs besoins, leurs avantages et leurs faiblesses. Elle découvrit tout un univers de reproduction, d'interdépendance et de répulsion, de beauté, de patience et d'échec potentiel. Lorsqu'elle se rendit à l'épicerie, cette semaine-là, c'est avec un œil admiratif qu'elle choisit ses légumes et ses fruits. Les asperges et le céleri devinrent un prodige de patience, les tomates, une œuvre de minutie.

Ce n'étaient plus de vulgaires pommes de terre qu'elle mit dans son panier, mais bien un légume racine résistant qui poussait dans un sol pauvre, un légume riche et succulent qui avait déjà sauvé l'humanité de la famine.

L'étape que Sophie préféra par-dessus tout fut l'élaboration du plan de son futur jardin. Elle utilisa, comme recommandé dans le livre, une tablette de papier quadrillé. Elle prit soin d'indiquer où se trouvaient les points cardinaux, de sorte que lorsqu'elle choisissait l'emplacement d'un légume, elle pensait à la quantité de soleil qu'il recevrait et à l'ombre qu'il produirait en croissant. Elle combina ses connaissances de manière à prévoir la répartition des semences dans le temps et dans l'espace et, pour ce faire, elle utilisa un calendrier. L'exercice ressemblait étrangement à la préparation d'un cours et à la gestion d'une salle de classe pendant l'année scolaire. Telle étape devait être franchie avant qu'on puisse envisager l'étape suivante. Tel élément nuisait à tel autre, mais s'entendait bien avec un troisième. Il fallait tenir compte de la température, du temps d'ensoleillement, du support qu'exigeaient certains plants, de l'espace que requéraient certains autres, de l'arrosage nécessaire ou pas. À la fin de la semaine, Sophie savait exactement quand elle sèmerait quoi et où pousserait quel légume. Elle était même capable d'imaginer de quoi aurait l'air le potager à la fin de l'été. Il lui tardait maintenant que Kevin McDonald et ses hommes finissent leur chantier.

48.

Lorsque le dernier morceau de ciment fut jeté dans la benne du camion, Sophie était déjà prête depuis deux jours. Elle avait commandé la terre, acheté les planches de 2 po par 8 po, s'était procuré de la paille et des graines. Dès le lendemain matin, le camion de Peter McDonald arrivait, chargé de terre à jardin. Sophie sortit l'accueillir.

– Vous me versez ça juste là, dit-elle en désignant un coin du terrain laissé vacant par la disparition de la grange.

L'homme la regarda, perplexe.

– Vous ne voulez pas que je fasse revenir Kevin avec sa pelle mécanique ? Il pourrait vous étendre la terre de manière égale partout. Il y a juste du sable en dessous. Ça devrait bien aller.

Sophie secoua la tête. Elle ne voulait justement pas que la terre soit égale partout. Elle avait son plan.

– Faites-moi un tas dans un coin avec ce que vous avez dans votre camion. Je vous appellerai quand j'en aurai besoin d'autre.

– C'est vous la patronne !

Il s'était exprimé comme si cela allait de soi, et Sophie en fut ravie. Elle était la patronne, en effet. C'était *sa* maison, *son* terrain, *son* futur jardin et *sa* vie. C'était *elle* qui décidait des moindres détails, et elle n'avait besoin, pour agir, de l'avis ou de la permission de personne. Elle trouva qu'il y avait quelque chose de grisant dans cette conclusion.

Peter McDonald vida son chargement exactement à l'endroit désigné et s'en retourna vers sa ferme. Il était déjà 8 heures du matin. Il n'avait pas de temps à perdre, car il avait encore plusieurs tâches à accomplir avant midi. Contrairement à lui, Sophie avait tout son temps. Elle sortit sa pelle, son marteau, ses clous et sa brouette. Elle recula son pick-up sur la pelouse, à deux pas de l'endroit où elle désirait commencer son chantier. Elle en sortit les quatre planches de quatre pieds de longueur par huit pouces de largeur et deux pouces d'épaisseur qu'il lui fallait assembler en un carré solide. Comme chacun de ces carrés serait trop lourd à déplacer, elle avait décidé de procéder au montage sur le terrain, construisant chacun d'eux directement sur son emplacement définitif.

Les premières opérations ne se firent pas sans difficulté. Sophie n'avait jamais manié d'outils, donc jamais planté de clous. Les planches glissaient, refusant obstinément de rester en place pendant la manœuvre. Elle se résigna à les immobiliser avec des boîtes. Le garage en contenait encore plusieurs et bon nombre d'entre elles s'avérèrent juste assez lourdes pour servir d'appui. Le premier carré solidement construit, Sophie utilisa la brouette pour charroyer de la terre et le remplir à ras bord. C'était une terre riche, prête pour les semences, lui avait assuré Peter McDonald. Sophie n'aurait donc pas à se casser la tête avec le compost ou l'analyse de sol. Du moins la première année.

Étrangement, pendant toute la durée des opérations, elle ne songea pas une minute à ses filles ou à sa mère. Il est vrai qu'il aurait suffi d'un moment de distraction pour qu'elle s'écrase un doigt. La concentration était donc venue de la nécessité, mais sans que Sophie n'ait à s'imposer d'effort. Elle travaillait de ses mains à créer quelque chose de concret, et cela l'absorbait entièrement. Elle travailla tellement qu'à la fin de la première journée, elle avait assemblé et rempli trois carrés. Cyrano et D'Artagnan étaient venus tour à tour inspecter le chantier, intrigués de voir leur maîtresse à genoux par terre. Tous deux s'ennuyaient depuis qu'ils n'avaient plus à chasser les rats, le dernier ayant disparu sous les roues du camion de Kevin McDonald un certain jour de pluie. Ils étaient donc pareillement intéressés par le brouhaha qui s'élevait de cette vaste étendue de sable. Jugeant le bruit trop fort à leur goût, ni l'un ni l'autre ne demeura longtemps près des outils. Ils ne s'éloignèrent pas non plus. Cyrano s'allongea sur la pelouse au pied de la galerie, la tête sur les pattes, faisant semblant de dormir, mais ouvrant l'œil dès que passait une voiture. D'Artagnan pour sa part choisit l'ombre du tilleul où il pouvait s'occuper à son passe-temps favori : l'observation des écureuils et des oiseaux.

Le soir venu, quand Sophie s'assit sur son lit, épuisée, mais l'esprit libre de tout souci, chacun vint prendre sa place afin de recevoir sa dose de caresses quotidiennes. Le chien se roula en boule au pied du lit, le chat s'étendit de tout son long au-dessus de l'oreiller. Sophie s'était résignée à ne plus dormir seule.

Entre le travail de préparation du jardin et les journées de suppléance, le mois de mai s'écoula rapidement. Les premières semences avaient été plantées dans les premiers carrés, et chaque légume avait sa place selon sa famille. Quel bonheur c'était finalement de plonger les mains dans la terre !

Sophie semait avec précision, presque avec tendresse. À la fin, avait-elle prévu, son potager compterait trente-six carrés bien remplis. Ce serait sans doute sa meilleure année puisque, dès l'année suivante, il lui faudrait laisser six carrés en jachère. C'était le conseil que prodiguaient les livres, et elle entendait le suivre à la lettre. Ne pas épuiser la terre et éviter la propagation des maladies d'une année à l'autre, voilà qui relevait du gros bon sens.

Voilà qui prouvait surtout à quel point Sophie ne s'était jamais attardée à la question. Que les plantes puissent attraper des maladies ne lui était même jamais venu à l'esprit avant qu'elle ne l'apprenne dans un livre. Elle n'avait pas non plus imaginé qu'un jardinier devait prendre toutes ces précautions. Les agriculteurs avaient d'autant plus de mérite qu'ils persévéraient, année après année.

En quelques semaines, Sophie avait acquis un lot extraordinaire de connaissances. L'été était désormais à sa porte, et elle espérait que la construction du potager serait terminée à temps pour accueillir les plants de tomates, de poivrons et d'aubergines «Après la première pleine lune de juin», avait précisé Rachelle. Une chance que Sophie ne possédait ni télévision ni ordinateur. Les distractions auraient été trop nombreuses et l'auraient empêchée de se concentrer sur ses tâches. Chaque soir, elle rédigeait de nouvelles notes, étudiait les différentes variétés de plantes, révisait son plan selon ses nouvelles découvertes. Chaque jour, quand elle ne travaillait pas à l'école, elle s'affairait à préparer son terrain. Le jardin prenait forme. En quelques jours, de petites pousses avaient fendu la terre. Des pois, des fèves, des courgettes et même de la laitue. Si aucun gel ne survenait, tout irait bien.

49.

Quand Rachelle vira dans la cour au volant de son 4x4, au début du mois de juin, c'est un tout nouveau décor qui l'attendait. Elle se gara et, sans même adresser un salut à Sophie, s'avança vers l'endroit où se tenait, moins de deux mois plus tôt, l'immense grange rouge de Bilodeau père. À sa place se trouvait désormais un quadrillé gigantesque. Trente-six carrés identiques et, entre chacun d'eux, d'étroits sentiers recouverts de paille, tracés bien droits. Les pois et les fèves commençaient à s'enrouler aux pieds des treillis. La laitue s'alignait dans leur ombre ajourée juste derrière. Dans le coin sud, de petites feuilles laissaient deviner les courges et les courgettes naissantes.

Rachelle s'engagea dans un sentier et fit le tour au grand complet. Son regard ne négligea aucun détail de l'aménagement. Du bout du pied, elle vérifia la solidité des carrés et grimaça. Elle parcourut ensuite d'un œil vif le moindre plant, évaluant la distance entre les pousses, secouant ou hochant la tête selon qu'elle était ou non d'accord avec les choix de Sophie. Cette dernière, demeurée sur la galerie, s'inquiétait ou se réjouissait selon l'expression qu'elle lisait sur le visage de Rachelle. Lorsque la vieille femme leva enfin les yeux, ses lèvres s'ourlaient d'un large sourire.

– Tes carrés ne tiendront pas deux ans..., mais ils feront l'affaire pour cette année.

C'est rayonnante de fierté que Sophie alla la rejoindre. Rachelle lui montra ce qu'elle approuvait – le treillis pour les pois et les fèves –, et ce qu'elle désapprouvait – la laitue qui devait pousser à l'ombre. Sophie n'essaya pas de justifier ses décisions. Même si elle avait choisi de suivre les instructions d'un livre, elle appréciait que son amie partage les connaissances acquises par l'expérience. Rachelle questionna l'emplacement réservé aux betteraves, aux herbes, aux oignons et aux poireaux, mais approuva celui destiné aux tomates, aux poivrons et aux aubergines. Elle approuva aussi la division du terrain en carrés.

– As-tu l'intention de vendre tes légumes au marché ? demanda-t-elle lorsqu'elles revinrent tranquillement vers la galerie.

Sophie fronça les sourcils.

– C'est parce que…, commença Rachelle.

Elle eut un drôle de rictus.

– … tu vas avoir de quoi nourrir une armée.

Elles n'eurent pas le loisir de poursuivre cette conversation, car un mouvement dans les buissons attira leur attention. D'Artagnan venait de s'accroupir, le regard braqué sur un merle qui fouillait la terre. Il bondit tout à coup, et sa mâchoire se referma sur l'oiseau qui poussa un cri de panique. Horrifiée, Sophie amorça un geste pour intervenir, mais Rachelle l'en empêcha.

– Laisse-le, dit-elle tandis que D'Artagnan s'enfuyait derrière la maison, l'oiseau dans la gueule. Un chat, c'est un chat. Puisque ça fait ton affaire quand il chasse les rats, il faut que tu acceptes qu'il mange aussi des oiseaux. Ça le garde alerte et agile.

L'oiseau cria encore quelques secondes avant de se taire pour de bon. Sophie se mordit la lèvre, la gorge nouée, et dut faire un effort pour effacer l'image sanglante qui lui venait à l'esprit.

Assis derrière les femmes, Cyrano n'avait pas bougé. À peine avait-il posé sur la scène un œil distrait. Ce qui l'intéressait, c'étaient les biscuits qu'il avait sentis dans la poche de Rachelle. Lorsqu'elle y plongea la main, le chien vint s'asseoir à ses pieds. Il tendit la patte sans même qu'elle le lui ait demandé.

– Un chat, c'est un chat, répéta Rachelle. Et un chien, c'est un chien.

Elle donna le biscuit à Cyrano qui s'enfuit sur la galerie pour manger à son aise lui aussi.

Depuis le milieu du mois de mai, les mouches noires et les maringouins pullulaient et se montraient voraces. Or, au lendemain de la première pleine lune de juin, quand Sophie sortit se rendre chez Rachelle, elle constata que les moustiques se faisaient plus rares. Elle prépara ses outils le sourire aux lèvres, se vaporisa quand même d'insecticide au cas où et prit la direction de la Cascatelle.

Les plants de Rachelle se comptaient à la dizaine, et les renforts étaient non seulement bienvenus, mais nécessaires. Une fois les tomates, aubergines, poireaux, poivrons et piments plantés et la terre bien arrosée, Sophie effectua le trajet inverse, suivie du 4x4 de Rachelle, et les deux femmes répétèrent les opérations dans l'immense jardin quadrillé. À la fin de l'avant-midi, quand la chaleur devint trop intense pour travailler dehors, Rachelle déclara que c'était l'heure de la sieste et s'en retourna chez elle.

Sophie se versa un verre de thé glacé, transporta une chaise longue en bordure du jardin et s'installa pour admirer le résultat de toutes ces heures de travail. Les nouveaux plants se dressaient, encore fragiles, mais verts et affamés de soleil. Devant eux s'alignaient les oignons, carottes, betteraves, panais, patates, choux, laitues, concombres, courgettes et courges, produits de ces petites graines qu'elle avait elle-même semées. Tous les matins depuis une semaine, elle examinait les treillis et cueillait les pois et les fèves qui agrémentaient ses repas.

Sophie leva les yeux et observa ce lieu où elle avait choisi de vivre. Son horizon se partageait entre le jardin à droite, le champ de maïs qui marquait la limite de son terrain, le tilleul, le pin et le saule où s'activait un écureuil sous l'œil attentif de Cyrano assis bien droit à moins d'un mètre du tronc. À gauche, enfin, sa maison de deux étages, toute de briques rouges et entourée de fleurs annuelles mises en terre la semaine précédente. Sur la galerie, roulé en boule sur le coussin d'une chaise berçante, D'Artagnan dormait.

Sophie soupira d'aise. S'il existait un paradis sur cette terre, elle l'avait trouvé.

50.

Les discours de Rachelle sur le respect et la valeur de la vie prirent tout leur sens lorsqu'une nuit, Sophie fut réveillée par les miaulements de D'Artagnan. L'aube n'était pas bien loin, et le ciel, vu du lit, paraissait gris. Le chat n'avait pas voulu rentrer la veille quand Sophie l'avait appelé. Elle avait bien aperçu ses yeux brillants au milieu du potager, mais il était demeuré immobile, rebelle comme à son habitude. Depuis quelques jours, il avait même commencé à flâner chez les voisins, à revenir de plus en plus tard. Sophie était arrivée à la conclusion la plus naturelle du monde : D'Artagnan se cherchait désespérément une compagne.

Ainsi, quand le miaulement plaintif la réveilla ce matin-là, elle leva les yeux au ciel en jurant contre les impératifs de la nature. Sauf que la voix qu'elle entendait par la fenêtre ouverte lui semblait bien trop puissante pour être celle d'un chat, bien trop agressive aussi. Ce dernier détail acheva de la réveiller.

Ce n'est qu'une fois debout qu'elle remarqua les gémissements de Cyrano. Assis à ses pieds, le corps collé contre ses jambes, il cillait à n'en plus finir. Sophie étira la main pour le caresser et s'aperçut qu'il tremblait comme une feuille. Un chat ne pouvait effrayer un chien de cette manière. Pas à ce point.

Elle s'approcha de la fenêtre. Le jour se levait sur une brume dense qui voilait la campagne. Dehors, l'animal inconnu continuait de pousser sa plainte. Sophie en eut des frissons. On aurait dit un bébé qui pleurait sans jamais reprendre son souffle. Il lui sembla aussi percevoir quelque chose comme de la provocation dans ces sanglots qui n'en étaient pas. Ni un bébé ni un chat ne pouvaient crier avec autant d'hostilité.

Cyrano s'était maintenant assis sur les pieds de Sophie. Elle le repoussa, enfila sa robe de chambre et descendit au rez-de-chaussée. On ne voyait pas davantage par la fenêtre de la cuisine. La bête, car Sophie était désormais convaincue qu'il s'agissait d'une bête féroce, continuait de geindre dans le brouillard. Par chance, sa voix allait en s'éloignant. Sophie ouvrit la porte et se tourna vers Cyrano.

– Viens! lui ordonna-t-elle en faisant mine de sortir.

Le chien refusa d'obéir. Son attitude traduisait un message on ne peut plus clair : le danger est réel, on reste à l'intérieur.

Quand le cri fut presque éteint, prouvant que la bête était trop loin pour constituer une menace, Cyrano se leva, posa ses pattes avant sur le rebord de la fenêtre et se mit à aboyer contre un ennemi désormais inoffensif.

– C'est ça, fais ton brave! railla Sophie.

Dès qu'elle lui ouvrit la porte, il se rua vers le champ de maïs. La brume se levait maintenant, et on distinguait l'ombre du jardin et celles des arbres. Sophie attrapa son châle pour rejoindre le chien qui continuait d'aboyer derrière le tilleul. Là, le foin avait été écrasé et le maïs, plié pour former un passage d'un mètre de largeur. Cyrano jappait toujours, mais n'osait s'y aventurer.

– Brave chien! lança Sophie en lui tapotant la tête. Brave chien intelligent.

L'être humain était-il vraiment tout en haut de la chaîne alimentaire? Ce matin-là, Sophie commença à en douter. Parce que sans arme et seule, elle n'avait rien d'une prédatrice. Cette bête l'aurait sans doute attaquée si elle l'avait trouvée sur son chemin. Peut-être même l'aurait-elle mangée ! Car il fallait qu'elle soit dangereuse pour qu'un chien de la taille de Cyrano en ait eu peur. Sophie repensa à ces maringouins voraces qui s'abreuvaient de son sang chaque matin et chaque soir. Eux aussi mangeaient de l'humain d'une certaine manière. Il n'y avait pas à dire, la campagne offrait chaque jour une perspective nouvelle sur la vie.

Quand elle revint sur ses pas, Sophie trouva D'Artagnan assis sur la galerie, une oreille déchirée et le museau ensanglanté. Il s'était battu. Au nom de la vie, évidemment. Et parce que certains aspects de la vie demeuraient quand même sous le contrôle de l'être humain, Sophie décida qu'une visite chez le vétérinaire s'imposait.

51.

Si Sophie avait décidé qu'elle ne céderait plus aux caprices de sa mère, elle avait tout de même assez de jugement pour savoir qu'elle ne devait pas imposer ce même refus à ses filles. Elle prit rendez-vous avec elles pour déjeuner le premier dimanche des vacances. À 10 heures et demie, toutes les trois étaient attablées dans un restaurant de Longueuil.

La conversation était difficile. Sophie savait que ses filles lui en voulaient toujours. Elle jugeait cependant que le temps de la réconciliation était venu. Ce fut Anouk qui lui en offrit l'occasion. Bien qu'elle affirmât détester la campagne autant que Roxane, Anouk avait toujours éprouvé de l'intérêt pour les chevaux et l'équitation. La nouvelle résidence de sa mère lui offrait d'intéressantes possibilités.

– Est-ce qu'il y a des écuries près de chez toi ?

Sophie acquiesça.

– C'est où, chez toi ?

– De l'autre côté de Châteauguay.

– C'est loin ?

– À une heure environ.

– Est-ce qu'il y a une école secondaire là-bas ?

– Ce n'est pas important ! coupa Roxane en dardant sur sa sœur un regard furieux.

Depuis leur entrée au restaurant, Roxane s'était enfermée dans un mutisme obstiné. Le fait qu'Anouk se montre tout à coup intéressée par les écoles à proximité de chez leur mère l'avait forcée à intervenir.

– On ne va pas déménager là-bas ! ragea-t-elle, les dents serrées.

– Je n'ai pas dit que je voulais déménager là-bas.

– Tant mieux, parce qu'on ne va pas changer d'école.

– Je n'ai pas dit que je voulais changer d'école non plus.

– Tant mieux.

L'influence de Roxane n'avait jamais paru aussi évidente aux yeux de Sophie. De l'autre côté de la table, ses filles se toisaient. On aurait dit que la cadette osait enfin défier l'aînée.

– Est-ce que c'est grand, chez toi ? poursuivit Anouk en se tournant vers sa mère.

– C'est grand, mais je n'ai pas encore fini de rénover. Pour le moment, j'ai juste eu le temps de préparer une chambre pour vous deux.

– Quoi ? Tu veux nous faire coucher dans la même chambre comme dans l'ancien temps ?

Sophie ne put dire si l'indignation de Roxane était authentique ou si elle jouait la comédie afin d'encourager sa sœur à exprimer elle aussi son dégoût. La tactique échoua, au grand plaisir de Sophie qui commença à raconter l'étrange relation entre Cyrano et D'Artagnan.

– Comment ça se fait que tu as un chien et un chat alors que tu n'as jamais voulu qu'on ait des animaux à la maison ?

Anouk avait posé cette question sans reproche, par pure curiosité. Sophie répondit avec autant de douceur.

– Je vis en campagne maintenant. Et en campagne, les chiens et les chats sont utiles.

– Utiles pour quoi faire ?

– Pour chasser les rats et pour…

Sophie repensa à Cyrano et à ses gémissements quand la bête inconnue avait traversé son terrain dans la brume. Elle s'était depuis convaincue qu'il s'agissait d'un ours, même si Jonathan Stride lui avait affirmé qu'il n'y en avait pas dans la région. Puisque Cyrano avait attendu que le danger soit passé pour se montrer féroce, Sophie ne pouvait pas vraiment dire qu'il avait été utile. Elle songea néanmoins que la vérité n'aurait pas l'effet escompté sur ses filles et modifia quelque peu la réalité.

– … et pour faire peur aux animaux sauvages et pour garder au ch…

Elle s'interrompit. Elle ne pouvait tout de même pas avouer que Cyrano dormait dans son lit. Ses filles ne l'auraient jamais comprise. Heureusement, Roxane avait trouvé une faille et avait décidé de l'exploiter à l'instant.

– Il y a des animaux sauvages, chez toi ? Tu restes donc bien loin !

Elle manifestait encore une fois un dégoût exagéré. Sophie avait toutefois eu le temps d'apercevoir le sourire qui avait effleuré les lèvres d'Anouk juste avant les exclamations outragées de sa sœur. Tout n'était pas perdu.

Comme la transmission de certains véhicules tout-terrain, les habitants d'Ormstown semblaient dotés de deux positions d'embrayage : lentement et arrêté. Sophie en était arrivée à cette conclusion au fil de ses visites à l'épicerie, au bureau de poste ou à la pharmacie. Partout, les gens créaient des pauses. « *We're shooting the breeze* », disait-on au village pour désigner cette habitude répandue. En ligne à la caisse ou immobilisés au coin d'une rue, parfois même au milieu de la rue, les gens prenaient le temps de se parler. « Surtout l'été », avait précisé Rachelle quand Sophie l'avait interrogée. Cette gestion de la lenteur s'appliquait aussi aux voitures. Dans toutes les rues, sauf sur la voie de contournement, on circulait tranquillement, comme si le village au complet se trouvait dans une zone scolaire. Et ce n'était pas par obligation. On n'était jamais pressé à Ormstown, qu'on soit cultivateur ou villageois. De ce fait, la congestion du réseau routier demeurait inexistante. Même le matin, quand la Montérégie en entier semblait se ruer sur l'île de Montréal, à Ormstown, on prenait son temps. Trop petit pour avoir une affluence interne, trop éloigné pour servir de ville-dortoir, le village existait comme dans une autre zone, selon l'expression chère à Rachelle. Sophie ne se fit pas prier pour embrasser un rythme de vie si semblable à son propre tempérament.

Elle avait trouvé sur la rue Principale une librairie de livres usagés où elle se rendait une fois par semaine, de préférence le matin. Elle y passait une heure à parcourir les tablettes, à respirer de la poussière, la tête penchée, les yeux posés sur les titres qu'elle lisait à la verticale. Une fois le nouveau roman choisi et payé, elle traversait la rue, entrait au restaurant Station Ormstown et s'installait à sa table préférée, celle près de la fenêtre. Aussitôt, Dale lui apportait un bol de café au lait, et Suzy lui offrait un morceau de gâteau ou de tarte. S'il n'était pas trop tard, Sophie se laissait tenter. Elle revenait chez elle, plus riche d'un livre et d'un moment exquis. Alors, sous les regards intéressés de Cyrano et de D'Artagnan, elle se préparait à dîner en laissant tomber quelques morceaux de poivron, de fromage ou de viande sur le plancher. Des morceaux qui disparaissaient aussitôt, évidemment.

Sophie mangeait assise dans la chaise berçante sur la galerie et replongeait dans son roman. Elle lisait ainsi pendant deux bonnes heures, parfois plus. Et jamais, à aucun moment, il ne lui vint à l'esprit qu'on pouvait s'ennuyer à vivre ainsi seule, loin des grands centres urbains.

52.

Par un matin du début juillet, alors que le tilleul était en fleurs et que la chaleur lâchait du lest, Sophie sortit de la maison, déterminée à mener à bien son nouveau projet. Elle avait déjà arrosé le potager, nourri le chien et le chat, balayé le plancher et mis à cuire à feu très bas les haricots espagnols secs offerts par Rachelle. C'était une nouvelle recette. Une espèce de ragoût que Sophie avait concocté avec des herbes, un peu d'agneau et du bouillon. Si le résultat s'avérait concluant, elle partagerait sa découverte avec son amie. S'il était immangeable, le ragoût serait servi à Germain.

L'avant-veille, Sophie avait dessiné des plans. Vue de face et vue de côté. Elle avait fait la liste des matériaux nécessaires et la liste de ce qui traînait dans le garage, de ce que Rachelle lui avait donné et de ce que Jonathan Stride était venu lui porter. Elle avait même fait les courses à la quincaillerie pour acheter ce qui manquait. Et ce matin-là, elle déchargea le coffre du pick-up derrière la maison. Le bois, la laine isolante, les panneaux de contre-plaqué, les boîtes de vis et le tournevis électrique emprunté à Rachelle. Elle avait pensé à une construction simple. Huit pieds de longueur, huit pieds de largeur et huit pieds de hauteur. L'extérieur serait en vinyle comme le garage. De grands panneaux y traînaient toujours, restes de l'époque où on l'avait érigé. Le toit serait en tôle ondulée, matériau que Sophie devait encore se procurer.

De la rue, on ne verrait rien, et du champ… Eh bien, du champ, le cultivateur sur son tracteur apercevrait un étrange appentis derrière les arbres, adossé à la maison. Chaud en hiver grâce au mur adjacent et à l'orientation plein sud, frais en été grâce au couvert des grands arbres, le poulailler serait confortable et accessible. Qu'est-ce qu'une poule pouvait demander de plus ? Car Sophie allait garder des poules. Oh, pas beaucoup. Une demi-douzaine tout au plus. Puisqu'elle ne voulait que les œufs, on n'y trouverait que des femelles. Pour la chair, Sophie se fiait à Rachelle.

Elle s'était déjà attelée à la tâche quand Cyrano, qui dormait sous les arbres, bondit sur ses pieds et se rua vers la cour en aboyant. Comme Jonathan Stride avait promis de venir installer des ancrages dans le mur de briques afin de fournir un appui à l'appentis, Sophie abandonna ses outils pour suivre le chien, persuadée que les renforts arrivaient. En tournant le coin de la maison, elle reconnut la BMW qui se garait à côté du garage et elle serra les poings. Le moins que l'on puisse dire, c'est qu'elle n'était pas contente de voir son frère. Lui-même n'arborait pas ce sourire de séducteur qui lui réussissait si bien d'habitude. Il affichait plutôt la mine autoritaire d'une personne qui vient régler des comptes. « Tant pis pour lui ! » se dit Sophie en rappelant Cyrano.

– Salut, lança-t-elle, sans plaisir.

Sa voix trahissait la méfiance, et son frère eut un bref mouvement de recul, avant de répondre sur le même ton.

– Comment ça va ?

– Bien.

La conversation s'annonçait difficile. Sophie jeta un dernier regard vers le chantier à peine commencé. Elle n'aimait pas abandonner ses travaux pour un visiteur importun. Mais comme son frère restait là à attendre, elle dut faire un bout de chemin vers lui.

– Qu'est-ce qui t'amène? demanda-t-elle sans se montrer plus amicale.

– Je viens te parler de maman.

Sophie hocha la tête et attendit qu'il dévoile son jeu.

– Elle est encore malade, poursuivit son frère.

Nouveau hochement de tête et toujours ce silence de la part de Sophie.

– Depuis que tu restes ici, elle n'a plus personne pour l'accompagner à l'hôpital. Faudrait que tu reviennes en ville.

Cette fois, Sophie haussa les sourcils.

– Si tu as fait tout ce chemin pour me dire ça, tu as perdu ton temps.

L'autre poussa un soupir de dépit.

– J'ai essayé de t'appeler, mais ça ne répond jamais.

– Je suis toujours dehors. Tu avais juste à laisser un message.

Sophie imaginait le message sur le répondeur. « Reviens en ville, Sophie ! Reviens prendre ta place de servante. »

– C'est ta mère, insista-t-il. Tu pourrais te forcer.

– C'est ta mère aussi. Est-ce que tu te forces, toi ?

Même dans ses rêves les plus fous, Sophie ne s'était jamais imaginée avoir autant de répartie. Son frère, lui, ne paraissait pas du tout impressionné.

– Je t'ai dit que je ne pouvais pas manquer un jour d'ouvrage. Je ne suis pas assez riche pour ça.

– Pis ton auto, tu l'as trouvée dans une boîte de Cracker Jack ?

Il jeta un œil frustré vers sa BMW, mais n'en démordit pas.

– J'ai des paiements.

Sophie roula les yeux.

– Pis, moi, je n'en ai pas ?

– Euh, je ne sais pas.

Si Sophie n'avait plus de paiement, c'était parce qu'elle avait décidé de vivre simplement. Très simplement. C'était un choix personnel, et elle n'allait pas laisser son frère profiter de la situation. Elle se préparait à répliquer quand lui-même changea de sujet :

– On ne parle pas de toi, ici, mais de maman.

Il y avait quelque chose d'habile dans cette manière de rediriger la conversation. Sophie lui envia un moment ce talent, avant de réaliser que son frère changeait de direction quand il sentait qu'il était en train de perdre.

– Qu'est-ce qu'elle a fait cet hiver, maman, quand je n'étais pas là ?

– Elle s'est arrangée, mais là, il faut que tu l'aides.

– Pourquoi est-ce qu'elle ne s'aide pas en déménageant plus près de l'hôpital ? Ce serait plus facile pour tout le monde.

– Je le sais bien, mais elle ne veut pas en entendre parler. Avoue qu'elle a passé l'âge de se faire dire quoi faire, quand même !

« Pis moi ? » ragea intérieurement Sophie. Au lieu d'exploser, elle se rappela la manière dont Rachelle avait resservi ses arguments à Max Bilodeau. Dans le fond, il fallait écouter. Écouter, retenir et mettre en évidence l'abus.

– Si je comprends bien… Toi, tu ne veux pas prendre de congé pour ne pas perdre d'argent. Et maman, elle ne veut pas déménager. Alors votre conclusion à tous les deux, c'est que moi je retourne en ville pour prendre soin d'elle. C'est ça ?

– Euh… Ben, oui.

– J'ai des nouvelles pour toi. Je ne suis pas responsable de ma mère. J'ai fait mon bout, mais elle n'a pas voulu faire le sien. Toi, rien ne t'empêchait de t'acheter une auto moins chère.

Elle se tut un moment pour permettre à ses mots d'avoir leur effet. Puis elle ajouta :

– Pis de toute façon, maman m'a dit qu'elle ne voulait plus me voir.

Elle se rappelait la scène et la détermination qu'elle avait lue sur le visage de sa mère. Tout n'était qu'une question de pouvoir finalement. Le pouvoir qu'on avait sur quelqu'un… et celui qu'une personne avait sur nous.

– Tu sais bien qu'elle t'a dit ça pour que tu t'excuses. Elle veut que tu reviennes, que tu redeviennes sa fille et que tu t'occupes d'elle comme une fille est censée s'occuper de ses parents malades.

La voix de Sophie se fit plus agressive.

– Je n'ai pas envie de revenir et je n'ai pas envie de redevenir la fille soumise. J'ai fini de jouer à ce jeu-là.

À court d'arguments, son frère soupira et posa les yeux sur Cyrano assis entre lui et Sophie.

– Il est laid rare, ton chien.

Le regard de Cyrano était demeuré braqué sur lui depuis son arrivée. Sophie se dit qu'elle était vraiment fière de son chien. Elle allongea le bras pour le caresser.

– Il est peut-être laid, dit-elle, mais il sait mordre.

Son frère haussa les épaules avec mépris et, cherchant un moyen de se reprendre, il jeta un œil dédaigneux sur la maison, sur les champs et sur le jardin.

– Ça pue, chez vous.

– Je ne te retiens pas.

Il sursauta devant la froideur de cette réponse, mais au même instant, une camionnette vira dans l'entrée. Sophie reconnut Jonathan Stride et rougit. Son frère allait s'imaginer toutes sortes de choses maintenant. Il l'interrogeait déjà :

– C'est qui, lui ?

– Un ami.

Même assis dans sa camionnette, Jonathan était beau. Ce détail n'allégea en rien la tension qui séparait le frère et la sœur.

– Un amant, tu veux dire.

Elle ignora la moquerie et salua Jonathan tandis qu'il se stationnait à côté de la BMW. Il en descendit et fronça les sourcils. La tension était perceptible.

– Je m'en viens t'aider pour ton poulailler, dit-il en attrapant sa boîte à outils dans le coffre. Mais si je tombe mal, je peux revenir plus tard.

– Non, non. Tu arrives juste à temps. Mon frère s'en allait.

Celui qu'on congédiait ainsi prit le chemin de sa voiture.

– Un poulailler, railla-t-il en accentuant le dégoût que cette idée lui inspirait.

Il démarra et recula, mais avant de s'en aller, il abaissa sa vitre.

– En tout cas, tu sauras qu'on te trouve égoïste !

Il avait crié en accélérant. Sophie éclata de rire. Il ne manquait plus que ça !

La voiture s'engageait maintenant sur la route ; l'épreuve était terminée. Sophie n'arrivait pas à croire qu'elle avait été capable d'autant d'aplomb. Elle avait repoussé l'attaque et avait su trouver les mots justes pour exprimer ce qu'elle ressentait. Cela n'avait pas plu à son frère, mais c'était tant pis. Elle se tourna enfin vers Jonathan pour l'accueillir comme elle aurait dû le faire à son arrivée.

– Bon ! s'exclama-t-elle en désignant les matériaux qu'on apercevait derrière la maison. Est-ce qu'on le construit, ce poulailler-là ?

L'épreuve était bel et bien finie.

53.

Sophie avait trouvé le hamac dans une vente-débarras. En même temps que la balançoire attachée à une branche du pin, des vases en terre cuite pour cultiver les fines herbes et trois assiettes anciennes qu'elle avait offertes à Rachelle pour sa collection. Sur le chemin du retour, elle avait déclaré que la chasse avait été bonne.

C'était un vieux hamac, monté sur une armature de métal un peu rouillée, mais toujours solide. Sophie l'avait installé sous le tilleul, de manière à profiter de l'ombre lorsqu'elle s'y allongeait l'après-midi pour faire la sieste. Certains jours, quand le vent soufflait de l'est, sa brise portait loin dans la campagne le carillon des cloches de l'église. Couchée dans le hamac, une jambe repliée sur le rebord pour entretenir un va-et-vient régulier, Sophie écoutait le silence habité qui lui servait de cadre de vie. Même les yeux clos, elle voyait encore le maïs doré, le ciel parsemé de nuages blancs, le feuillage bruissant et les inlassables insectes mélomanes. L'air embaumait les champs, les fleurs et les arbres. Sophie savait qu'elle pouvait somnoler à sa guise, car couchés dans l'herbe à chaque extrémité du hamac, Cyrano et D'Artagnan montaient la garde.

C'est ainsi qu'un après-midi, après avoir dormi presque une heure, elle fut réveillée par un bourdonnement inhabituel. Elle ouvrit les yeux et chercha autour d'elle l'animal capable de produire un tel bruit. Elle aperçut alors un minuscule colibri dont le bec plongeait dans les monardes qui formaient une haie fleurie le long de la maison. Elle n'osa pas un geste, pas davantage que D'Artagnan dont le regard ne quittait plus l'oiseau. Seul Cyrano continuait de dormir, indifférent. Lentement, le chat se redressa. Quand Sophie comprit qu'il s'apprêtait à bondir, elle le saisit par le cou d'un geste si vif qu'il n'eut pas le temps de réagir. Elle le tint dans ses bras pour le caresser, pour lui parler et surtout pour lui interdire de chasser les colibris.

– Tu peux manger tout ce que tu veux, dit-elle en le reposant par terre. Mais tu ne touches pas à ces oiseaux-là.

Évidemment, le colibri avait déjà disparu. Sophie observa les monardes, examina les branches du tilleul et conclut qu'il fallait faire une virée à la quincaillerie. Il devait exister des mangeoires qu'on pouvait installer en hauteur de manière à protéger ces magnifiques oiseaux de ses gardiens un peu trop zélés.

L'eau de pluie s'écoulait dans les gouttières et s'accumulait dans des barils installés de chaque côté de la maison. Un système de boyaux permettait d'acheminer cette eau jusqu'au jardin, ce qui facilitait l'irrigation. Chaque matin, Sophie sortait avec Cyrano et D'Artagnan pour visiter le potager, cueillir ce qui était mûr et effectuer l'arrosage nécessaire.

Depuis le début juin, elle vivait pieds nus, parcourant son terrain d'un bout à l'autre plusieurs fois par jour, savourant la caresse de l'herbe humide le matin, de l'herbe chaude de l'après-midi et de l'herbe fraîche après le souper. Elle n'enfilait ses sandales que pour aller en ville ou pour descendre les poubelles au bord du chemin, à la noirceur.

Ce matin-là, elle prépara le café comme d'habitude, le laissa couler pendant qu'elle descendait au jardin, Cyrano sur les talons. En posant le pied sur la paille qui marquait les rangées, elle sentit quelque chose de mou sous ses orteils. Elle poussa un cri de dégoût, recula en vérifiant bien, cette fois, où elle mettait les pieds. C'est alors qu'elle les aperçut. Il y en avait une centaine au moins, rampant dans la paille ou collées sur les feuilles de laitue. Des limaces noires, visqueuses et affamées. Sophie n'arrosa pas le jardin comme elle l'avait prévu. Elle courut plutôt vers la maison, attrapa le téléphone et appela Rachelle.

– C'est horrible ! s'exclama-t-elle après lui avoir décrit l'état du potager. Il y en a tellement que j'ai peur d'y aller.

Rachelle la rassura, lui promit de venir lui rendre visite dans l'heure.

– En attendant, prépare-moi donc une de tes omelettes à la tomate et au chèvre.

Si la situation n'avait été aussi critique, Sophie aurait éclaté de rire. L'omelette en question était sa nouvelle invention. Un oignon qu'elle arrachait encore jeune, un peu de sauge ou du basilic, selon son humeur, des tomates cerise coupées en deux, le tout revenu dans l'huile quelques minutes. Elle ajoutait des œufs battus, du fromage de chèvre et passait la casserole sous le grill. La première fois qu'elle avait servi cette omelette à Rachelle, son amie lui avait dit admirer cette ingéniosité avec laquelle elle créait des plats aussi fins, et aussi simples.

– Tu es certaine que tu n'as pas été chef dans une autre vie ?

Sophie était heureuse de se découvrir des talents culinaires. Elle en avait douté pendant tellement d'années. Maintenant qu'elle vivait à la campagne, elle improvisait, testait et améliorait recette après recette, en utilisant toujours les légumes et les herbes de son jardin et les œufs de son poulailler. C'est ainsi que naquirent les crêpes à la courgette, la quiche à l'oignon et, plus récemment, la croustade aux framboises et à la rhubarbe.

Les framboises et la rhubarbe constituaient la découverte du mois. Derrière la maison, sur la ligne qui séparait son terrain du champ du cultivateur, se trouvait une rangée de buissons épineux. Depuis quelques jours, ces buissons s'étaient tachetés de rouge. Sophie y avait reconnu des framboises un matin en allant nourrir les poules. Elle s'était approchée, émerveillée, et en avait cueilli une. Le fruit était petit, mais goûteux, et les buissons en portaient des centaines. Plus loin, derrière le garage, elle avait aperçu au même moment les feuilles de rhubarbe. Elle n'en revenait pas. Le vieux Bilodeau lui réservait-il d'autres surprises ?

Il ne restait qu'à faire griller l'omelette quand Rachelle arriva enfin. Elle descendit de son 4x4 avec six canettes de bière.

– Il n'est même pas 10 heures, Rachelle ! s'exclama Sophie, à moitié sérieuse.

La vieille femme lui fit un clin d'œil en montrant le paquet d'assiettes d'aluminium qu'elle tenait dans l'autre main, puis elle se dirigea vers le jardin. Sophie la suivit et la vit s'agenouiller dans la paille avant de creuser un trou devant un plant de laitue assiégé. Elle y déposa l'assiette, ouvrit une canette et, après en avoir bu une gorgée, y versa de la bière jusqu'à ras bord.

– Les limaces adorent la laitue, dit-elle. Mais heureusement pour nous, elles aiment encore plus la bière. Aide-moi à installer les autres pièges.

Elle lui tendit une assiette et une bière et, à deux, elles passèrent à l'offensive. Un quart d'heure plus tard, les limaces avaient abandonné la laitue pour la bière et l'une d'elles était déjà en train de se noyer. Les deux femmes remontèrent jusqu'à la maison, satisfaites.

– Maintenant, on passe à l'étape de la prévention.

Rachelle avait lancé cette phrase en s'emparant du pot dans lequel Sophie récupérait les matières compostables. Elle en ressortit les coquilles des œufs utilisés pour la préparation de l'omelette, elle les lava et les écrasa dans un bol.

– Tu ramasses toutes tes coquilles, tu les écrases comme je viens de le faire et tu déposes ces morceaux coupants autour des plants de laitue. Ça forme une barrière infranchissable pour les limaces.

Sophie était impressionnée. Elle mit la table, glissa l'omelette sous le grill avant de la servir à son amie avec une tasse de café. Décidément, Rachelle avait l'art de joindre l'utile à l'agréable.

54.

– Anouk ! Viens ramasser tes souliers !

Assise sur une chaise dans la cuisine, Sophie se frottait la cheville. Elle venait d'entrer avec les sacs d'épicerie et avait trébuché sur les espadrilles que sa fille avait laissé traîner devant la porte. Comme personne ne répondait, Sophie poussa un grognement de frustration. Elle rangea au frigo ce qui devait rester au froid et déposa le reste des provisions sur le comptoir. C'est à ce moment qu'elle aperçut la vaisselle sale dans l'évier. Elle serra les dents. Les choses ne se déroulaient pas comme elle l'avait prévu. Elle ouvrit la porte à D'Artagnan qui miaulait pour sortir et grimpa les marches jusqu'à l'étage en se promettant de garder son calme.

Roxane et Anouk étaient arrivées la veille dans l'intention de passer leur première fin de semaine chez leur mère. Sophie n'avait pas caché sa joie lorsque Luc l'avait appelée.

– J'ai affaire dans ton coin, alors je vais les amener vers 8 heures.

Sophie était debout sur la galerie depuis une demi-heure quand la voiture de Luc était apparue dans le rang. Elle l'avait reconnue de loin et, malgré ses craintes, elle trépignait d'impatience. Accueillir ses filles dans sa nouvelle maison, elle en avait rêvé.

Non, les choses ne se déroulaient pas comme elle les avait imaginées. Si Anouk avait l'air heureuse de passer la fin de semaine à la campagne, il était évident que l'idée plaisait moins à Roxane. Elle avait sorti ses bagages en ruminant, s'était plainte de l'exiguïté de la chambre, de la salle de bain et du lit. Et il y avait eu la nourriture. Le déjeuner ne lui convenait pas parce que Sophie avait omis d'acheter ses céréales préférées.

– Je ne mange pas de pain, avait-elle déclaré devant la miche boulangée par Sophie la veille.

Et puis il y avait eu le refus de coopérer. Sophie avait vraiment été déçue. Ses deux filles avaient refusé d'aller arroser le potager. Tout comme elles avaient refusé d'aller nourrir les poules, de mettre la table et, comme elle le constatait maintenant, de faire la vaisselle. C'en était trop.

Elle trouva Roxane dans la chambre en train de parler au téléphone.

– Où est ta sœur ? demanda-t-elle avec plus de dureté qu'elle l'aurait voulu.

– Chut ! Je parle avec Mel.

C'en était vraiment trop. Sophie s'avança dans la pièce, se pencha au-dessus du téléphone et tira sur le fil. Tout vint en même temps. La prise, le fil et une partie du papier peint.

– Maman ! s'écria Roxane, secouée par autant d'agressivité.

Sophie lui arracha le téléphone des mains.

– Va t'asseoir dans la cuisine et restes-y ! Et je t'interdis de toucher au téléphone du rez-de-chaussée !

Roxane obéit, toujours sous le choc. Jamais elle n'avait vu sa mère à ce point en colère. Elle avait à peine entamé les marches qu'Anouk apparut au pied de l'escalier.

– Qu'est-ce qu'il y a ?

Ni Roxane ni Sophie ne répondirent à sa question.

– Va t'asseoir à table avec ta sœur ! ordonna Sophie avant de gagner sa chambre où elle rangea le téléphone dans le placard.

Il n'y avait peut-être pas eu mort d'homme, mais ce manque de respect, c'était tout comme. Puisque Sophie voulait absolument repartir sur de nouvelles bases avec ses filles, elle décida qu'il fallait établir les limites aujourd'hui. Pas demain et pas un autre jour. Elle se tourna vers le miroir de la commode et retint un fou rire. Elle venait de déstabiliser ses filles et en était bien contente. « Des fois, se dit-elle, c'est important de laisser sortir le trop-plein. Ça permet de remettre les pendules à l'heure. » Elle reprit son sérieux et s'assura qu'il ne restait aucune trace de l'euphorie qui l'avait gagnée quand elle avait vu la peur sur le visage de Roxane. Puis elle descendit.

Elle trouva ses filles assises autour de la table, comme elle le leur avait ordonné. Elles ne parlaient pas, mais Sophie savait que Roxane avait eu le temps de faire un compte rendu à sa sœur. « Tant mieux ! se dit-elle. Je n'aurai pas besoin de répéter. »

Elle s'installa au bout de la table, les regarda l'une après l'autre et commença à leur expliquer la situation :

– Premièrement, le téléphone, c'est juste pour les urgences. Vous garderez les longues conversations pour quand vous serez chez vous.

Anouk déglutit. Roxane demeura de marbre. Sophie poursuivit :

– Deuxièmement, vous n'êtes pas à l'hôtel, *ici*.

Elle avait mis l'accent sur le dernier mot et attendit quelques secondes pour en mesurer l'effet. Puis elle reprit :

– Vous êtes chez moi. Alors, voici comment ça va marcher à partir de maintenant.

Elle désigna les chaussures qui traînaient toujours devant la porte.

– Chacune ramasse ses affaires. Je ne veux plus voir ni vêtements ni souliers ni sacoches à la traîne. Pour le moment, vous partagez la même chambre et vous y rangez *toutes* vos affaires. Quand j'aurai terminé l'autre chambre, vous vous organiserez comme vous voudrez, mais *vos* affaires resteront quand même dans *vos* chambres.

Ni l'une ni l'autre de ses filles ne dirent un mot. Sophie continua donc :

– Pour ce qui est du travail... Je ne suis pas votre bonne. Je fais à manger, vous faites la vaisselle. Ce n'est pas plus compliqué que ça.

Toujours aucune réaction.

– Et vous m'aidez avec le jardin, les poules et le ménage quand vous vivez ici, parce que ça fait partie de mon mode de vie.

– Ah, non ! s'écria Anouk. Je ne vais pas ramasser le caca de poule.

– Pis moi, je ne vais pas me faire manger par les maringouins dans ton jardin !

– Il y a assez de chez nous où on doit faire la vaisselle pis le lavage, reprit Anouk, on va pas le faire ici. On n'est pas tes esclaves, tu sauras.

Et voilà. C'était dit. Et ça débordait. Sophie se redressa et attrapa son sac à main.

–Allez chercher vos affaires. Je vous ramène chez vous.

Elle sortit et rappela le chien qui jouait derrière la maison. Debout sur la galerie, elle fulminait. « Ça passe ou ça casse, se dit-elle. Mais je n'endurerai pas ça plus longtemps. »

Anouk sortit, son sac sous le bras. Sa sœur la suivit une minute plus tard. Toutes deux s'étaient sans doute donné le mot pour ne rien dire, pour essayer de faire souffrir leur mère avec leur silence. Mais ça ne marcherait pas cette fois. Sophie avait changé. Plutôt vivre seule éternellement que de jouer les servantes. Toutes trois se dirigeaient vers le pick-up quand une voix d'homme retentit derrière elles.

– Hey, Sophie ! Ce n'est pas souvent que tu as de la visite.

Sophie se tourna et aperçut Jonathan Stride qui montait à pied dans l'entrée. Elle n'était pas la seule à l'avoir vu. Anouk et Roxane, bouche bée, avaient les yeux fixés sur lui. Jonathan rejoignit Sophie qu'il embrassa sur les joues avant de se tourner vers *la visite* avec intérêt. Sophie s'éclaircit la voix.

– Jonathan, je te présente Roxane et Anouk. Mes filles.

– Tes… filles ?

Il interrogea Sophie du regard, avant de reporter son attention sur les deux jeunes filles qui n'avaient toujours pas dit un mot.

– Ben, bonjour les filles.

Anouk le salua timidement, alors que Roxane semblait hypnotisée.

– Jonathan habite la ferme que vous voyez là-bas.

– On est voisins.

Cette précision de Jonathan sembla sortir Roxane de sa torpeur.

– Maman, est-ce qu'on peut te parler ?

Elle avait dans la voix un accent suppliant que Sophie n'avait jamais entendu. En tout cas, jamais dans la bouche de son aînée. Elle comprit d'emblée que Jonathan venait d'ajouter un atout dans son jeu.

– Va donc te chercher une bière dans le frigo, lança-t-elle au jeune homme. On a affaire dans le poulailler.

Elle s'éloigna vers l'appentis, ses filles sur les talons.

– On s'excuse, maman. Tu as raison. On a été trop gâtées.

Roxane parlait en phrases courtes, à la recherche de l'argument qui ferait mouche. Anouk ajouta :

– On va faire notre part.

Devant le regard surpris de sa sœur, elle précisa :

– On va se ramasser et on va faire la vaisselle. Et Roxane va arroser le jardin.

Roxane lui asséna un coup de coude avant d'ajouter :

– Et Anouk va nettoyer le poulailler.

Sophie n'était pas dupe. Elle avait vu les regards que ses filles venaient d'échanger, comme elle avait vu les regards que Jonathan avait échangés avec Roxane. Il y avait deux manières de conclure cette situation. Elle pouvait refuser la moindre concession et leur montrer qui était la maîtresse sur ces terres. Ou elle pouvait utiliser la présence de Jonathan pour adoucir les contours d'une relation qu'elle essayait de rebâtir. Elle choisit cette voie.

– D'accord, dit-elle. Je vous mets à l'essai cette fin de semaine. Si vous me faites encore enrager, je vous ramène à la maison, et mes poules vont avoir des dents avant que vous remettiez les pieds ici.

– Merci, maman ! s'écrièrent en chœur les deux filles avant de lui sauter au cou.

– Ça va. Maintenant, pendant que je discute avec *mon* ami Jonathan en me berçant sur la galerie, *vous* allez faire la vaisselle. Vous viendrez nous rejoindre quand vous aurez fini. Il paraît qu'il y a du base-ball au village cet après-midi. Je parie qu'il est venu nous proposer d'y aller avec lui.

Après la partie de balle, il y eut promenade au village, arrêt à l'épicerie pour acheter des steaks et des briquettes. Le jardin allait fournir le reste du souper. Pour le retour, Anouk était montée dans la camionnette de Sophie. Roxane avait choisi celle de Jonathan avec qui elle avait discuté pendant tout l'après-midi, feignant de s'intéresser au base-ball, elle qui n'aimait pas le sport.

Au lieu de rentrer directement, Sophie s'engagea dans le petit chemin qui menait à la Cascatelle. Les arbres touffus dissimulaient complètement la maison, ce qui donnait l'impression de s'enfoncer dans la forêt.

– Où est-ce qu'on va ? demanda Anouk.

– Chez une amie.

Sophie se stationna sur le côté de la maison et fut reçue par le comité d'accueil habituel.

– Bonjour, mes beaux ! Je vous amène de la visite.

Jack, Ti-Pit et Sophie tournaient autour d'elle, mais lorsqu'Anouk referma sa portière, les trois chiens abandonnèrent la mère pour renifler la fille. Anouk riait aux éclats.

– Ils sont donc fins, ces chiens-là.

Elle avait parlé, et sa voix trahissait le bonheur qu'elle ressentait d'être l'objet d'autant d'attention de la part d'animaux. Sophie se dirigea vers le hangar où elle caressa le porc.

– Voici Germain. Il va nous nourrir l'hiver prochain.

Devant le regard horrifié d'Anouk, elle ajouta :

– C'est la coutume, ici, de soigner les animaux qu'on mange. Et voilà mon amie.

Rachelle venait de fermer la porte de la maison. Elle appela ses chiens, et son visage s'illumina lorsqu'elle aperçut la jeune fille qui accompagnait Sophie.

– Non, non. Ne me dites rien. Laissez-moi deviner. C'est Anouk, n'est-ce pas ?

Anouk sourit, impressionnée, et serra la main que lui tendait la vieille femme.

– Comment vous le savez ?

– Ah ! C'est l'instinct, ça, ma chère enfant. L'instinct. Vous prendrez bien une tasse de thé.

Sophie refusa.

– Le souper attend dans le pick-up. On venait juste t'inviter à te joindre à nous. J'ai acheté des briquettes et des steaks.

Rachelle fit un clin d'œil à l'intention d'Anouk.

– Elle est drôle, ta mère. Au lieu de s'acheter un BBQ, elle s'en est construit un.

– Ma mère s'est construit un BBQ ?

Sophie fut blessée par l'incrédulité qu'elle percevait dans la question de sa fille.

– J'aime que ça prenne du temps, dit-elle pour se justifier.

– Ma mère s'est construit un BBQ ?

Anouk avait répété sa question et, cette fois, Sophie n'eut d'autre choix que d'en rire. Sa fille ne pouvait pas comprendre par où elle était passée, ni son besoin de faire les choses elle-même, lentement. Elle revint donc à Rachelle.

– Pis, viens-tu souper avec nous ? Jonathan sera là, lui aussi.

– Ah, le fils Stride. Quel beau bonhomme, celui-là !

Anouk rougit, et Rachelle s'en aperçut.

– Quoi ? Ne pense pas que je suis aveugle en plus d'être vieille, Anouk. Je vois toujours très clair. Assez clair aussi pour savoir que tu aimes les animaux. Est-ce que Sophie t'a présenté Germain ?

Devant la réponse affirmative, elle ajouta :

– Dans ce cas, il faut que je te présente Charlot et ses copines. Sophie, que dirais-tu de partir sans nous ? Ta fille et moi, on va faire le tour de mon domaine et on va préparer une salade avec des petites fèves, des œufs durs et des anchois. On va vous rejoindre dans une heure. Ça te donnera le temps de réchauffer tes briquettes.

Elle fit un clin d'œil à Sophie, attrapa la main d'Anouk et l'entraîna vers le confluent des rivières. Sophie les regarda s'éloigner. Elle savait que les propos de son amie allaient toucher l'âme sensible qui se terrait dans le cœur de sa fille.

Dans le demi-cercle de pierres servant de BBQ, les braises s'éteignaient et devenaient friables. À l'est, le ciel s'assombrissait à mesure que le soleil descendait derrière le saule, colorant l'horizon de rose et de rouge. Partout dans la campagne, les grillons entamaient leur chant et, sur la galerie, Sophie et Rachelle se berçaient, Roxane et Anouk riaient, installées dos au mur, de chaque côté de Jonathan qui leur racontait la vie sur la ferme. Vers 19 h 30, le vent charria, comme à son habitude, l'odeur du purin étendu dans le champ voisin. Roxane fut la première à s'en plaindre.

– Ça pue donc bien !

Elle s'était levée, comme si elle cherchait la source de cet empoisonnement soudain. Personne n'était dupe. Elle cherchait un prétexte pour rentrer dans la maison et se retrouver seule avec Jonathan. Ce dernier se serait peut-être levé lui aussi si Rachelle n'avait posé sur lui son regard de maîtresse d'école. Puis elle s'était adressée à Roxane avec un sourire compréhensif :

– Ça, c'est le parfum de la vie à la campagne, ma chère enfant. Mais assieds-toi donc. Je m'occupe de te rendre ça plus agréable.

Elle fouilla dans sa poche, en sortit sa pipe et son paquet de tabac. Elle s'activait avec des gestes lents, mais précis. Des gestes que Sophie avait appris à aimer. Bientôt, une odeur de fumée et de vanille s'éleva de la pipe et embauma la galerie. Une odeur de durée et de lenteur. C'était cela aussi, la campagne.

Peter McDonald, le grand ami de Rachelle, possédait trois chevaux. Sophie l'apprit en même temps que ses filles le lendemain matin. Pendant qu'elle préparait le déjeuner, Roxane arrosait le potager, et Anouk nettoyait le poulailler. Chacune respectait sa part de l'entente, et les nouvelles tâches étaient accomplies dans la bonne humeur générale.

À l'arrivée de Rachelle, toutes les corvées furent suspendues pour l'accueillir. Sophie se doutait que son amie avait quelque chose d'important à leur annoncer, car jamais, depuis qu'elle la connaissait, elle n'avait vu la vieille femme sortir de chez elle avant 9 heures le matin. Et il n'était que 8 h 15.

– J'ai besoin de tes filles ! s'exclama Rachelle en s'installant à sa place habituelle sur la galerie.

Sophie lui tendit un café, pendant que Roxane et Anouk s'assoyaient par terre, les pieds ballants en bas de la galerie.

– Mon ami Peter cherche quelqu'un pour faire faire un peu d'exercice à ses chevaux. Les pauvres deviennent paresseux avec l'été qui avance, et je me demandais...

– Oui !

Cette réponse d'Anouk avait jailli, faisant sursauter tout le monde.

– Je suis prête dans deux minutes, ajouta-t-elle. J'ai presque fini le poulailler. Il me reste juste à sortir la paille. Si vous m'attendez, madame Rachelle, je repars avec vous.

Rachelle la couva d'un regard tendre, mais lui fit signe de se rasseoir.

– Calme-toi, ma belle enfant. Ce n'est pas pour tout de suite. Peter McDonald doit encore être occupé à faire le train.

Contrairement à sa sœur, Roxane ne paraissait pas emballée. Il était évident qu'elle hésitait. Rachelle, qui avait l'habitude des jeunes filles, jeta un œil au-delà du chemin. Puis elle demanda, tout en sirotant son café :

– Il y a trois chevaux à sortir. Pensez-vous que le fils Stride se porterait volontaire pour vous aider ?

Cette fois, il n'y eut pas de oui. Il n'y eut qu'un grand sourire pour égayer le visage de Roxane. Sophie remarqua l'éclat nouveau qui brillait dans les yeux de son aînée. Sa fille était amoureuse. Ce n'était peut-être pas une mauvaise nouvelle... Ça dépendait de l'âge du fils Stride. Elle se promit d'interroger Rachelle à ce sujet. Le plus tôt serait le mieux.

55.

Il plut pendant les deux dernières semaines de juillet. Une pluie fine et tiède, mais qui semblait ne jamais vouloir s'arrêter. Cyrano en profita pour chercher dans la terre meuble des os imaginaires et creusa sur le terrain une vingtaine de trous dans lesquels Sophie faillit plus d'une fois se fouler la cheville. D'Artagnan rechignait à sortir, préférant la tiédeur de son panier et le confort de sa litière à la pelouse mouillée. Pendant ces deux semaines, la vie donna l'impression de s'être arrêtée. En réalité, elle s'épanouissait dans l'ombre.

Août arriva, et avec lui, le soleil et la chaleur. Les plants du potager croulaient sous les fruits. Les légumes racines perçaient une terre gorgée d'eau. L'ensemble offrait un concert de couleurs et de formes qui laissaient présager de multiples festins.

Sophie avait préparé une crème de panais, une salade de tomates et des betteraves au romarin. Elle avait fait mariner des côtelettes d'agneau, achetées chez un éleveur du coin, en plus d'avoir cuisiné un clafoutis aux cerises de terre et un caprice berrichon dont les arômes de framboises embaumaient encore la maison. Sous le tilleul, le hamac avait fait place à une salle à manger improvisée. Sophie y avait transporté la table qu'elle avait recouverte d'une nappe blanche brodée, avant d'y dresser cinq couverts. Elle avait cueilli des fleurs en bordure du terrain, et venait tout juste de les placer dans un vase quand les premiers invités apparurent. Elle reconnut le conducteur avant même qu'il ne se soit garé. Mike Campagna se hâta de contourner sa voiture pour ouvrir la portière à son épouse. Cette dernière poussa une exclamation de bonheur en posant le pied dans l'herbe :

– Mais c'est donc bien beau, ici !

Sophie, qui ne connaissait Mariette que de réputation, s'avança vers elle pour l'accueillir. Elle s'étonna de voir cette petite femme rondelette lui serrer la main avec autant de vigueur.

– Et quel jardin ! On voit que tu as l'habitude de la campagne. Moi, je ne m'y ferais jamais.

Sophie réprima un fou rire et jugea bon de préciser :

– C'est mon premier jardin, mais je suis bien contente qu'il vous plaise.

– C'est ton premier, vraiment ?

Sophie hocha la tête, mais Mariette s'éloignait déjà pour constater par elle-même le prodige. Mike s'approcha de Sophie.

– Comment ça va ? Je vois que tu t'es bien installée.

Il avait parlé avec affection, comme un père interrogerait sa fille, et Sophie en fut émue. Elle lui raconta son séjour chez Rachelle, l'achat de la maison, la visite de ses filles et le potager. Le potager qui était sa plus grande réussite, mais qui commençait sérieusement à l'inquiéter. Mariette en revenait justement. Elle formula le sentiment qui hantait Sophie depuis quelques jours.

– As-tu l'intention de vendre tes légumes au marché ? Tu en as déjà pour une armée.

Sophie grommela qu'elle était au courant, mais Mariette poursuivit comme si elle n'avait rien entendu :

– Et ce n'est pas fini ! Tes plants sont pleins de tomates encore vertes et de poivrons pas encore mûrs. Il doit bien y avoir une centaine de carottes pis autant de panais. Et tes courgettes commencent à être pas mal prêtes. J'ai vu qu'il y avait encore des fleurs. Mais qu'est-ce que tu vas faire avec ça?

Sophie haussa les épaules, et fut soulagée de voir apparaître sur le chemin le 4x4 de Rachelle. La vieille femme arrivait en compagnie de Peter McDonald que Sophie avait déjà rencontré et qui sembla, lui aussi, impressionné par le potager.

– Mais qu'est-ce que tu vas faire avec ça?

Mike et Mariette éclatèrent de rire, ce qui força Sophie à les imiter. Elle ne savait pas ce qu'elle allait faire de tous ces légumes. Elle ne s'était pas attendue à en avoir autant.

La soirée était douce et, comme prévu, le repas fut un festin. Chaque plat provoquait son lot de commentaires. Mariette ne tarissait pas d'éloges, Rachelle non plus. Et même si Mike et Peter avaient tendance à converser entre hommes, il leur arrivait d'ajouter leur grain de sel ici et là. C'est d'ailleurs Peter qui proposa l'idée des conserves.

– Ma défunte femme possédait un jardin aussi grand que le tien. L'automne venu, elle encannait tout, des tomates aux carottes. Si tu veux, je pourrais t'apporter ses pots. J'en ai une tonne dans mon sous-sol.

Rachelle trouvait qu'il avait raison. Mariette aussi, sauf qu'elle précisa:

– Même avec les conserves, Sophie, tu n'arriveras pas à manger tout ça en une année.

Sophie haussa encore une fois les épaules. Elle y avait pensé, depuis un moment même, et était arrivée à la même conclusion. Mais qu'est-ce qui lui avait pris, aussi, de faire un potager de cette taille? Elle n'aurait peut-être pas dû semer des sachets entiers de graines, mais il était trop tard maintenant. Au pire, elle pourrait toujours aller porter des pots à ses filles au début de septembre. Et pour le reste… eh bien! on verrait.

Avant le café et le dessert, elle offrit à ses invités de visiter la propriété. Cyrano dans les pattes, elle entraîna tout le monde à l'arrière pour leur montrer le poulailler. Puis elle ouvrit la porte de la cuisine d'été pour une visite de la maison. Elle n'avait pas encore eu le temps de tout repeindre. Ni de changer le papier peint. Elle n'avait pas non plus trouvé l'argent pour meubler toutes les pièces. En conséquence, la maison paraissait plus grande et plus négligée qu'elle ne l'était en réalité. Cela n'empêcha pas Mariette de s'exclamer dès qu'elle pénétrait dans une pièce :

– C'est donc bien beau !

Et tout le monde riait parce que, dans le fond, ce n'était pas si beau. La chambre des filles attira particulièrement l'attention. Sophie y avait consacré des heures, et c'était la seule pièce dont on pouvait dire qu'elle était terminée. Au lilas des murs se mariaient le blanc des rideaux de dentelle et les boiseries des meubles. Les savons, les fleurs séchées et les couvertures agencées ajoutaient une touche campagnarde qui ravit tout le monde.

– Où as-tu trouvé ces idées-là ? s'enquit Mariette en inspectant la chambre.

– Nulle part.

C'était vrai. Sophie s'était laissé guider par son instinct. Elle était bien fière du résultat et s'enorgueillissait de la réaction de ses amis. Ensemble, ils firent le tour de l'étage et, une fois revenus au rez-de-chaussée, Mariette avait trouvé une idée pour utiliser les surplus de nourriture.

– Tu pourrais offrir une table champêtre… Disons, deux soirs par semaine. Et puis tu pourrais louer des chambres, comme dans un gîte. Tu as suffisamment de place. Et c'est tellement beau ici que j'imagine déjà le plaisir de tes clients.

Sophie l'écouta pendant le reste de la soirée alors qu'elle décrivait les modifications qu'il faudrait apporter à la maison, au terrain, à la galerie peut-être aussi. C'étaient des modifications mineures. De la décoration, surtout. Et en matière de décoration, Mariette s'y connaissait. Contrairement à ce que lui en avait dit Mike, elle n'était pas peintre. Ou alors juste un peu. En réalité, elle transformait des maisons.

Sophie ne fut pas difficile à convaincre. Si elle y avait pensé plus longtemps, elle serait peut-être elle aussi arrivée à cette conclusion. L'idée de transformer sa maison en gîte du passant et en table champêtre lui plut vraiment. Car c'était cela qu'elle cherchait, dans le fond. Une façon de vivre simplement et lentement à la campagne. Une opportunité de cuisiner et de prendre le temps de vivre.

Dès le lendemain, elle était au travail, élaborant des plans d'affaires et une façon de transformer sa maison de manière à y inclure toute sa vie. Entre les visites au jardin, le ménage, la cuisine et les soins apportés aux poules, Sophie travaillait à son nouveau projet. Et elle jubilait. Quand, dans la cour, elle lançait la balle à Cyrano, elle s'attardait sur la vue qu'on avait du chemin, du champ, de la galerie. Quand elle regardait D'Artagnan chasser au pied des arbres, elle se demandait de quelle manière elle pouvait mettre en valeur la douceur de cette vie qu'elle avait choisie. Elle voulait offrir du répit aux gens de la ville. Elle voulait qu'ils goûtent le rythme naturel, qu'ils ralentissent leur respiration, leurs battements cardiaques. Elle voulait les inviter à prendre le temps, comme elle-même l'avait fait chez Peppe et chez Rachelle par la suite. Mais pour cela, il lui fallait un apport de fonds. Et de l'aide, peut-être aussi.

L'aide arriva, comme toujours depuis qu'elle connaissait Rachelle, d'une manière providentielle. Le 15 août en fin de journée, sa fille Anouk apparut sur la galerie. Elle avait fait du pouce jusqu'au village et marché les six kilomètres qui séparaient la 138 de chez Sophie.

– Je t'interdis de recommencer, avait déclaré Sophie lorsque sa fille lui avait décrit son voyage. C'est dangereux.

Anouk avait approuvé, avant de changer de sujet.

– Je veux venir vivre ici.

Elles étaient toutes deux attablées pour le souper, et Sophie faillit s'étouffer. Sa fille l'avait choisie.

– On y a bien pensé, Rox et moi. À cause du cégep l'année prochaine, elle préfère rester chez papa. Ce sera plus proche. Elle veut par contre venir la fin de semaine, quand ça adonnera. Moi, comme je suis en secondaire IV cette année, je peux bien vivre ici. Jonathan m'a dit qu'il y avait une école pas loin.

Sophie sentit ses yeux se remplir de larmes. Après toutes ces embûches, elle avait réussi à rétablir une relation avec ses filles. La gorge nouée, elle prit la main d'Anouk dans la sienne, mais fut incapable de parler. Anouk se méprit sur la cause de ce silence.

– Je sais qu'il va falloir que je fasse ma part. Je te promets que tu n'auras jamais à te plaindre de moi. J'aime ça, ici, maman. Il n'y a pas de télé ni d'Internet, mais je ne trouve jamais le temps long. Je lis, j'écris, je flâne. On dirait même que je m'entends penser. C'est loin de tout, mais c'est tellement proche de moi.

Les larmes de Sophie redoublèrent, semant une plus grande confusion chez sa fille.

– Maman…, murmura-t-elle en pressant la main de sa mère dans la sienne.

Sophie entreprit de lui décrire son projet, insistant sur la charge de travail inhérente à ce genre d'auberge. Contre toute attente, Anouk se montra ravie.

– J'aimerais ça que tu me montres à cuisiner comme tu le fais. C'est bon, je trouve, quand je mange chez vous.

Ce soir-là, à la brunante, la mère et la fille se bercèrent sur la galerie. À leurs pieds, Cyrano et D'Artagnan, roulés en boule, endormis. Les feuilles des arbres bruissèrent encore un moment avant de se calmer en même temps que la brise. L'œil vif d'Anouk suivait les chauves-souris qui volaient de branche en branche. Plus loin, juste devant le jardin, un renard apparut. Sophie glissa une main sous le collier du chien et tendit l'autre bras vers sa fille pour attirer son attention. Cyrano grogna, mais fut discrètement réprimandé. Il se tint coi alors que le renard traversait le terrain sous le regard ébahi d'Anouk. Il disparut, derrière le saule, mais son passage avait laissé sur le visage de la jeune fille un sourire béat.

Plus tard, quand la nuit fut totale, Sophie proposa à sa fille de regarder les étoiles dont le nombre était de loin supérieur à ce qu'on apercevait à Longueuil. Elles s'allongèrent dans le hamac et constatèrent aussitôt que c'était la nuit des Perséides. Les étoiles filaient par dizaines, si bien que ni l'une ni l'autre n'arrivaient à les suivre toutes. Quand un hurlement retentit dans le lointain, Sophie sentit sa fille se raidir. Il y en eut un deuxième, puis un troisième. Les coyotes se mirent à hurler en chœur comme ils l'avaient fait lors de l'arrivée de Sophie. Leurs cris impressionnèrent Anouk, non parce qu'elle avait peur, mais parce qu'ils lui rappelaient sa décision. Elle ne vivrait plus en ville désormais. Ici, à la campagne, elle faisait partie de la nature. Et elle avait beaucoup à apprendre si elle désirait un jour y trouver sa place.

56.

À partir du mois de septembre, Rachelle commença à sortir Germain. Elle l'emmenait en promenade une fois par semaine afin que le porc prît l'habitude des déplacements en 4x4.

– La viande sera plus tendre, aimait-elle répéter en guise d'explication.

Ses virées hebdomadaires chez Sophie tournaient le plus souvent à la fête. Cyrano adorait ce compagnon de jeu, et D'Artagnan se montrait intrigué. Parce qu'elle avait trouvé Germain adorable dès sa première rencontre, Anouk attendait ces visites avec impatience. Quand il l'apercevait, le porc accourait vers elle, et on aurait dit qu'il gambadait. Elle lui avait appris à marcher en laisse, de même qu'à monter à bord du 4x4 ou en descendre sans se casser une patte.

Sophie s'inquiétait de l'attachement de sa fille pour l'animal qui allait les nourrir pendant l'hiver. Elle lui en avait parlé à quelques reprises et, chaque fois, Anouk répétait qu'elle savait ce qui attendait Germain et qu'elle l'acceptait. Elle aimait la compagnie des animaux, tout simplement.

Avec la rentrée scolaire, les choses avaient quelque peu changé dans la maison de Sophie. Anouk prenait le bus pour aller à l'école le matin, et en revenir en fin d'après-midi, sauf quand sa mère faisait de la suppléance. Sophie, bien qu'elle ne laissât jamais passer une occasion de gagner de l'argent, préférait de beaucoup travailler à la réalisation de son projet, ce qui n'était pas une mince tâche d'ailleurs. Elle avait obtenu les permis nécessaires, tant pour les rénovations que pour l'exploitation de l'auberge. La caisse populaire avait accepté de lui prêter l'argent pour l'aménagement. Mais il restait encore des légumes à mettre en conserve et du papier peint à enlever et des murs à peindre et des pièces à meubler.

Luc avait surpris tout le monde en proposant, sans que personne ne le lui ait demandé, de verser une pension alimentaire pour Anouk. Cette rentrée d'argent avait rassuré Sophie. L'hiver qui s'en venait promettait d'être agréable, malgré le froid.

À la fin de septembre, Rachelle informa Sophie et sa fille que le grand jour approchait. Elle avait réservé sa place à l'abattoir pour le samedi suivant. Anouk en fut dévastée.

– On ne peut pas le manger, maman. C'est mon ami!

Sophie comprenait sa fille. Elle non plus n'avait pas envie de manger Germain. Mais elle devait montrer l'exemple. La vie à la campagne différait de celle qu'on menait à la ville. C'était à elles de s'adapter, et non pas à Rachelle. Le samedi matin, elles se rendirent toutes les trois à l'abattoir. Germain était monté dans le 4x4 comme il en avait l'habitude. Une fois à destination, il avait marché en laisse jusqu'à la porte de l'enclos.

– Voilà! avait déclaré Rachelle. Tu vas être un bon cochon maintenant.

Le porc se laissa caresser. Debout derrière la vieille femme, Anouk pleurait.

– Je ne peux pas voir ça, maman. Je ne veux pas rester.

Rachelle se retourna, l'air sévère.

– Un animal meurt chaque fois que tu manges de la viande, dit-elle, répétant à la fille ce qu'elle avait enseigné à la mère. Que tu le voies ou non, n'y change rien.

Sophie serra sa fille contre elle, la gorge nouée. À son avis, il y avait une différence entre élever un porc et manger un animal de compagnie. Mais de toute évidence, il n'y en avait pas dans l'esprit de Rachelle. Le boucher choisit ce moment pour apparaître.

– Bonjour, madame Campagna. Est-ce que je fais comme d'habitude ?

– Absolument.

Elle avait recommencé à parler au porc, lui murmurant des mots inaudibles. Le boucher s'empara de la laisse.

– Attendez !

Anouk s'élança pour serrer Germain dans ses bras une dernière fois.

– Tu as été un bon cochon.

Elle pleurait toujours, et ses larmes mouillaient le dos du porc. S'avançant pour la réconforter, le boucher lui mit une main sur l'épaule.

– Ne t'en fais pas, dit-il en caressant à son tour l'animal. J'ai l'habitude. Il ne sentira rien.

Puis, comme Anouk levait vers lui un regard incrédule, il ajouta :

– Je vais te garder les côtes levées. Je te garantis que ce sera les meilleures que tu auras jamais mangées de ta vie.

Anouk se jeta en sanglots dans les bras de sa mère, ce qui l'empêcha d'apercevoir le clin d'œil que Rachelle avait échangé avec le boucher. Germain fut emmené derrière des portes closes pendant que Rachelle, Sophie et Anouk retournaient au 4x4.

– Pour cette année, je vous épargne l'abattage. Mais sachez que l'an prochain, vous n'y échapperez pas.

Elle avait parlé avec douceur, ce qui contrastait avec la dureté de ses propos. Assise sur le siège arrière, Anouk avait gémi. Sophie n'avait rien dit. Depuis qu'elle avait coupé le cou des coqs à la Cascatelle, elle avait compris. Rachelle vivait en totale harmonie avec la nature. Pour elle, le cycle vie-mort-vie était le plus sacré de tous.

Quand, deux semaines plus tard, Rachelle les invita à souper, Sophie sut que la viande était arrivée.

– C'est à nous de nous adapter, pas le contraire.

Anouk avait hoché la tête sans rien ajouter. Mais durant tout le trajet qui les mena à la Cascatelle, Sophie l'entendit renifler. Elle répéta à plusieurs reprises qu'elle ne mangerait pas, qu'elle deviendrait végétarienne, que jamais elle ne pourrait avaler un morceau de Germain.

Lorsqu'elles arrivèrent dans la cour de la Cascatelle, l'odeur qui les accueillit les bouleversa toutes les deux. Comme prévu, Rachelle leur avait apprêté la viande. Elle la cuisait sur le BBQ, ce qui dégageait des arômes qu'on percevait jusqu'à la route. Anouk déglutit, furieuse de se voir saliver de la sorte. Sophie se dit qu'elle n'avait jamais senti de la viande comme elle la sentait ce jour-là. Était-ce parce qu'elle connaissait Germain ?

Les morceaux atterrirent dans son assiette un quart d'heure plus tard, et Sophie dut admettre qu'elle n'avait jamais rien mangé d'aussi bon. C'était juteux. C'était savoureux. C'était juste assez croustillant. C'était… digne d'une table de roi.

Elle se rappela les conditions dans lesquelles Germain avait été élevé. Pas de stress, une bonne nourriture, juste assez d'exercice, juste assez de gras. Il avait mené la vie idéale pour un porc destiné à l'abattoir. Le résultat prouvait que Rachelle avait raison. Après tous ces efforts et toutes ces attentions, la vieille femme mangeait avec respect et avec la conscience du Juste. Germain avait été heureux. Il avait bien vécu. C'était un honneur pour elle comme pour lui d'être liés par ce cycle de vie-mort-vie. Qu'est-ce qu'un porc aurait pu demander de mieux ?

À ce moment précis de ses pensées, Sophie sut qu'elle ne mangerait plus jamais de viande sans penser à l'animal mort pour la cause. Elle savait qu'il en serait toujours ainsi, non seulement pour elle-même, mais pour sa fille aussi. Car de l'autre côté de la table, Anouk venait de goûter aux côtes levées promises par le boucher. Sur son visage, le dégoût avait fait place à la réflexion.

57.

Afin de transformer la maison en auberge, il fallait aménager une des chambres de l'étage en deux salles de bain. Il fallait aussi isoler la cuisine d'été et la convertir en appartement. Deux chambres et une salle de bain qui jouxteraient la grande cuisine. De cette manière, le côté gauche du rez-de-chaussée serait occupé par Sophie et sa fille alors que le reste de la maison deviendrait, l'été suivant, une auberge. La salle à manger pourrait recevoir une douzaine de clients pour ce qui était convenu d'appeler une table champêtre, à ne pas confondre avec un restaurant. Sophie avait l'intention de cuisiner deux menus qu'elle servirait uniquement sur réservation.

Elle embaucha Jason, l'autre fils de Peter McDonald, pour la plomberie, Jonathan Stride et son cousin Chris, pour la menuiserie, alors qu'elle et sa fille s'occuperaient de la peinture et de la décoration une fois les murs dressés et la tuyauterie installée.

Septembre s'écoula aux bruits des marteaux et des scies, tandis que les fins de semaine furent consacrées à la préservation de la récolte qui continuait d'être abondante. La congélation, les conserves, la transformation, Sophie avait pris tous les moyens pour éviter les pertes. Entre les poulets achetés à Rachelle, la moitié de Germain dépecée, puis emballée sous vide dans le congélateur, et le produit du jardin, chaque repas devenait un régal tant pour les yeux que pour les papilles. Et la liste d'épicerie alla en s'écourtant de semaine en semaine.

Dans cette activité quasi constante se tissait une relation nouvelle entre la mère et la fille. Elles s'entendaient mieux que jamais malgré les tensions inhérentes au remue-ménage. Le rêve de Sophie devenait aussi celui d'Anouk qui espérait un jour pouvoir imiter sa mère et posséder sa propre maison à la campagne, son propre jardin et peut-être même sa propre auberge. Elle pensait à son avenir dès que ses occupations lui en laissaient le temps. Au lieu d'aller au cégep comme sa sœur, avait-elle un jour déclaré à sa mère, elle s'inscrirait à l'Institut de tourisme et d'hôtellerie.

58.

L'Action de grâce arriva comme la fête ultime. Rachelle avait organisé un banquet auquel furent conviés Sophie et ses filles, Jonathan Stride et son cousin, Peter McDonald, ses fils et leur famille. Mike et Mariette viendraient eux aussi, mais sans leurs filles qui vivaient l'une en Ontario et l'autre à Vancouver.

La vieille femme avait d'abord prévu célébrer l'abondance dans la cour de la Cascatelle. Elle avait décoré les arbres de ruban, taillé les buissons et cueilli les fleurs. Une pluie malcommode l'avait toutefois forcée à changer ses plans. Elle avait donc fait déplacer les fauteuils du salon et y avait dressé une table gigantesque qu'elle avait garnie de bougies, de fleurs, de plats couverts, d'assiettes anciennes et d'ustensiles en argent qui brillaient de tout leur lustre. Avec le feu allumé dans l'âtre pour l'occasion, la pièce ressemblait à la salle à manger d'un château médiéval.

Ils s'étaient installés autour de la table, chacun à la place que Rachelle lui avait réservée. Rien n'avait été laissé au hasard. Jonathan Stride à côté de Roxane, son cousin à côté d'Anouk, Rachelle et Peter à chaque bout. Kevin, la très rousse Marie-Jeanne qui tenait dans ses bras son nouveau-né, et le reste de leurs enfants faisaient face à Jason et à sa famille. À côté de ces derniers se trouvaient Mike, puis Mariette et enfin Sophie. À gauche de celle-ci, une place restait vide. Sophie allait demander à Rachelle si elle pouvait retirer le couvert et la chaise afin de faire plus de place pour tout le monde quand la sonnerie de l'entrée retentit. Les trois chiens se ruèrent vers la porte.

– Le voilà enfin! s'exclama la vieille femme. En retard, comme d'habitude.

Sa raillerie tomba à plat, car personne n'était dupe. Elle attendait cet invité avec impatience, et le bonheur de son arrivée neutralisait son sens de l'humour. Dès qu'elle quitta le salon pour l'accueillir, des murmures s'élevèrent de chaque côté de la table. Anouk interrogea sa mère du regard. Sophie haussa les épaules et se tourna vers Mike qui roula les yeux en secouant la tête. Lui seul, peut-être, avait compris, mais il refusait de se prononcer. Tout le monde se tut quand le dernier invité apparut dans l'embrasure de la porte.

– Non, mes amis, déclara Rachelle qui l'avait précédé dans la pièce. Vous ne rêvez pas. C'est bel et bien Blaise que vous voyez là.

Peter McDonald se leva pour serrer la main du nouveau venu.

– Il me semblait que tu devais être à Cuba jusqu'en décembre, déclara-t-il en anglais. C'est un vrai miracle de t'avoir parmi nous à ce temps-ci de l'année.

Après un bref coup d'œil sur l'assemblée, l'autre répondit dans un français impeccable:

– Tu sais bien que *la sorcière* est capable de miracle pour m'avoir à sa table le jour de l'Action de grâce.

Sophie croisa le regard de ses filles avant de s'arrêter sur le sourire narquois de Marie-Jeanne. À sa connaissance, personne n'utilisait jamais le mot *sorcière* devant Rachelle. Elle perçut d'ailleurs le malaise des fils McDonald et des cousins Stride. Puis il y eut un éclat de rire général, chacun riant pour des motifs différents: malaise, ridicule, trop plein de bonheur ou de tension. Rachelle conduisit Blaise à sa place, c'est-à-dire à côté de Sophie.

– Ma chère enfant, je te présente ma seule erreur de jeunesse : Blaise Erskine.

Sophie fronça les sourcils, réfléchissant aux propos de la vieille femme. Erskine. Où avait-elle entendu ce nom ? Elle aperçut la bibliothèque du coin de l'œil. Sur une tablette trônaient une dizaine de livres de l'auteur préféré de Rachelle : B. Erskine, son propre fils.

La nuit était tombée, mais Rachelle avait refusé d'allumer les lumières, préférant utiliser des bougies. Ces dernières étaient posées à chaque bout de la table et jetaient sur les convives des éclats dorés, ce qui conférait à cette salle à manger improvisée une atmosphère feutrée. Les conversations allaient bon train depuis que le malaise causé par l'arrivée de Blaise Erskine s'était dissipé. À sa place, on percevait désormais une humeur joyeuse qu'accentuait la présence du vin rouge dont on renouvelait les bouteilles tous les quarts d'heure.

Sophie trouvait étrange que jamais, dans aucune des conversations qu'elle avait eues avec Rachelle, il n'ait été question de son fils. Elle se rappelait la chambre du haut et les jouets sur l'étagère, le commentaire de Rachelle lorsqu'elle avait découvert les livres de B. Erskine dans la bibliothèque. Pourtant, jusque dans la présentation du nouveau venu, Rachelle s'obstinait à ne pas évoquer le lien qui les unissait. Celle qui avait l'habitude de parler de Bilodeau père ou du fils Stride semblait incapable de reconnaître sa propre progéniture. Elle avait pourtant de quoi être fière. C'était un écrivain après tout. Grand et mince, il n'avait probablement pas encore cinquante ans. Il portait à son arrivée un chapeau de feutre délavé. En le retirant, il avait dévoilé une chevelure couleur de châtaigne parsemée de fils gris. Une chevelure qui se raréfiait sur les tempes et sur le dessus du crâne, lui conférant ainsi un air mature qui plut tout de suite à Sophie. Ses joues, couvertes d'une barbe de deux jours, dissimulaient les traces laissées par l'acné dont il avait été victime à l'adolescence. Sophie oublia vite ce détail quand elle remarqua son sourire moqueur auquel elle trouva beaucoup de charme.

Si, au début, il ne sembla manifester pour elle aucun intérêt, il se détendit au bout d'une heure, et elle reconnut chez lui une certaine forme de timidité. Il avait préféré l'étudier, l'écouter. Peut-être cherchait-il à évaluer ses chances de la séduire avec son sens de l'humour? Car, en plus de ne pas craindre le courroux de sa mère, Blaise Erskine était vraiment très drôle. À Sophie qui lui demandait pourquoi Rachelle ne parlait jamais de lui comme de son fils, il avait répondu:

– Parce que j'ai commis le crime impardonnable de devenir écrivain.

– Et d'écrire en anglais! ajouta Rachelle qui savourait, même de loin, le tour que prenait cette conversation.

– Mais Rachelle, tu lis l'anglais, se rappela Sophie. Tu me l'as dit toi-même.

Depuis son arrivée à Ormstown, Sophie avait remarqué que Rachelle fréquentait autant les anglophones que les francophones. Elle avait également constaté que son amie s'exprimait aussi bien dans une langue que dans l'autre. Elle en conclut donc que Blaise Erskine détournait la conversation d'un sujet délicat. Elle pensa à ses filles. Elle se demandait ce qui aurait pu la convaincre de renier le lien du sang qui les unissait. Puis elle se rappela leur réaction lorsqu'elle leur avait annoncé qu'elle quittait leur père pour de bon. Rachelle avait-elle quitté le père de Blaise dans des circonstances semblables? Dans le fond, cela importait peu. Elle l'accueillait et le traitait comme son fils. Qu'elle n'utilisa pas ce mot n'y changeait rien.

– Ah, mais lire l'anglais et l'aimer sont deux choses différentes, précisa Rachelle.

– C'est bien vrai.

Blaise s'amusa à raconter comment, enfant, il avait inspecté la bibliothèque de sa mère et n'y avait découvert, à son grand désarroi, aucun livre en anglais.

– On vivait pourtant en anglais à la maison.

Sophie trouvait ce détail intriguant. Rencontrer un écrivain n'était pas courant au Québec. Rencontrer un écrivain québécois et anglophone l'était encore moins.

– Est-ce que votre père est anglophone?

– Il l'était. Il est mort il y a vingt ans. Probablement d'avoir mal mangé.

Il rit, mais rassura Rachelle: son repas ne causerait certainement pas d'accident. Pour le prouver, il entreprit de donner son avis sur chacun des plats. Tout y passa: le potage, le pain, le rôti de porc, les pâtés de volaille, ceux de lapin, les salades de légumes chauds, celles de légumes froids et même ce dessert dont on ne percevait encore que le parfum sucré. Il conclut avec un compliment sur le choix du vin. Puis, de la bonne chère, la discussion passa au voyage. Sophie écouta Blaise raconter ses dernières semaines à Cuba. Son séjour chez l'habitant, l'absence d'horaire dans le milieu ferroviaire, le métissage de la population. Il décrivit ensuite l'hôtel où s'était terminé son voyage.

– J'y serais encore si *la sorcière* n'avait pas fait des siennes pour que je sois ici ce soir. Et vous la connaissez, elle a de ces ruses…

Il avait encore une fois accentué cette façon assez particulière de parler de sa mère. Sophie savait que chacune des personnes présentes, sauf peut-être Roxane, avait fréquenté Rachelle suffisamment longtemps pour lui reconnaître un petit côté mystérieux, un lien avec la nature et la vie dans son ensemble qui semblait forcer les événements. Elle ne put s'empêcher d'interroger Blaise à ce sujet:

– Qu'est-ce qu'elle a fait, cette fois ? Elle vous a menacé ?

– Pas du tout. Elle peut être bien plus subtile. Elle a manipulé le gérant de l'hôtel et toutes les agences de voyages du Québec.

– Elle a fait quoi ?

Cette question venue de Roxane, et l'exagération qui l'avait précédée, firent rire l'assemblée. Rachelle choisit de rassurer la jeune fille en même temps que ses autres invités.

– Ce n'est tout de même pas de ma faute si ton hôtel a surbooké.

– Tu dis ça, mais… On *sait*, nous, ce dont tu es capable.

Blaise avait parlé sur un ton accusateur tellement forcé que cela provoqua de nouveaux éclats de rire. Sophie remarqua néanmoins certains regards de biais. Malgré ces rires bon enfant, tous ici étaient convaincus qu'il avait raison.

La soirée se poursuivit avec le même entrain. Et quand, avant le dessert, la main de Sophie se posa sur la table en effleurant celle de Blaise, elle remarqua son alliance.

– Êtes-vous marié ? demanda-t-elle, réalisant qu'elle n'avait pas pensé à cette possibilité.

– Veuf. Comme Peter.

Il y eut un moment de silence qui parut durer une éternité. Sophie savait que Peter, le meilleur ami de Rachelle, et sans doute son amant, était veuf depuis longtemps. Mais d'apprendre en plus que Blaise était orphelin de père et veuf la laissait songeuse. Parce qu'elle s'insérait dans une chaîne d'événements, non pas inexplicables, mais tout de même suspects, cette nouvelle information semait la confusion dans son esprit.

« Ça fait pas mal de morts pour une seule famille », songea-t-elle.

Puis elle se raisonna. Ce n'était pas si extraordinaire que Peter McDonald soit veuf. Il avait bien soixante-dix ans. Même chose, sans doute, en ce qui concernait le père de Blaise. Quant à sa femme… C'était peut-être un accident.

Percevant la gêne qui s'installait, Blaise s'expliqua à voix si basse que la conversation, qui avait auparavant englobé plusieurs personnes, n'inclut plus qu'eux deux.

– Ça fait longtemps, et on était déjà séparés.

Puis, après un coup d'œil malicieux vers Rachelle, il ajouta :

– Ma mère n'aimait pas trop ma femme. Elle n'est même pas venue à notre mariage.

– C'est pour ça qu'elle ne parle jamais de vous comme de son fils ?

– Pour ça, et parce que je fais toujours à ma tête, et que ça l'enrage. Elle aurait voulu avoir son mot à dire chaque fois que j'ai fait des choix. Je la laissais exposer ses arguments, mais je suivais rarement ses conseils.

Il parlait, mais ses lèvres gardaient en permanence ce sourire qui semblait dire *Je m'en fous tellement !*

– Faut savoir aussi que quand mes parents se sont séparés, j'ai choisi de vivre avec mon père.

Autrefois, Sophie aurait trouvé étrange qu'un enfant choisisse son père au lieu de sa mère. Aujourd'hui, cependant, elle comprenait.

– Quand ma mère est partie, poursuivit Blaise, elle est allée vivre dans une commune. Ce n'était pas mon genre, même à cette époque-là.

Cette explication permettait de comprendre tout un aspect de Rachelle, son amour de la nature, son besoin presque spirituel de maintenir le cycle vie-mort-vie. Blaise évitait désormais de regarder Sophie, comme il évitait d'ailleurs de regarder sa mère à l'autre bout de la table. Sophie était incapable de lire sur son visage quel sentiment l'habitait, mais elle percevait un malaise.

– Tu voyages beaucoup ? demanda-t-elle pour le ramener à de meilleures dispositions.

Elle était passée au tutoiement, et cette familiarité plut à son compagnon de table.

– Autant que je peux, mais surtout l'hiver.

– Et tu vas toujours à Cuba ?

– Non. En fait, ça dépend de mon agent de voyage. J'ai passé trois mois au Mexique l'hiver dernier.

– C'est vrai ? Où ça ?

– À Cancún.

En l'entendant prononcer ce mot, Sophie poussa un cri de surprise et se tourna vers lui.

– J'y étais moi aussi.

Elle lui raconta qu'elle était partie dans le temps des fêtes et qu'elle avait prolongé son séjour en janvier. Elle passa sous silence les raisons de ces vacances qui s'étaient éternisées jusqu'à la frontière mexicaine, mais sentit néanmoins que quelque chose venait de se produire. Quelque chose qu'elle ne comprenait pas. Blaise la regardait étrangement. Pendant un instant, il détailla chacun des traits de son visage. Puis ses yeux rejoignirent ceux de sa mère, à l'autre bout de la table. Sophie se tourna, elle aussi, et s'aperçut que la vieille femme leur souriait. On aurait dit qu'elle avait écouté leur conversation depuis le début. Il y avait pourtant beaucoup de bruit, et elle était trop loin pour avoir entendu.

La pluie avait cessé, et l'air avait tiédi. Suivis par les chiens, Blaise et Sophie s'étaient rendus au fond du terrain, à l'endroit où la rivière aux Outardes se jetait dans la Châteauguay. Le ciel demeurait couvert, mélangeant son voile au brouillard qui dominait la campagne. La maison n'était pas à plus de cent mètres, mais on ne la voyait guère. Sophie marchait à côté de Blaise, tout près. Elle avait l'impression qu'ils étaient seuls au monde, ou seuls dans une contrée lointaine et brumeuse, dans un autre lieu et à une autre époque. Quelque part où il ne manquait que le château.

Avant de sortir, Blaise s'était coiffé de son chapeau, ce qui avait provoqué chez Sophie un afflux de souvenirs. Elle se rappela l'avion vers le Mexique et l'homme qui s'était levé pour lui céder le passage. Elle n'avait aucun souvenir de ses traits, mais ce chapeau… et cette manière de le porter…

– J'étais assis à côté de toi dans l'avion, dit-il soudain, confirmant ses soupçons. Tu avais l'air tellement triste.

« Je l'étais ! » eut envie de dire Sophie. Mais elle murmura à la place :

– J'étais dans une autre zone.

Ils s'esclaffèrent en restant tout près l'un de l'autre, mais sans se toucher. Blaise regardait en direction de la rivière. Comme on ne voyait pas à cinq mètres, l'autre rive déployait ce soir une aura de mystère. Le chant des oiseaux, le froissement des feuilles, les gouttes d'eau qui tombaient sur le sol, la cascade qui bruissait tout doucement. Ils étaient seuls, même s'ils sentaient que Rachelle les avait guidés l'un vers l'autre. C'était peut-être elle encore qui glissa la main de Sophie dans celle de Blaise, qui referma les doigts de l'un sur les doigts de l'autre, qui les rapprocha jusqu'à ce que leurs corps se frôlent. Mais quand Sophie frissonna, ce fut bien Blaise qui retira son manteau et le plaça sur ses épaules avant de les enserrer de son bras. Elle s'appuya contre lui et, à ce moment précis, tandis que la fête se poursuivait derrière eux, Sophie se dit qu'elle ne pouvait être plus heureuse.

59.

Malgré un ciel couvert, c'était une des dernières belles journées d'automne. Les arbres avaient fini de perdre leurs feuilles, le vent les avait éparpillées, et les outardes avaient commencé à migrer. Une centaine d'entre elles venait de se poser dans le champ de l'autre côté de la route. À genoux dans son jardin, Sophie jeta un œil dans leur direction. On les voyait à peine entre les tiges de maïs coupées ras. On les entendait cependant.

Le temps avait fraîchi. Plus question d'aller pieds nus, pas même dans la maison. Le soir, il fallait porter un manteau. Le jour, une petite laine suffisait. C'est ainsi que Sophie travaillait, chaussée de vieilles espadrilles, son jean taché d'herbe et de boue, le tricot lâche, mais confortable. La récolte achevait. Les derniers poireaux avaient trouvé la veille la direction du chaudron et du congélateur, les graines de coriandre et d'aneth avaient été ramassées, les plants de thym, de romarin, de ciboulette et d'estragon avaient été recouverts de paille. Sophie avait protégé de la même manière les carottes et les panais encore dans la terre. Elle comptait les cueillir juste avant Noël, pour surprendre Anouk. Ainsi déserté et abrié, le jardin avait l'air mort. Seules quelques courges arrivaient encore à l'égayer, résistantes et farouches, absorbant les maigres rayons qui perçaient ici et là entre les nuages. Les plants séchés s'amoncelaient en tas dans un coin du potager. Ils seraient compostés pour respecter le cycle vie-mort-vie, philosophie de Rachelle que Sophie avait faite sienne.

Elle entendit les sabots en même temps que les oiseaux. Le ciel s'assombrit au-dessus de sa tête quand la centaine d'outardes prit son envol comme un seul être vivant. Leurs cris couvrirent les pas du cheval alezan qui arrivait du village au trot. Sophie reconnut un des chevaux de Peter McDonald bien avant de reconnaître le cavalier. Il faut dire qu'il s'était écoulé trois semaines depuis leur rencontre. Elle pensait qu'il l'avait oubliée. Blaise Erskine la salua et immobilisa sa monture à deux pas du jardin.

– Es-tu bien occupée ?

Il avait posé cette question en couvant d'un œil de connaisseur l'ensemble du potager. Il portait encore son chapeau de feutre, mais le reste de sa tenue lui donnait un air négligé. Comme celui de Sophie, son jean était taché aux genoux. Il avait sans doute aidé sa mère à préparer son terrain pour l'hiver. Cette idée la ravit.

– Je viens de terminer, dit-elle en se redressant. Prendrais-tu un café ?

– J'ai une meilleure idée.

Sans mettre pied à terre, il lui tendit la main.

– Je t'emmène faire un tour.

On entendit soudain les aboiements du chien. La voix de Cyrano leur parvenait étouffée parce qu'il se trouvait dans la cuisine. Il y dormait depuis la veille, quand Sophie l'avait ramené de chez le vétérinaire où il avait été vacciné. Qu'il ait tant tardé à donner l'alerte prouvait qu'il lui fallait encore récupérer.

Elle ne pensa même pas à verrouiller la porte avant d'attraper la main que Blaise lui tendait. Le pied gauche dans l'étrier, elle se hissa derrière lui.

– Où est-ce qu'on va ? demanda-t-elle lorsque le cheval pivota pour reprendre le chemin du village.

– Au cimetière.

Elle rit. Cette sortie était bien de circonstance en ce jour d'Halloween. Pendant les minutes qui suivirent, elle chercha en vain quelque chose à dire. Elle ne voulait pas lui reprocher son silence des dernières semaines, mais en même temps, elle ne voulait pas qu'il la croie indifférente. Car elle ne l'était pas. Elle l'avait attendu toute une journée. Puis toute une semaine. Puis elle s'était lassée. Elle avait fini par croire qu'il n'était pas intéressé. Cette virée à cheval prouvait le contraire, ce qui atténuait un peu la peine qu'elle avait ressentie à l'idée d'avoir rêvé pour rien.

Pour se garder en selle, elle lui avait entouré la taille de ses bras. Elle avait d'abord maintenu une distance entre eux, mais s'autorisa au bout d'un moment à appuyer la tête contre son dos. Preuve qu'il attendait un geste de sa part, Blaise posa une main sur les siennes. Sophie se blottit plus encore et retrouva ce lien qu'elle avait senti au bord de l'eau trois semaines plus tôt. Une chaleur nouvelle se répandit dans son corps. Elle mit cette sensation sur le compte du ciel qui se dégageait tout à coup, mais accepta quand même l'idée qu'elle pouvait être amoureuse. Elle en avait envie. Et de l'homme et de l'amour.

Il leur fallut presque une heure pour atteindre la 138. Comme tous les après-midi en semaine, la circulation se faisait rare. Ils traversèrent la route sans difficulté et pénétrèrent dans le village. Blaise connaissait bien l'endroit, il n'eut pas une hésitation pour trouver le cimetière. Il arrêta le cheval devant l'entrée, aida Sophie à descendre et se laissa lui-même glisser sur le sol. Après avoir attaché les rênes au grillage, il prit la main de Sophie et l'entraîna entre les pierres tombales. Lorsqu'ils s'immobilisèrent devant la tombe de Katherine Erskine, Sophie ne put cacher sa surprise.

– Elle portait ton nom ?

Depuis les années 1980, les Québécoises ne portaient plus le nom de leur mari. Blaise était trop jeune pour s'être marié avant la loi. Il lui fit un clin d'œil, bomba le torse pour imiter les machos, mais il n'y eut pas une once de moquerie dans sa réponse.

– On était cousins.

Voilà qui expliquait le nom, mais qui justifiait aussi le désaccord de Rachelle. Elle craignait sans doute, et non sans raison, que la consanguinité affecte sa descendance.

– Avez-vous eu des enfants? osa Sophie en remarquant que la défunte était décédée à l'âge de 35 ans.

– Non. Mais on aurait voulu en avoir.

Blaise commença à lui raconter sa jeunesse avec Katherine, leur liaison, puis leur mariage sans Rachelle. Il raconta aussi leur séparation, un mois avant sa mort.

– Sa voiture a été écrasée par un arbre pendant la crise du verglas. Elle est morte sur le coup. Deux jours plus tard, j'apprenais qu'elle était enceinte.

Le cœur de Sophie sembla s'écraser lui aussi tandis que Blaise lui racontait sa vie. Elle comprenait sa peine, son deuil, et imaginait la culpabilité qui avait dû le torturer depuis des années. Elle serra plus fort sa main, et il lui rendit son étreinte avant de s'écarter d'elle. Elle le vit alors retirer son alliance. Il s'avança près de la pierre tombale, creusa un trou et y enterra le bijou. Lorsqu'il se redressa, il vint se placer en face de Sophie.

– Je suis libre maintenant, dit-il en la regardant droit dans les yeux.

À ces mots qui constituaient la plus belle déclaration d'amour que Sophie ait jamais entendue, elle ne put que répondre:

– Moi aussi.

60.

En ce début de décembre, une fine couche de neige couvrait la campagne. La veille, quand les premiers flocons s'étaient mis à tomber, Anouk avait demandé :

– Ce n'est pas un peu tôt pour de la neige ?

Ce à quoi Sophie avait répondu :

– C'est toujours trop tôt pour de la neige.

Et comme elle prononçait ces mots, elle avait cru entendre la voix de Rachelle doubler la sienne. Luc était venu cueillir sa fille au retour de l'école, tandis qu'il faisait encore jour. Il n'aimait pas la route qui reliait Ormstown à Châteauguay et avait toujours détesté conduire de nuit.

Sophie s'éveilla donc seule ce matin-là. Elle ouvrit les yeux, et un sourire ourla ses lèvres. Elle observa le plafond, les murs, les meubles. Elle venait de passer sa première nuit dans ses nouveaux appartements. Là où se trouvait autrefois la cuisine d'été s'élevaient désormais deux chambres et une salle de bain. Et c'était elle, Sophie Parent, qui avait tout créé, de l'emplacement des murs à la décoration. Elle avait tout inventé à son image. Elle savait qu'un invité s'y sentirait bien, qu'il y percevrait son penchant pour la lenteur, pour le confort, pour la chaleur.

Elle se leva, enfila sa robe de chambre, passa dans la salle de bain et se rendit dans la cuisine pour faire du café. Cyrano la suivit pas à pas. Anouk partie, la maison était plus silencieuse. Seul D'Artagnan, qui dormait encore dans son panier, se permettait de ronfler. Sophie ouvrit la porte, fit sortir le chien avant de se verser une tasse de café et de s'installer dans sa chaise berçante, près de la fenêtre. Elle repoussa le rideau de dentelle pour admirer la campagne. L'hiver déroulait son voile blanc sur les vestiges de son jardin, sur les arbres nus et sur la route qui s'étirait à perte de vue. Les oiseaux tenaient bon, piaillant et fouillant la terre meuble des champs.

La nature se maintenait en équilibre, et Sophie avait appris d'elle autant que de Rachelle. Car tout n'était pas parfait dans sa vie, loin de là. D'un côté, sa mère et son frère ne lui parlaient plus. Roxane ne restait jamais très longtemps, surtout depuis qu'elle avait rompu avec le fils Stride. Mais ce qui se trouvait sur l'autre plateau de la balance compensait largement. Sophie chérissait la relation qu'elle avait développée avec Anouk, adorait cette nouvelle maison qu'elle avait mise à sa main, et anticipait l'ouverture de son auberge prévue pour le printemps. Elle imaginait de quoi aurait l'air son jardin l'été suivant, préparait un plan, visualisait les carrés à cultiver, les coins en jachère. Elle cuisinait comme elle l'avait toujours souhaité, lentement et avec plaisir, sans perdre de vue que le temps qui passait ne revenait jamais.

Elle sirotait encore son café quand une voiture apparut à droite de son champ de vision. Ses yeux devinrent brillants quand elle reconnut le conducteur. La voiture s'engagea dans l'entrée, et Blaise Erskine en descendit, un bouquet de fleurs dans les mains, son habituel chapeau incliné sur la tête.

Il y avait quelqu'un maintenant dans la vie de Sophie. Quelqu'un qu'elle aimait, mais dont elle n'avait pas à s'occuper comme une esclave. Blaise avait son appartement à Montréal où il écrivait. La fin de semaine, souvent même le vendredi soir, il quittait son havre de paix pour celui de Sophie, choisissant ainsi de partager ses repas, sa vie, ses passions et ses plaisirs avec elle. Sophie ne pensa même pas à courir s'habiller. Blaise Erskine, fils de Rachelle Campagna, avait l'habitude des femmes en pyjama jusqu'à 10 heures du matin. Elle le regarda grimper les marches de la galerie, caresser le chien et entrer avec lui. Elle n'avait pas bougé.

– Bonne fête, dit-il en lui tendant les fleurs.

Sa fête? Bien sûr! Sophie l'avait complètement oubliée. Ce matin-là, elle avait quarante et un ans.

Recettes de Sophie Parent

Omelette à la tomate et au chèvre

pour 2 personnes
1 c. à soupe d'huile ou de beurre
1 oignon haché finement
1 tasse de tomates en dés
Sauge ou basilic au goût
2 œufs
¼ tasse de lait
Sel et poivre
1 petit crottin de chèvre émietté

Allumez le gril du four. Dans une poêle antiadhésive, faites revenir l'oignon dans l'huile. Ajoutez les tomates et les fines herbes, puis laissez cuire deux minutes. Battez ensemble les œufs et le lait, ajoutez le sel et le poivre. Versez ce mélange dans la poêle avec les tomates. Laissez prendre une minute. Parsemez de chèvre et passez sous le gril jusqu'à ce que l'omelette soit prise.

Crêpes à la courgette

pour 2 personnes
1 petit oignon haché
1 c. à soupe d'huile ou de beurre
1 œuf
4. c. à soupe de farine
½ c. à thé de levure chimique
Sel et poivre
1 courgette râpée
Beurre pour la cuisson

Faites revenir l'oignon dans l'huile. Mélangez au fouet l'œuf, la farine, la levure chimique, le sel et le poivre pour former une pâte à crêpe. Ajoutez la courgette râpée et l'oignon. Faites fondre un peu de beurre dans une poêle antiadhésive. Versez-y la pâte pour former de petites crêpes de 10 cm de diamètre. Retournez-les quand des bulles se forment à la surface. Servez-les chaudes, avec du beurre ou du sirop d'érable.

Quiche à l'oignon

pour 4 personnes
2 gros oignons doux (vidalia ou espagnol) en rondelles
1 c. à soupe de beurre
1 c. à thé de thym frais (moins si le thym est séché)
1 abaisse de 9 po non cuite
2 œufs
¼ tasse de lait
Sel et poivre
½ tasse de gruyère râpé

Préchauffez le four à 350°. Faites cuire les oignons dans le beurre pendant une demi-heure ou jusqu'à ce qu'ils aient caramélisé. Fouettez les œufs et le lait. Ajoutez le sel et le poivre. Déposez les oignons sur l'abaisse et recouvrez-les avec le mélange d'œufs. Parsemez de gruyère. Faites cuire 40 minutes ou jusqu'à ce que le fromage soit doré.

Truc : Faites cuire les oignons à feu doux la veille pendant une heure. Ils seront meilleurs.

Crumble aux framboises et à la rhubarbe

pour 4 personnes

Pour les fruits :
1 tasse de framboises fraîches ou surgelées
1 tasse de rhubarbe en morceaux de 1 cm d'épaisseur

Pour la sauce :
¼ tasse de beurre fondu
¼ tasse de sucre
1 c. à soupe de farine
1 œuf battu

Pour le crumble :
½ tasse de farine
½ tasse de flocons d'avoine entiers
½ tasse de cassonade (¾ de tasse si vous utilisez des fruits surgelés)
½ tasse de beurre coupé en cube

Préchauffez le four à 350°. Déposez les framboises et la rhubarbe dans un plat allant au four. (Attention, si vous utilisez des framboises surgelées, choisissez un plat de métal.) Fouettez ensemble les ingrédients de la sauce, puis versez sur les fruits. Dans un autre bol, mélangez la farine, les flocons d'avoine et la cassonade. Ajoutez-y le beurre et à l'aide d'un coupe-pâte, broyez jusqu'à ce que le mélange soit granuleux. Parsemez cette pâte sur les fruits. Faites cuire 30 minutes. (Ajoutez 20 minutes si vous utilisez des fruits surgelés.)

Clafoutis aux cerises de terre

pour 6 personnes
1 tasse de cerises de terre débarrassées de leur membrane et coupées en deux
½ tasse de crème
2 œufs complets + 2 jaunes
½ tasse de sirop d'érable
Beurre pour graisser un moule à tarte de 9 po

Préchauffez le four à 350°. Graissez le moule à tarte. Déposez-y les cerises de terre. Dans un bol, fouettez ensemble la crème, les œufs, les jaunes d'œufs et le sirop d'érable. Versez ce mélange sur les cerises de terre. Faites cuire 40 minutes.

Tarte aux panais

pour 6 personnes
3 ½ tasses de panais en petits cubes
1 c. à soupe de beurre
½ tasse de sirop d'érable
½ c. à thé de cannelle
½ c. à thé de muscade
½ c. à thé de cardamome
3 jaunes d'œufs
1 pincée de sel
1 abaisse de 9 po non cuite

Préchauffez le four à 350°. Faites cuire les panais dans l'eau bouillante. Égouttez et écrasez pour faire une purée. Ajoutez le beurre, le sirop d'érable, les épices et les jaunes d'œufs. Versez cette préparation dans l'abaisse et faites cuire au four pendant 40 minutes ou jusqu'à ce que la tarte soit prise.

Remerciements

Je tiens à remercier Michel Frenette, Helga Hertlein, Diane Leclair, André Librex et Stéphane Telmosse d'avoir partagé leur environnement avec moi. Leur générosité a donné à ce roman un cadre réaliste.

Je remercie également les écrivaines Lise Blouin, Charlotte Lemieux, Louise Simard de même qu'Élisabeth Tremblay pour les longues conversations au sujet des personnages de ce roman.

Et, comme toujours, merci à Pierre pour ses conseils, mais surtout pour l'indulgence dont il fait preuve dans mes moments de doute.

Mylène Gilbert-Dumas